Oscar classici moderni

Ignazio Silone

Vino e pane

OSCAR MONDADORI

© 1955 Arnoldo Mondadori Editore S.p.A., Milano

I edizione Narratori italiani maggio 1955
I edizione Oscar Mondadori maggio 1969
I edizione Oscar classici moderni febbraio 1996

ISBN 88-04-49604-5

Questo volume è stato stampato
presso Mondadori Printing S.p.A.
Stabilimento NSM - Cles (TN)
Stampato in Italia. Printed in Italy

Ristampe:

11   12   13   14   15   16   17

2004   2005   2006   2007   2008

www.librimondadori.it

Ignazio Silone

La vita

Ignazio Silone, pseudonimo di Ignazio Tranquilli, figlio di una tessitrice e di un piccolo proprietario terriero, nasce il 1° maggio 1900 a Pescina dei Marsi, un comune rurale in provincia dell'Aquila. Per motivi economici, frequenta dapprima il seminario di Pescina e poi il liceo-ginnasio di Reggio Calabria, ma deve abbandonare gli studi in seguito al terremoto della Marsica del 1915, in cui perderà i genitori e cinque fratelli.

La catastrofe naturale pone Silone, sin da ragazzo, di fronte a episodi raccapriccianti in cui si manifesta, ad esempio, la perversa attitudine di alcuni uomini allo sciacallaggio e la furia bestiale di assassini travestiti di perbenismo. Questi episodi contribuiscono a esasperare il contrasto che già lo scrittore aveva avvertito «tra la vita privata e familiare, ch'era, o almeno così appariva, prevalentemente morigerata e onesta, e i rapporti sociali, assai spesso rozzi odiosi falsi». Da tali parole e da altre pagine di *Uscita di sicurezza* si può datare la conseguente scelta dei compagni e dell'impegno politico di Silone, proprio in coincidenza con questa drammatica vicenda personale e sociale.

Rimasto improvvisamente senza famiglia, il ragazzo va a vivere «nel quartiere più povero e disprezzato del comune» e comincia a frequentare la baracca dove ha sede la Lega dei contadini. Ha inizio così il suo apprendistato di militante rivoluzionario che, sotto l'influsso di Lazzaro, l'incarnazione del cristiano autentico, del "cafone" santo, si pone sotto il segno di Cristo e della Chiesa dei poveri, degli afflitti, di coloro che «hanno fame e sete della giustizia». Proprio nei giorni del terremoto l'autore conosce don Orione, e su quell'incontro scrive una bella pagina autobiografica dal titolo *Incontro con uno strano prete*, pubblicata nel volume *Uscita di sicurezza* nel

1965. Appare evidente che la scelta di Silone, che lo porta a prendere precocemente posizione contro la vecchia società e il potere costituito, può essere considerata una sorta di «conversione, un impegno integrale, che implicava un certo modo di pensare e un certo modo di vivere». Il giovane, interiormente disgustato dai soprusi, dalla violenza, dall'ipocrisia, si convince che l'unica risorsa sia quella di aiutare i poveri, di schierarsi al loro fianco.

Già nel 1917, a soli diciassette anni, aveva inviato alcuni articoli all'«Avanti!» in cui denunciava le indebite appropriazioni di fondi destinati alla ricostruzione dopo il terremoto. Più tardi frequenta la Lega dei contadini del suo paese e diventa segretario regionale della Federazione dei lavoratori della terra: gli amati "cafoni" di *Fontamara*. Prende anche parte attiva alle lotte contro la guerra e viene processato per aver capeggiato una manifestazione violenta.

Nell'immediato dopoguerra si trasferisce a Roma, dove entra a far parte della Gioventù socialista, opponendosi al fascismo fin dalla sua nascita. Come rappresentante di questo movimento politico e sociale, egli prende parte nel 1921 al Congresso di Lione e alla fondazione del Partito comunista italiano. L'anno successivo diventa direttore del settimanale romano «L'Avanguardia» e redattore del quotidiano triestino «Il Lavoratore», la cui tipografia viene più volte incendiata dagli squadristi. Compie diverse missioni all'estero, ma per via delle persecuzioni fasciste è costretto a vivere in clandestinità, collaborando attivamente con Gramsci e occupandosi dell'«Unità» e di altri giornali stampati di nascosto.

Nel 1926, dopo l'approvazione da parte del Parlamento delle leggi di difesa del regime, vengono sciolti tutti i partiti politici e soppressa la stampa di opposizione. Togliatti assume la direzione del centro estero del Pci e a Silone viene affidata la segreteria del centro interno. Comincia intanto a profilarsi la crisi che lo porterà, nel 1930, a uscire dal partito, soprattutto per la sua opposizione alla politica di Stalin. L'elemento determinante del distacco stava, secondo Silone, nell'incapacità dei comunisti russi di discutere «lealmente» le opinioni contrarie alle proprie. Ogni divergenza di opinione col gruppo dirigente «era destinata a concludersi con l'annientamento fisico della minoranza da parte dello Stato». Era il momento della "svolta" della Terza Internazionale, che aveva spaccato i comunisti italiani e indotto Togliatti a espellere dal partito alcuni dirigenti di primo piano (Tresso, Leonetti e Ravazzoli), nell'illusione – suggerita da Mosca – che la rivolta operaia contro il fascismo fosse imminente e destinata alla vittoria. Da questo momento, Silone sarà un socialista cristiano, non più un marxista.

In questo clima di lacerazioni politiche si compie un altro dramma nell'esistenza tormentata dello scrittore. Romolo, il fratello più giovane, l'ultimo superstite della sua famiglia, viene arrestato nel 1928 con l'accusa di appartenere al Partito comunista illegale: «Al momento dell'arresto egli era stato così duramente torturato da riceverne permanenti e atroci lesioni interne; e dovette attendere fino al 1932, nel penitenziario di Procida, la fine che ponesse fine al suo martirio». Questa tragedia gli peserà addosso per tutta la vita, riaffiorando nei romanzi come ripetizione e rispecchiamento di un dolore privato e universale. Quando il fratello fu arrestato, Silone aveva già scelto la via dell'esilio in Svizzera, dove rimase fino al 1945, ed egli considererà questa sua assenza come una colpa senza appello.

Deciso ormai a condurre una vita da «socialista senza partito e cristiano senza chiesa», Silone svolge un'intensa attività culturale. Dal 1931 al 1933 fonda e dirige la rivista in lingua tedesca «Information», collabora a «Le Nuove Edizioni di Capolago» per la pubblicazione di scritti degli emigrati. Sono anche anni di intensa attività letteraria: tra il 1927 e il 1930 scrive articoli e saggi di grande interesse sul fascismo italiano e, soprattutto, il suo romanzo più famoso, *Fontamara*. Le accese polemiche contro il nazifascismo e lo stalinismo lo portano a una nuova militanza politica attiva, cosicché nel 1939 dirige il Centro estero socialista di Zurigo. Gli echi mondiali dei manifesti e dei documenti diramati da questo centro provocano la reazione dei fascisti, che chiedono l'estradizione di Silone. Le autorità elvetiche rifiutano, ma internano lo scrittore a Davos (1942-43) e poi a Baden (1943-44) per avere svolto attività politica illegale.

Nel 1941 pubblica, in tedesco, *Il seme sotto la neve* e tre anni dopo rientra in Italia, dove aderisce al Partito socialista, assumendo una posizione intermedia, che si oppone soprattutto alla fusione Pci-Psi. Dal 1945 al 1946 dirige l'«Avanti!» e nel 1947 fonda «Europa Socialista». Due anni dopo tenta una fusione su nuove basi di tutte le forze socialiste con l'istituzione del Psu, ma le delusioni che ne derivano lo convincono al definitivo ritiro da ogni militanza politica istituzionale. L'anno successivo dirige la sezione italiana del Movimento internazionale per la libertà della Cultura e nel 1956 assume la dire zione, insieme con Nicola Chiaromonte, della rivista «Tempo Presente», un'emanazione dell'Associazione per la libertà di critica.

Al registro ideologico, che lo ha visto sempre pronto a opporsi a ogni abuso della politica, si affianca in questi anni un'intensa attività narrativa. Dal 1952 al 1968 escono *Una manciata di more*, *Il segreto di Luca*, *La volpe e le camelie*, *Uscita di sicurezza* e, infine, l'opera che per molti rappresenta il suo capolavoro, *L'avventura di un povero cristiano*. Il 18 agosto 1978, dopo una lunga serie di malattie, Silone si spegne in una clinica di Ginevra, fulminato da un ictus che in quattro giorni lo porta alla morte. Viene sepolto a Pescina dei Marsi, «ai piedi del vecchio campanile di San Bernardo» e con la «vista del Fucino in lontananza». Sulla sua tomba, costruita con blocchi di roccia delle vicine montagne, non c'è nessuna epigrafe, come lui volle nel breve testamento, riprodotto per volontà della moglie Darina nel volume postumo intitolato *Severina*.

Le opere

Fontamara, pubblicato a Zurigo, in tedesco, nel 1933, è uno dei più clamorosi casi letterari di questo secolo. Il romanzo, conosciuto e amato in tutto il mondo, è completamente ignorato in Italia per almeno un ventennio e narra la storia di un paese della Marsica, scelto come simbolo dell'universo contadino. I materiali autobiografici si fondono nel libro con gli strumenti di conoscenza, legandosi alla lotta di Silone contro l'ingiustizia e gli abusi del potere istituzionale. Il tema documentario è quello della lotta fra "cafoni" e borghesi, ma la sua funzione è sia di denuncia per l'oppressione e i soprusi subiti dai contadini abruzzesi e di ogni contrada, sia di auspicio per la formazione di una coscienza sociale liberata dalle ataviche rassegnazioni. Catastrofi naturali e ingiustizie, cicli stagionali e miserie diventano infatti così antichi da apparire come un'eredità dei padri e della terra. Tutto ciò che avviene oltre il confine di quei monti, posti come confine di un luogo e di una condizione, ossia ogni trasformazione tecnologica e sociale del mondo di fuori, viene visto dai "cafoni" di Silone come uno spettacolo da osservare, avvinti come sono a un suolo di miseria ineluttabile.

Fontamara diventa così la vicenda corale degli emarginati, uguali sotto ogni latitudine, visti nel momento cruciale e auspicato in cui rifiutano la fissità della loro condizione ed entrano in conflitto con la «società degli integrati» del momento, ossia quella fascista. Il portavoce di questa nuova coscienza è il "cafone" Bernardo Viola, trascinato in una lotta istintiva priva di ogni retorica e animata dai precetti della fratellanza evangelica: la speranza, l'uguaglianza e la ricerca della verità originaria. La sua morte è il sacrificio necessario per la propagazione della fede nella giustizia, e i fontamaresi ne raccolgono l'eredità per chiedersi insieme «che fare?».

La natura intimamente apostolica del lavoro letterario di Silone si traduce nei suoi libri in testimonianza della libertà umana, nucleo centrale del suo mondo morale e letterario. Questa netta posizione è tuttavia evidente anche nelle opere di carattere storico-politico e ideologico che egli scrisse fra il 1934 e il 1938, soprattutto *Der Fascismus* che, a detta degli storici, è uno degli studi più importanti pubblicati da contemporanei sul fenomeno fascista. A questo saggio si deve affiancare anche *La scuola dei dittatori*, scritta come meditazione, in forma di dialogo, sulle cause del trionfo della dittatura e sui valori «eterni» della libertà umana.

Il secondo romanzo pubblicato durante l'esilio, *Vino e pane*, uscito a Zurigo nel 1937, è per certi aspetti la continuazione di *Fontamàra* e s'inquadra negli anni del conflitto etiopico, in un clima politico di avventura cospirativa. Racconta il ritorno in patria di Pietro Spina, giovane intellettuale di estrazione borghese, che aveva abbandonato i suoi luoghi per seguire un ideale rivoluzionario. Nelle vicende di questo personaggio tormentato, costretto a vivere braccato, nascosto, travestito, fra paura e coraggio, riemergono i motivi cari alla letteratura di Silone: il dibattito sulla rivoluzione, la fede, la giustizia, l'indagine sulla società dei "cafoni", sulle sue reazioni al fascismo, il richiamo della terra natale e della memoria.

Nel 1941 viene pubblicato, in tedesco a Zurigo e in italiano a Lugano, *Il seme sotto la neve*, composto fra il 1939 e il 1940. Il protagonista di questo libro, Pietro Spina, è chiaramente lo stesso personaggio autobiografico di *Vino e pane*, deluso dall'ideale rivoluzionario, che interiorizza i miti di uguaglianza e di giustizia, perseguendo uno scopo di libertà e di purezza spirituale.

Appare evidente che in Silone il registro del moralista e quello del narratore sono la radice e il fine della sua esigenza letteraria, e fungono da stimolo a scrivere un solo libro con più voci, complementari e testimoniali. In questo senso si deve leggere anche *Una mancia-*

ta di more, prima opera scritta e stampata in Italia dopo l'esilio, in cui si narra la crisi ideologica di Rosso de Donatis, un ex partigiano comunista, provocata dal nuovo volto assunto dal partito, che fa presagire azioni repressive e persecutorie. Rocco, costretto a espatriare, compie «l'atto più importante della sua vita»: la rinuncia alla militanza politica a favore della causa degli oppressi.

Nel 1956 esce *Il segreto di Luca*, romanzo scritto nella forma di inchiesta retrospettiva su un caso giudiziario. Viene ricostruita la storia d'amore del protagonista, ergastolano ingiustamente accusato di omicidio, in cui si tracciano, come in un arazzo, le trame di un sentimento platonico di vago sapore stilnovistico. Intorno alla vicenda sta il brusio della società contadina con la sua versione dei fatti, basata su consuetudini non scritte che s'impigliano con le norme del codice che regola le testimonianze ufficiali. La molla del racconto è innanzitutto morale: nel *Segreto di Luca* emerge infatti la sferza che colpisce le ipocrisie e la viltà della gente che, chiusa nei propri pregiudizi atavici, sembra ignorare l'imperativo della verità.

Nel 1960 esce, nella redazione definitiva, *La volpe e le camelie*, una storia ambientata nel Canton Ticino, fuori quindi dai confini elettivi dell'Abruzzo, ma ancora legata all'esperienza biografica dell'autore e all'ambiente antifascista clandestino. Anche qui, la morte del protagonista rappresenta in qualche modo la morte della speranza nell'utopico mondo vagheggiato da Silone, quello dell'uguaglianza e della liberazione degli uomini da ogni tirannia. Si tratta però di un sacrificio necessario, poiché colui che opera al di fuori di ogni istituzione di chiesa o di partito muore con lo spirito del "santo" ed è quindi degno di avere dei continuatori. La lotta contro l'ingiustizia è, secondo Silone, di ogni tempo e di ogni paese. Il tema appare evidente nell'*Avventura di un povero cristiano*, del 1968, dove si narra del «gran rifiuto» di Celestino V, il papa vissuto nella stessa terra d'Abruzzo e costretto a rinunciare al manto papale dopo aver lottato invano contro le menzogne e le oppressioni del potere. Uscire dalla logica delle istituzioni significa quindi, nel Medioevo come oggi, ritornare a operare accanto alle vittime e agli oppressi di ogni storia, cercando di condividere le loro pene, nella speranza utopica di un riscatto e di un futuro di dignità e di diritti garantiti a tutti.

Nel 1965 Silone riunisce gli scritti della sua speculazione morale e filosofica in *Uscita di sicurezza*, il testamento di uno scrittore che non ha mai voluto rinunciare alla «dignità dell'intelligenza». Il racconto autobiografico si alterna ai testi saggistici, restituendo al lettore le scintille delle sue esperienze di vita, le ideologie, la psicologia e i miti del suo immaginario romanzesco. Dalla lunga confessione contenuta nel libro si comprende che in ogni sua opera Silone si è avvalso di un'intensa esperienza diretta, dal quotidiano alla storia, dalle delusioni politiche alla speranza evangelica nel riscatto degli umili, fino alla scelta di allontanarsi da ogni forma di potere istituzionale.

Nel 1981, a tre anni dalla sua morte, esce a cura della moglie Darina il romanzo *Severina*, che condensa i motivi fondamentali del lavoro letterario di Silone. La protagonista, una giovane suora abruzzese, caparbia e forte, è la versione contemporanea di Celestino V e rispecchia la rettitudine interiore del «povero cristiano». Il personaggio di Severina, oltre a essere un riflesso dell'autore, vuole anche essere un omaggio a Simone Weil, la filosofa francese che Silone ha tanto ammirato e che non volle mai abbracciare apertamente il cristianesimo, a cui si era convertita, per riservarsi uno spazio di libertà. L'indipendenza morale di Severina sta soprattutto nella speranza e nella coerenza delle proprie idee e verità, nella riaffermazione della fede in un cristianesimo originario, fuori da ogni istituzione, e nel socialismo utopico basato sull'amore per gli oppressi e i vinti di tutte le nazioni e di ogni storia, presente e passata.

La fortuna

Parlare della fortuna di Ignazio Silone significa ricordare l'inaudito divario che per un ventennio separò la critica italiana da quella del resto del mondo. Quando *Fontamara* uscì nel 1947 in Italia, il libro aveva già 17 anni di fama alle spalle. Nonostante ciò, l'accoglienza fu per un verso ferocemente riduttiva, ai limiti dell'insulto e, per l'altro verso, elusiva o sprezzante. Evidenti pregiudizi politici avevano scavato intorno allo scrittore una trincea di silenzio. Malvisto sia dalla destra sia dalla sinistra, il libro di Silone poteva inoltre sembrare ai critici italiani un po' fuori moda, una sorta di atto d'accusa contro la letteratura d'evasione o di pura costruzione formale degli ultimi vent'anni. Silone scrisse il suo romanzo a Davos, fra i tormenti del sanatorio e del confino. Due anni dopo si lascerà convincere dal romanziere austriaco Jakob Wassermann, che aveva riscontrato nel libro «una semplicità e grandiosità omerica», a pubblicarlo in tedesco. La diffusione di *Fontamara* nel mondo fu rapidissima. Tradotto in 27 lingue e riprodotto in numerose collane economiche, suscitò migliaia di giudizi e di consensi sulla stampa internazionale. Lev Trotzskij ne parla come di un'autentica «opera d'arte»; Bertrand Russell cita Silone fra gli autori prediletti della letteratura italiana; Graham Greene rileva l'affinità di intenti che apparentano la sua opera a quella dello scrittore abruzzese. Malgrado il trionfo internazionale, l'autore fu costretto a stampare l'originale italiano a proprie spese presso una tipografia parigina, dove uscì nel 1934 con la sigla fittizia «Nuove Edizioni Italiane». Il successo in patria di *Fontamara* tarderà fino al 1965, in coincidenza con la pubblicazione di *Uscita di sicurezza*, quando cioè la critica si rese conto che era la coerenza drammatica e ossessiva del suo mondo morale a governare lo stile.

Una sorte analoga, con l'eccezione di qualche voce critica attenta e scevra da pregiudizi, toccherà anche a *Vino e pane* (titolo originario *Pane e vino*), accolto invece dai commossi consensi di esuli illustri come Thomas Mann, Arturo Toscanini, Stefan Zweig e Lionello Venturi. Sempre all'estero, soprattutto negli Stati Uniti e in Inghilterra, *La scuola dei dittatori* è stato considerato un classico della democrazia, mentre *Il seme sotto la neve* ha stimolato accostamenti fra Silone e i grandi scrittori umanitari, da Tolstòj a Bernanos, da Unamuno a Dostoevskij. In Italia, invece, anche quando uscì *Una manciata di more* la critica continuò a mantenere un atteggiamento denigratorio, al punto che qualche critico di sinistra invitò addirittura Silone a cambiare mestiere, mentre altri gli auguravano di bruciare sul rogo degli eretici.

Con la pubblicazione del *Segreto di Luca* – quel «bellissimo nodo d'amore», come lo chiamò Geno Pampaloni, uno tra i pochi a battersi in favore di Silone – si ha un accenno di ridimensionamento critico anche in Italia, anche se la vera svolta avviene, dopo la faziosa esclusione dello scrittore dal premio Viareggio nel 1965, con la pubblicazione di *Uscita di sicurezza*. Il lungo tempo di meditazione di questo libro – scrive Carlo Bo – «deve essere stato per Silone un tempo di delusioni e di amarezze». Il divario fra lo scrittore e i critici del tempo era evidente: «Da una parte c'era un intellettuale che non aveva mai tradito la sua verità o menomato la sua coscienza, dall'altra c'era una schiera di intellettuali senza alcuna esperienza di vita, totalmente ignari della politica mondiale, di quello che era stato il travaglio del socialismo nell'Europa del nostro secolo. Ci fu un tempo che era d'obbligo insultarlo o irriderlo. Quel tempo è passato ma le colpe della nostra sordità e della nostra viltà non sono state cancellate, non lo saranno neppure dopo. Quello spirito diverso che veniva identificato in un "pidocchio" è stato uno dei pochi maestri veri della nostra penultima storia».

Bibliografia

Prime edizioni

Pane e vino, Londra, 1936 (in inglese); Zurigo, 1937 (in tedesco); Lugano, 1937 (in italiano). Prima edizione in Italia, completamente riveduta e con il titolo *Vino e Pane*, Milano, Mondadori, 1955.

Saggi e articoli su Ignazio Silone

BIOGRAFIE

L. d'Eramo, *I. Silone. Studio biografico critico*, Mondadori, Milano 1972.

V. Esposito, *Ignazio Silone: la vita, le opere, il pensiero*, Ed. dell'Urbe, Roma 1979.

SCRITTI DI CARATTERE GENERALE

G. Piovene, *Moralità di Silone*, in «Città», febbraio 1945.

G. Pampaloni, *L'opera narrativa di Ignazio Silone*, in «Il Ponte», gennaio 1949.

G.B. Angioletti, *La stagione più meditata d'uno scrittore autentico*, in «La Fiera Letteraria», 4 marzo 1956.

G. Mariani, *Ignazio Silone*, in *I contemporanei*, III, Marzorati, Milano 1960.

R.W.B. Lewis, *Introduzione all'opera di Ignazio Silone*, Opere Nuove, Roma 1961.

I. Howe, *Politica e Romanzo*, Lerici, Roma 1962.

G. Petrocchi, *Il romanzo italiano di Ignazio Silone*, in *Poesia e tecnica narrativa*, Mursia, Milano 1965.

A. Bocelli, *Itinerario di Ignazio Silone*, in «La Nuova Antologia», maggio 1966.

A. Russi, *Gli anni dell'alienazione*, Mursia, Milano 1966.

C. Marabini, *Silone*, in «La Nuova Antologia», novembre 1968.

E. Bonaiuti, *Un artista maturato nella sofferenza e nella speranza*, in *Dal villaggio all'Europa*, De Luca, Roma 1971.

F. Virdia, *Silone*, La Nuova Italia, Firenze 1972

C. Annoni, *Silone*, Mursia, Milano 1974.

P. Aragno, *Il romanzo di Silone*, Longo, Padova 1975.

G. Rigobello, *Ignazio Silone*, Le Monnier, Firenze 1975.

E. Guerriero, *L'inquietudine e l'utopia. Il racconto umano e cristiano di Ignazio Silone*, Jaca Book, Milano 1979.

A. Gasbarrini – A. Gentile, *Silone fra l'Abruzzo e il mondo*, Ferri, L'Aquila 1980.

E. Circeo, *Da Croce a Silone*, Edizioni dell'Ateneo, Roma 1981.

G. Padovani, *Letteratura e socialismo. Saggi su Ignazio Silone*, Marino, Catania 1982.

S. Martelli – S. Di Pasqua, *Guida alla lettura di Silone*, Mondadori, Milano 1988.

AA.VV., *Silone scrittore europeo* (Atti del convegno di Pescina, 8-10 dicembre 1983, con contributi di Pampaloni, Luzi, Mauro, Valitutti, Garosci, Volpini, Petroni, Circeo, Pomianoski, Neucelle, Piccioni, Barberini, Gasbarrini), in «Oggi e domani», aprile 1989.

E. Guerriero, *Silone l'inquieto: l'avventura umana e letteraria di Ignazio Silone*, Ed. Paoline, Cinisello Balsamo 1990.

A.M. Lifonso, *La cultura come educazione alla libertà: motivi etico-pedagogici nell'opera di Ignazio Silone*, Edizioni del Grifo, Lecce 1991.

P. Tuscano, *Introduzione a Ignazio Silone*, Mucchi, Modena 1991.

G. Leone, *Ignazio Silone scrittore dell'intelligenza. La nozione di coscienza come motore delle azioni umane*, Atheneum, Firenze 1996.

O. Gurgo, *Silone: l'avventura di un uomo libero*, Marsilio, Venezia 1998.

G. Herling, *Silone. Una vita al bando*, in «la Repubblica», 28 giugno 1998.

B. Falcetto, saggio introduttivo a Ignazio Silone, *Romanzi e Saggi*, Mondadori, Milano 1999.

D. Biocca, *L'informatore: Silone, i comunisti e la polizia*, Luni, Milano 2000.

M. Canali, *Il caso Silone: le prove del doppio gioco*, Fondazione Liberal, Roma 2000.

M.V. Fiorelli, *I preti di Silone: la figura del sacerdote nella vita e nelle opere dello scrittore marsicano*, Guaraldi, Rimini 2000.

A. Sofri, *Il caso Silone nell'Italia dei delatori*, in «la Repubblica», 15 aprile 2000.

M. Biondi, *Scrittori e miti totalitari: Malaparte, Pratolini, Silone*, Polistampa, Firenze 2002.

Su Vino e pane

A. Kazin, *I. Silone Compassionate Parable*, in «The New York Herald Tribune Book», 11 aprile 1937.

F.W. Dupee, *After Fontamara. A Silone Novel and Escapade in Eschatology*, in «New Masses», 13 aprile 1937.

E.G. Lanuza, *Pan y vino*, in «Sur», settembre 1938, pp. 56-63.

M. Vaussard, *Le pain et le vin*, in «Temps Présent», 1° aprile 1939.

G. Ravegnani, *"Vino e pane" di Ignazio Silone*, in «Epoca», 11 agosto 1955.

A. Bocelli, *"Vino e pane"*, in «Il Mondo», 23 agosto 1955.

G.B. Angioletti, *Silone dopo "Pane e vino"*, in «La Fiera Letteraria», 4 marzo 1956.

H. Mitgang, *A Talk with Ignazio Silone about Bread and Wine*, in «The New York Times Book Review», 21 ottobre 1962.

L. Barzini, introduzione all'edizione americana di *Bread and Wine*, Time Life Books, New York 1965.

R. Salina-Borello, *Gli stilemi di "Vino e Pane"*, in «La Fiera Letteraria», 14 ottobre 1973.

C. Marabini, Introduzione a *Vino e Pane*, Mondadori, Milano 1989.

Vino e pane

Nota dell'autore

Non è caso eccezionale che uno scrittore veda una persona sconosciuta intenta a leggere un proprio libro; eppure un fatto del genere, occorsomi molti anni fa, mi fece un'impressione che ricordo ancora, forse per il concorso di circostanze di cui non mi resi subito conto.

Mi trovavo in treno, fra Zurigo e Lugano, in uno scompartimento deserto. A una stazione intermedia salì una donna anziana, modestamente vestita, che dopo avermi salutato con un breve cenno della testa, prese posto accanto al finestrino, davanti a me. Appena seduta, ella trasse dalla borsa da viaggio un libro e l'aprì alla pagina segnata da un sottile nastrino. Per mio conto avevo ancora da guardare alcuni giornali e riviste e non le prestai altra attenzione; ma, dopo un po', il mio sguardo fu attirato dalla copertina a colori del libro che la donna leggeva e mi accorsi che si trattava dell'edizione tedesca di un mio romanzo uscito un paio d'anni prima, *Brot und Wein*. Allora misi da parte giornali e riviste e cominciai a osservare, incuriosito, la donna che mi sedeva di fronte.

Ella era vestita e pettinata con molta semplicità, senza ornamento alcuno sulla persona, come da quelle parti si usa ancora in campagna, in ispecie nei cantoni protestanti. Malgrado i capelli grigi, il suo colorito era roseo e i suoi lineamenti erano rimasti regolari e fini; l'espressione del suo viso era intelligente aperta simpatica; in gioventù ella era stata certamente bella. Immaginai che potesse essere una maestra di scuola in pensione o la moglie di un medico; con molte probabilità era

3

una donna forte ed equilibrata non risparmiata però dalle sofferenze.

Col pretesto di riporre un paio di riviste sul portabagagli, mi alzai per verificare a qual punto del romanzo ella fosse arrivata. Era un capitolo che mi era rimasto bene in mente, perché mi era costato non poca fatica. Da quel momento, pur facendo finta di continuare a guardare un giornale, mi posi a seguire mentalmente, pagina per pagina, direi quasi linea per linea, la lettura della sconosciuta.

Il suo viso era apparentemente impassibile; solo un paio di volte ella chiuse gli occhi durante qualche istante, per poi riprendere a leggere. Provavo un'impressione curiosa; ero di fronte a una persona sconosciuta alla quale stavo raccontando in segreto una lunga storia. Fortunatamente quella edizione del mio romanzo non recava la fotografia dell'autore; se quella donna mi avesse riconosciuto, sarei rimasto imbarazzato non poco. Infatti uno strano disagio si stava insinuando nella mia mente. La pagina che la donna leggeva non mi soddisfaceva affatto, anzi, in quel momento, mi sembrava addirittura sciocca. Perché l'avevo scritta? Se avessi potuto prevedere che una persona simile avrebbe letto il mio libro, pensavo tra me, avrei certamente tolto quella pagina, ne avrei tralasciato anche altre e avrei riflettuto di più su certe espressioni. Perché nello scrivere un libro, mi domandavo, la maggior parte degli scrittori pensa il più sovente ai colleghi e ai critici, che leggono un centinaio di libri all'anno, e non agli sconosciuti per i quali il libro può avere un'importanza personale?

Forse non avevo mai sentito, in un modo così preciso e diretto, il privilegio e la responsabilità del mestiere di scrivere, benché, posso dirlo, non fossero sentimenti nuovi per me. Mi tornò alla memoria l'imbarazzo in cui mi aveva gettato, un anno prima, la lettera di un operaio italiano, a nome di un gruppo di suoi compagni di lavoro, come lui emigrati in Svizzera. Essi stavano discutendo una certa frase d'un mio libro e, non essendo d'accordo sul modo d'intenderla, avevano deciso di rivolgersi all'autore. Ma io avevo scritto quella frase del tutto distrattamente...

La donna scese dal treno prima di me, ed io continuai per

il resto del viaggio a pensare alla grande dignità e potenza della letteratura e all'indegnità della maggior parte degli scrittori, me compreso. Comunque, da quell'incontro data il mio proposito di rileggere *Pane e vino* con spirito critico.

L'avevo scritto, *ex abundantia cordis*, subito dopo l'occupazione fascista dell'Abissinia e durante i grandi processi di Mosca inscenati da Stalin per distruggere gli ultimi residui dell'opposizione. Era difficile immaginare una coincidenza più deprimente di eventi negativi. Il comportamento inumano del generale Graziani verso i combattenti e i civili etiopici, l'euforia di molti italiani per la conquista dell'Impero, la passività della maggioranza della popolazione, l'impotenza degli antifascisti, erano notizie che mi riempivano di un profondo senso di vergogna. A esso si aggiungeva l'orrore e il disgusto per aver servito durante gli anni della gioventù un ideale rivoluzionario che nella sua forma staliniana si stava rivelando, come allora lo definii, nient'altro che "fascismo rosso". Pertanto, il mio stato d'animo era più proclive all'enfasi, al sarcasmo, al melodramma che a una pacata narrazione. Devo aggiungere che l'eccezionale, e per me del tutto imprevisto, successo del libro, m'illudeva mediocremente, sapendo che alla fortuna d'uno scritto possono contribuire talvolta più i difetti che i pregi. Ma avevo il diritto di tornarvi sopra e di correggerlo? Benché non mancassero esempi, anche illustri, in senso favorevole, io ero allora propenso a ritenere che un libro, una volta edito, non appartenga più all'autore, ma al pubblico.

Il quesito tuttavia mi si sarebbe ripresentato più tardi sotto altra luce, poiché, dopo la caduta del fascismo, i miei libri si sarebbero potuti stampare per la prima volta anche in Italia. Avrei dovuto lasciarmi sfuggire quella possibilità offertami da un ritardo che, sotto tutti gli altri aspetti, era stato per me penoso e pregiudizievole? Con buona coscienza dunque me ne giovai per una messa a punto dei libri da me pubblicati in esilio, *Fontamara*, *Pane e vino*, *Il seme sotto la neve*.

Come la critica ha potuto constatare, questi libri sono rimasti immutati nella loro struttura, nella loro sostanza morale, nella vicenda dei personaggi e nello stile; ma sono stati sfrondati di elementi secondari o d'ispirazione contingente e ap-

5

profonditi nel loro tema fondamentale. Nessuna vanità può trattenermi dall'ammettere di aver fatto un'esperienza la quale conferma l'analogia tra lo scrivere e le altre arti, nel senso che anch'esso si impara e si perfeziona con l'esercizio.

In proposito ho anche avuto occasione di confessare che, se dipendesse da me, passerei volentieri la mia vita a scrivere e riscrivere lo stesso libro: quell'unico libro che ogni scrittore porta in sé, immagine della propria anima, e di cui le opere pubblicate non sono che frammenti più o meno approssimativi.

Devo ora specificare che cosa mi sembra di avere imparato? In primo luogo, che lo scrittore ispirato da un forte senso di responsabilità sociale è più di ogni altro esposto alla tentazione dell'enfasi, del teatrale, del romanzesco, e alla descrizione puramente esteriore delle cose e dei fatti, mentre quello che solo conta in ogni opera letteraria sono ovviamente le vicende della vita interiore dei personaggi. Anche il paesaggio e gli altri oggetti tra cui l'uomo si muove, meritano di essere menzionati solo nella misura in cui partecipano alla vita del suo spirito. E dato che il patetico non può essere espulso dalla vita umana, per renderlo sopportabile mi pare che sia sempre utile accompagnarlo con un po' d'ironia.

Col passare degli anni è anche cresciuta in me la ripugnanza per ogni forma di propaganda. Di tutte le chiacchiere scritte sul cosiddetto "impegno" degli artisti che cosa rimane? il solo "impegno" degno di rispetto è quello che risponde a una vocazione personale. D'altronde, è risaputo che non si può sacrificare all'efficacia la dignità dell'arte, senza sacrificare anche l'efficacia. In quanto allo stile, mi pare che la suprema saggezza nel raccontare sia di cercare di essere semplice.

Se mi sono astenuto dal fare la minima concessione alle mode letterarie sorte nel frattempo e già in via di esaurimento, non è per partito preso. Considero sciocco misurare la modernità di uno scrittore dagli espedienti tecnici di cui si serve. Credere che si possa rinnovare la letteratura con artifizi formali è antica illusione di retori. Con ripugnanza anche maggiore giudico la moda per le descrizioni erotiche a cui si dedicano, assieme a molti mestieranti attirati dal cattivo gusto del pubblico, anche scrittori di talento. A mio avviso non c'è nulla di più falso che giustificare la commercializzazione letteraria dell'erotismo in nome della libertà, pur essendo persuaso che essa non possa essere efficacemente combattuta dalla censura o da altri espedienti burocratici, ma dal disgusto che nasce da un senso serio e profondo della vita.

I

Il vecchio don Benedetto leggeva il breviario seduto sul muricciolo dell'orto, all'ombra del cipresso. Sul basso muricciolo che gli serviva da panca, il nero del suo abito talare assorbiva e prolungava l'ombra dell'albero. Dietro di lui la sorella tesseva al telaio, impiantato tra una siepe di bosso e un'aiuola di rosmarino, e la navetta saltava tra l'ordito di lana rossa e nera, da sinistra a destra e da destra a sinistra, accompagnata dal ritmo del pedale che sollevava i licci e del pettine che batteva la trama.

A un certo momento la sorella del prete interruppe il lavoro per osservare con malcelata ansietà un veicolo fermo ai piedi della collina. Delusa, ella riprese a tessere. Era un carro di campagna, tirato da buoi.

« Vedrai, non tarderanno » disse al fratello.

Egli alzò le spalle, fingendo noncuranza.

A destra si trovavano la strada ferrata e la via Valeria che, tra campi di fieno, di grano, di patate, di bietole, di fagioli, di granturco, portava ad Avezzano, si arrampicava fino a Colli di Monte Bove, scendeva a Tivoli e infine, come ogni fiume che sfocia in mare, conduceva a Roma; a sinistra, tra i vigneti, i piselli, le cipolle, c'era la via provinciale che si inerpicava subito tra le montagne e s'addentrava nel cuore dell'Abruzzo, nella regione dei faggi, dei lecci e dei superstiti orsi conducendo a Pescasseroli, a Opi, a Castel di Sangro.

La sorella del prete spingeva a destra e a sinistra la navetta, senza perdere di vista le strade della valle. Ma quello che vedeva, erano persone e cose d'ogni giorno, non ciò che aspettava.

Per la stradetta provinciale, sassosa e tortuosa come il letto di un torrente inaridito, si fece avanti una giovane contadina in groppa a un piccolo asino, con un bambino sulle braccia. Su un campicello dietro il cimitero, un vecchio contadino, a capo scoperto, tracciava linee brune con un aratruccio di legno tirato da due asini. Sembrava una vecchia pantomima monotona la vita contemplata dall'orto del prete.

Don Benedetto compiva quel giorno settantacinque anni. Era un tiepido pomeriggio di fin d'aprile, la prima vera giornata tiepida dopo un inverno assai rigido. Seduto sul muricciolo dell'orto, anch'egli alzava ogni tanto gli occhi dal breviario per guardare a valle, in attesa dell'arrivo di alcuni suoi antichi allievi. I giovanotti dovevano arrivare isolatamente dalla destra e dalla sinistra, dalla parte della città e dai villaggi di montagna, dove la vita li aveva dispersi alla fine degli studi. Ma sarebbero venuti?

Al di sotto dell'orto di don Benedetto, in quell'ora del giorno, le poche case del villaggio della Rocca sembravano disabitate. In mezzo alle povere case appiccicate l'una contro l'altra, era una piazzetta angusta, lastricata di ciottoli e d'erba; in fondo alla piazzetta, il porticato basso d'una antica chiesa e sul porticato un grande rosone a trafori. Le case, le vie, la piazzetta parevano abbandonate. Attraversò la piazzetta un mendicante in cenci e tirò via senza fermarsi. Si affacciò sulla soglia d'una casa una bambina e stette a guardare; poi si nascose dietro una siepe e rimase a guardare tra i cespugli.

« Avrei dovuto forse comprare della birra » disse la sorella. « E tu avresti potuto anche farti la barba, oggi ch'è la tua festa. »

« La mia festa? Bei tempi di festa, in verità. Per i ragazzi il tamarindo è anche buono » disse don Benedetto. « Dico questo, se verranno. »

Il tamarindo veniva dalla città, in bottiglia, mentre Matalena Ricotta con le fragole, i funghi e le uova, scendeva dalla montagna.

Don Benedetto posò sul muricciolo, accanto a sé, il libro e

si mise a osservare il lavoro del telaio. Se i giovanotti non fossero arrivati, che delusione per Marta, sua sorella. Gli inviti erano stati diramati da lei, in segreto, ma quella mattina aveva tutto raccontato al fratello, per trattenerlo in casa l'intero pomeriggio. E se gli invitati non fossero venuti? I due cercavano di non guardarsi, per dissimulare l'uno all'altra la propria ansietà.

« Sai che Sciancalla è tornato agli scambi in natura? » disse Marta. « In cambio di carbone ora accetta solo cipolle e fagiuoli. »

« Dopo il pasto, da qualche tempo, ho nuovamente lo stomaco acido » disse don Benedetto. « Il bicarbonato è triplicato di prezzo. »

Il bicarbonato veniva dalla città, come la polvere contro le cimici e le lame per i rasoi di sicurezza.

« Ma che *sicurezza*... Se ti radi con quelle lame, ti graffi peggio che con i vecchi rasoi a coltello » disse la sorella.

« La sicurezza è sempre relativa; anche la Pubblica Sicurezza non farebbe male a chiamarsi Pubblico Pericolo » disse don Benedetto. « A rifletterci bene, però, i miei antichi allievi preferiranno bere del vino, ché non sono piú ragazzi. »

Quelli che don Benedetto attendeva, superarono infatti la licenza liceale subito dopo la grande guerra, e dovevano essere sui trenta e piú. Marta si alzò dal telaio e trasportò dalla cucina sul tavolo di granito ch'era in mezzo all'orto, tra i pomidoro e la salvia, i rinfreschi per i giovanotti attesi. Era forse un rito propiziatorio perché si affrettassero.

« Almeno Nunzio verrà » disse. « Lui non può mancare. »

« È medico » disse don Benedetto. « Ha tanto da fare. »

Marta tornò al telaio e lanciò nel passo dell'ordito la navetta con la spola di lana nera.

« Sai che al comune hanno cambiato il commissario? » ella disse. « Naturalmente un altro forestiero. Sembra che ci siano altri cambiamenti in vista a causa della nuova guerra d'Africa. »

« Tempi di guerra, tempi di carriera » disse don Benedetto

I traslochi e i cambiamenti venivano sempre dalla città; i commissari, gli ispettori, i controllori, i vescovi, i direttori delle carceri, gli oratori delle corporazioni, i predicatori per gli esercizi spirituali, erano mandati dalla città con le "direttive" aggiornate. I giornali, le canzonette, *Tripoli bel suol d'amore, Valencia, Giovinezza, Faccetta nera*, i grammofoni, le radio, i romanzi, le cartoline al bromuro, arrivavano anche dalla città. Dalla montagna scendeva il povero frate Gioacchino, cappuccino, con la bisaccia per le elemosine, ogni martedí Sciatàp per il mercato; e, ogni sabato, Magascià per il sale e il tabacco; qualche volta appariva anche Cassarola la fattucchiera, con le erbe, i peli del tasso e la pelle delle serpi contro il malocchio; e, alla fine di novembre, scendevano gli zampognari, per la novena dell'avvento. *Sofferenti e afflitti, aprite il cuore alla speranza, sta per nascere il Salvatore.*

« Hai sentito che Clarice si è fidanzata con un meccanico dello zuccherificio? » disse Marta. « Sposarsi in tempi di guerra è come seminare tra le spine. »

Nei licci del telaio si formò un intoppo e Marta dovette alzarsi per liberarli.

« Vi sono donne fortunate che nascono con il talento di vedove di guerra » disse don Benedetto. « Poeta si diventa, ma vedova di guerra, oppure vescovo, si nasce. Non dico questo per Clarice, che ha l'aria piuttosto innocente. »

« Clarice, buona dote, buona terra, terra canapina » disse Marta.

« Il meccanico vuol lasciare la fabbrica e mettersi a coltivare canapa? »

« Al contrario » disse Marta « è Clarice che vuol vendere la terra. La canapa non va piú. »

La canapa una volta andava, ma ora non si vendeva piú; la trovavano costosa, ruvida e primitiva.

« Anche il panno di lana tessuto in casa non va piú » disse don Benedetto. « Anche noi non andiamo piú. »

« Anche le scarpe su misura » disse Marta « anche i mobili di legno massiccio ora non vanno piú. Le botteghe degli artigiani si chiudono una dopo l'altra. »

« Anche noi non andiamo piú » ripeté don Benedetto.

Gli oggetti delle fabbriche erano piú eleganti e costavano

meno. Chi poteva, chiudeva bottega e andava in città; i piú vecchi restavano in paese ad aspettare la morte.

Marta dovette alzarsi per girare il subbio dell'ordito in fondo al telaio. (Erano state proprio quelle le parole di monsignore: "Suo fratello, riverita signorina, è di una ruvidezza e di un primitivismo che noi non possiamo sopportare in un professore di un collegio nel quale le piú ricche, cioè, le migliori famiglie della diocesi, mandano i loro figli".) Monsignore, questo bisognava riconoscerlo, non era ruvido e primitivo, e sapendo don Benedetto d'umore timido e rassegnato per tutto ciò che concerneva la sua carriera, l'aveva messo alla porta col pretesto della salute malferma.

Da allora don Benedetto aveva vissuto ritirato, assieme alla sorella, nella sua casetta al di sopra di Rocca dei Marsi, tra i suoi vecchi libri e l'orto. Essendo di natura uomo pacato e taciturno, non c'era voluto molto perché nel suo piccolo ambiente fosse considerato uno scontroso, uno strambo, un misantropo, forse anche un sempliciotto. Ma le poche persone alle quali talvolta si confidava sapevano che, sotto la sua timidezza contadinesca, egli nascondeva una libertà e vivacità di spirito temerarie per il suo stato. Insomma, era piuttosto compromettente mostrarsi suo amico. Immaginarsi dunque i parenti, i fratelli, i cugini, le cognate. Valeva la pena sopportare tutti quei sacrifizi per mantenerlo in seminario se poi doveva finire cosí? I parenti addirittura lo odiavano per non averne avuto presso le autorità l'assistenza e protezione che se ne aspettavano e che egli, prete, se non si fosse ridotto a vivere come un eremita, sarebbe stato in grado di dare, in un'epoca in cui, senza appoggi e raccomandazioni, lavorare onestamente in pratica non serviva a nulla. L'ultimo incontro fra parenti, presso il notaio di Fossa, si era concluso, a causa di ciò, in una scenata assai penosa.

« Disgraziato » a un certo punto aveva gridato a don Benedetto una sua vecchia zia « sai perché sopportammo tanti sacrifizi per avere un prete in famiglia? »

« Certamente lo faceste » disse don Benedetto « per attirare su di voi la benevolenza del Signore. »

Non l'avesse mai detto. Agli orecchi di quei buoni cristiani

13

l'ingenua risposta suonò volutamente provocatoria, per cui soltanto l'intervento del notaio valse a salvare il vecchio prete dalla loro legittima ira. Da quel giorno non si erano piú visti. Privato di ogni altra compagnia, a parte la vecchia sorella, l'affetto di don Benedetto si era cosí riposto su alcuni giovani che erano stati suoi allievi e che egli si sforzava di seguire nelle vicende complicate e contraddittorie della loro carriera. Non aveva altri al mondo. Alcuni di essi, i piú vicini, i piú affezionati, erano stati appunto invitati da Marta a venire fino a Rocca, nel romitaggio del loro professore, per festeggiarlo sulla soglia del settantaseiesimo anno. Marta li aveva pregati di condurre anche altri, di cui ella non aveva il recapito ed era in grande ansia che i rinfreschi preparati potessero non bastare e che la dozzina di bicchieri ineguali, allineati sul tavolo di granito, potesse essere insufficiente. Ma l'eventualità contraria la rendeva maggiormente inquieta: se non venisse nessuno? Marta continuava a tessere e tra una navetta e l'altra scrutava a valle la strada e i sentieri dai quali gli invitati sarebbero dovuti apparire.

« Almeno Nunzio dovrebbe arrivare » disse Marta.

« Ma se questi ragazzi tardano, è perché i treni e gli autopostali non arrivano in orario » disse don Benedetto. « Siccome dalle nostre parti non vengono stranieri, a che servirebbe la puntualità? »

Da Rocca dei Marsi si scendeva gradualmente verso la vasta fossa dell'antico lago di Fucino, allora prosciugato e feudo di un principe. Attorno alla conca, immensa scacchiera verde di grano nuovo, solcata da lunghi filari di pioppi e da canali, faceva corona un gran cerchio di colline digradanti, e quasi sopra ogni collina si vedeva un paesetto, un piccolo borgo da presepe, o un vecchio comune affumicato e turrito, quale a grappolo, quale a muraglione, quale con le casette incavate nel pendio, come caverne. Erano paesi con antichi nomi e vecchie storie, ma per buona parte distrutti e mal ricostruiti dopo l'ultimo terremoto. Dietro la corona delle colline si alzavano ripide le montagne, solcate dalle alluvioni e dai torrenti, in quella stagione ancora ricoperte di neve.

Marta smise di tessere e rientrò in casa.

« Dove vai? » disse don Benedetto.

« Torno subito » rispose.

Ella salí al primo piano e si sedette vicino alla finestra che dava sulla valle. Il confuso brusio che saliva nell'ora del tramonto dal piano verso Rocca non faceva che accrescere il sentimento di solitudine e di lontananza del villaggio. Sugli usci oscuri delle case apparvero alcune donne ammantate di nero, donne sporche e anzitempo vecchie. Altre donne con le conche di rame sul capo tornavano lentamente dalla fontana, con i fazzoletti annodati sotto il mento. Attraversò la piazzetta ed entrò in chiesa una contadina vestita di nero e si tirò dietro, quasi trascinandola, una giovinetta vestita di giallo. Passò un vecchio cafone seduto su un asino, e gli dava colpi di calcagni ai fianchi. Ma ben presto le viuzze nuovamente si vuotarono e Rocca riprese l'aspetto d'un villaggio abbandonato.

« Arrivano » gridò Marta dalla finestra. « Arriva Nunzio. »

Don Benedetto subito si alzò attratto anche da grida e vociferazioni che provenivano dalla strada. Ma non era facile capire il motivo del chiasso. Egli non vide dapprima che una lunga nuvola di polvere che dalla strada straripava sui vigneti e gli orti vicini. Nella nuvola avanzava lentamente un gregge di pecore, un piccolo fiume di onde giallastre, e dietro il gregge un asino carico degli attrezzi abituali del pastore, la capanna di paglia, il sacco delle pentole, i secchi per il latte, le friscelle per il formaggio. Dietro l'asino, camminava il pastore, attorniato da grandi cani bianchi. Piú indietro avanzava lentamente una piccola automobile scoperta, con due giovanotti che si sgolavano a gridare al pecoraio: "Fa' largo. Lascia la via libera a sinistra", ma senza alcun risultato apparente. Il pecoraio non rispondeva e faceva anzi larghi gesti forse per dire che non sentiva, che era sordo e muto, che lo lasciassero in pace. Ma, poiché anche un sordo avrebbe dovuto capire che un'automobile non poteva marciare eternamente dietro un gregge di pecore, i giovanotti inveivano sempre piú contro di lui e sarebbero passati facilmente a vie di fatto se il pecoraio non fosse stato attorniato da tre cagnacci dall'aria feroce, coi collari di ferro, irti di chiodi. Uno dei giovanotti dell'automobile, in divisa di ufficiale della milizia, in piedi, presso lo sterzo, non cessava di minacciare il sordomuto, e di domandargli, con le grida e i gesti, di lasciare passare l'automobile, facendo accostare le pecore verso destra.

Il pecoraio, attorniato dai suoi cani, rimaneva imperturbato e con i gesti reiterava di non capire. Questo durava già da un buon tratto di strada, quando don Benedetto si fece incontro al gregge e attraverso la nuvola di polvere salutò cordialmente il pecoraio e nello stesso tempo due suoi antichi allievi che riconobbe sull'automobile.

« Benvenuti, benvenuti » disse il vecchio prete. Rivolto al pecoraio egli aggiunse cortesemente: « Sono degli amici che vengono a visitarmi ».

Il pecoraio riacquistò d'un tratto la parola e gridò indispettito a quelli dell'automobile:

« Perché non mi avete spiegato prima che venivate da don Benedetto? » Poi egli diede una voce ai cani e in un batter d'occhio il gregge si restrinse e allungò sul ciglio destro della strada lasciando un largo posto per il passaggio della vettura.

I due giovani dell'automobile non riuscivano però a riaversi dalla sorpresa del finto sordomuto.

« Come si chiama questo mascalzone? » chiese l'ufficiale a don Benedetto. « Lo metterò a posto, per tutto il resto della sua vita. »

Intanto era accorsa anche Marta sorridente e complimentosa.

« Questo qui » disse don Benedetto a sua sorella « questo qui, con questa uniforme, non è un carbonaio, ma soltanto Concettino Ragú, e quest'altro, lo conosci, è un vero medico, il dottor Nunzio Sacca; in fondo, due bravi ragazzi. »

« Come si chiama quel mascalzone? » insisteva Concettino rivolto a don Benedetto e alla sorella.

« Sono arrivato all'età di settantacinque anni senza mai fare la spia » disse ridendo il prete. « Per cominciare sarebbe troppo tardi. » Egli prese sottobraccio i suoi due antichi allievi e li condusse verso l'orto.

Ma il pecoraio credeva probabilmente di aver ragione lui, poiché, dal mezzo della strada, continuava a protestare:

16

« Perché non mi avete spiegato che venivate da don Benedetto? »

« Sedetevi e riposatevi » disse Marta ai due per distrarli dal pecoraio. « Gli altri non tarderanno a venire. »

Concettino tuttavia non riusciva a ingoiare l'affronto del falso sordomuto. La sorpresa gli impediva perfino di arrabbiarsi.

« Come si chiama? » voleva sapere.

« Gli perdoni » disse Marta con un sorriso supplichevole. « Non è cattivo. È un pover'uomo carico di figli. Tra i pecorai di qui è anzi uno dei piú onesti. »

« Mio caro » gli disse allora don Benedetto, che forse voleva evitare quella spiegazione, « tu non hai proprio bisogno che io, digiuno di politica, ti spieghi che cosa rappresenti la tua uniforme per la povera gente. Il giorno in cui le lingue dei finti muti si scioglieranno, be', saranno giorni atroci, che vorrei ti fossero risparmiati. »

Concettino guardò Nunzio come per dire: Vedi, ci siamo, valeva la pena di venire fin qui? Nunzio cercò di cambiare discorso.

linguaggio dei selastici

« Siamo venuti quassú, nel suo romitaggio, caro professore »
disse Nunzio « perché senta che non è solo, che i giovani da
lei educati... »

« *Deus mihi haec otia fecit* » rispose don Benedetto sorridendo. Dalla sua voce traspariva un'evidente buona volontà
di rispettare le convenzioni. « Ora sedetevi e riposatevi »
egli aggiunse. « Non lí per terra, quella non è erba; quello è
timo: e questo qui è basilico, *acimum suave*; quello, piú in
là, è prezzemolo, *apicum petroselium*, come dovreste sapere;
quello a fianco è menta; cose antiche e oneste. Sedetevi qui. »

I tre uomini, un po' impacciati, presero posto sopra una
panca di legno, ai piedi di un albero di olivo, gracile e argen-
teo. Il vecchio si sedette tra loro due, mentre Marta chiese
licenza di tornare al telaio.

« Ne ho ancora per pochi minuti » si scusò. « In attesa
arriveranno forse altri. »

Per un po' di tempo non si udí nella pace dell'orto che il
ritmo alternato del telaio di Marta, il ritmo dei pedali, della
navetta e del pettine. L'aria era avvolta in una luce verdo-
gnola tenerissima, ravvivata tra gli alberi da fasce di pul-
viscolo dorato, e gli odori discreti delle erbe aromatiche parevano emanare da quella luce.

« Che bella pace » disse Nunzio.

Il vecchio domandò:

« Datemi notizie, vi prego. Qui non vedo mai nessuno. Che
fa Luigi Candeloro? Non ho piú udito nulla di lui. »

« È morto di tifo in Libia due anni fa » disse Nunzio. « Non lo sapeva? Dopo aver finito gli studi di ingegneria, era rimasto disoccupato. Accettò di andare in Libia, impiegato del Genio Civile, come avrebbe accettato di andare ovunque, anche all'inferno, mi disse, pur di assicurarsi un'esistenza. Morí due settimane prima d'imbarcarsi per tornare a casa, a sposare una mia cugina. »

Il vecchio scosse la testa tristemente e tacque. Dopo un po' riprese a domandare:

« Che fa Battista Lo Patto? Dipinge ancora? »

« Giuoca a scopone » disse Concettino. « Nello scopone scientifico è imbattibile. »

« Non cambia mai programma? » disse il vecchio.

« La domenica. »

« Lavora di domenica? »

« La domenica giuoca al biliardo. »

« E Antonio Speranza? Come va il suo negozio? »

« Bene » disse Nunzio. « Durante dieci anni egli ha lottato contro le cambiali, contro le scadenze e contro le contravvenzioni per le sardine avariate, per l'olio rancido, per la pasta ammuffita, per le bilance non verificate. Finalmente ha voluto anche lui assicurarsi la fortuna: ha fatto dei debiti importanti e subito dopo ha dichiarato fallimento. Cosí adesso non può piú uscire la sera, perché vi sono dei creditori che lo cercano per fargli la pelle. Ma ha ancora piú paura dei carabinieri. »

« E il povero Carlo Caione? Sempre malato? »

« È morto tisico e ha lasciato la moglie con due bambini » disse Nunzio.

« La moglie ha almeno mezzi di fortuna? »

« No, ma è bella » disse Concettino.

Il vecchio tacque, già stanco e avvilito. Anche il telaio di Marta si fermò. Sul Fucino si radunavano le prime ombre del crepuscolo. Don Benedetto disse quasi sottovoce:

« Scusate queste domande. Non è curiosità, vi assicuro. Son qui assai solo e penso spesso a voi. Qui non vedo mai nessuno. » Poi aggiunse: « Dov'è Di Pretoro? Sempre nelle ferrovie? »

« Da parecchio l'hanno messo fuori » disse Concettino. « Di Pretoro era il migliore allievo di latino, non lo nego, però, secondo me, ha avuto sempre la testa confusa, mezzo socialista. Figuriamoci, per fare bene il socialista bisogna essere milionario. Nel suo villaggio, ebbe rapporti casuali con una povera sartina, che, di proprio, possedeva solo la macchina da cucire. Non lo condanno mica per questo. Come si dice? Scagli la prima pietra, eccetera. Ma la sartina capí con chi aveva a che fare e intelligentemente gli fabbricò subito un figlio. Lui, da vero sciocco, la sposò. Puntualmente la sartina ha cominciato a partorire ogni anno un figlio. Quattro anni di matrimonio, cinque figli, compreso il primo sfornato in anticipo. Nel frattempo lui è stato messo fuori dalle ferrovie per le sue idee antinazionali. Infatti, quell'imbecille si concede anche tale lusso. Ora, per un licenziato dalle ferrovie non c'è posto in un'altra amministrazione pubblica, quest'è ovvio. Ma siccome anche le imprese private devono rifornirsi di personale dagli uffici di collocamento, i quali, per legge, scartano i politicamente sospetti, il destino di questo stupido non ammette dubbi. D'altra parte, un mestiere manuale non l'ha voluto praticare, per orgoglio. Via, siamo sinceri, non si studia una decina d'anni per finire falegname. Perciò egli è disoccupato in permanenza. Dal canto suo, la moglie, che sarebbe sarta, è sempre incinta, oppure occupata ad allattare l'ultimo nato, e perciò non può cucire. In casa, dunque, manca spesso il pane. Allora lui, Di Pretoro, non trova di meglio che andare alla cantina a bere, a credito, e quando è ubbriaco, torna a casa e batte la moglie e i bambini, finché accorre il vicinato a mettere pace. Sapete che cosa dice la gente? Dice: Ecco come finiscono gli allievi dei collegi dei preti. »

Don Benedetto guardava ora l'uno ora l'altro dei suoi giovani ospiti, dimostrandosi colpito dalla quasi indifferenza con la quale raccontavano fatti cosí dolorosi.

« Non potreste aiutarlo? » disse rivolto ai due.

« L'ho salvato dal confino » disse Concettino. « Ma forse ho fatto male. A Ponza, o altrove, avrebbe almeno ricevuto un sussidio, e la moglie intanto riposerebbe. »

Don Benedetto si alzò stentatamente. Il suo viso scarno e

pallido, dimostrava una grande stanchezza. Fece alcuni passi nell'orto e poi rientrò in casa senza dir parola.

Intanto Marta aveva finito di tessere, ed era rimasta al suo posto, curva sul telaio, come se la schiena le facesse male. Dopo un po', indicando il lavoro fatto, ancora avvolto al subbio, disse ai due giovani:

« Questa coperta è il mio regalo per l'anniversario di don Benedetto. »

Ella usava dire "don Benedetto", con rispetto e distanza.

« Cara signorina » disse Nunzio « ogni giorno lei fa a suo fratello un regalo piú grande. Lei gli ha fatto dono della sua vita. »

Marta arrossí fino alle tempie e scosse energicamente la testa in senso di diniego.

« Al contrario » ella disse. « Come farei senza di lui? »

Ella era piú alta e gracile del fratello e un po' piú curva e appariva perfino piú vecchia di lui, benché contasse dieci anni di meno. La fronte, gli occhi e la bocca recavano ancora le tracce di una bellezza sfiorita. Marta si alzò dal telaio e andò a sedersi sulla panca, tra i due ospiti.

« Non crediate che ci sentiamo infelici perché solitari » ella disse a voce sommessa per non essere udita dal fratello. « Ma sono l'ostilità, il sospetto che ora ci circondano, che ce la rendono amara come il fiele. »

« Lei sa bene che la colpa, purtroppo, è tutta di don Benedetto » disse Concettino. « C'è da sperare in una sua resipiscenza? »

« Sinceramente non ne so nulla » disse Marta. « Don Benedetto è un uomo che non confida le sue tristezze. Quel poco che so, mi viene all'orecchio da terze persone. Ma cosa abbiamo fatto di male per meritarci queste tribolazioni? »

« Il passato è passato » disse Nunzio e, rivolto a Concettino, aggiunse: « Non si può rimediare? ».

« Dipende da lui » disse Concettino. « Dalla sua buona volontà. »

Don Benedetto riapparve sulla soglia della porta, recante in mano un fascio di carte ingiallite.

« Ha ricevuto la mia proposta per la benedizione della bandiera? » gli chiese Concettino. « Sarebbe una occasione propizia per rimediare ai malintesi del passato. »

« Sí » disse don Benedetto. « L'ho ricevuta. »

« Accetta di benedirla? »

« Naturalmente, no. »

« Perché? Perché vuol rovinarsi? Perché invece non coglie questa occasione per riabilitarsi? »

« Riabilitarmi? » disse don Benedetto sorpreso « Perché mi parli come se io fossi un vecchio delinquente? »

Concettino disse qualcosa a fior di labbra che non si capí.

« Vedi » gli disse don Benedetto « io sono un povero vecchio pieno di timori e di difetti. Ma sono anche un cristiano all'antica e non posso agire contro la mia coscienza, credimi pure. »

« Benedire la bandiera nazionale, la bandiera del partito che sta al governo, per lei è dunque peccato contro coscienza? »

« Sí, uno dei piú gravi. È idolatria. »

« Eppure, altri... » cominciò a dire Concettino.

« So già quello che vuoi dire » disse don Benedetto. « Ma l'idolatria resta un peccato contro lo spirito, chiunque la pratichi. »

« Scusatemi » supplicò Marta con gli occhi pieni di lagrime. « Proprio non vi capisco. Questo è un incontro amichevole? Cosí si usa fare gli auguri per un compleanno? »

Gli occhi chiari e umidi di pianto davano al viso della vecchia signorina una luce patetica. La sua voce accorata toccò un po' tutti.

« Ha ragione la signorina Marta » disse Nunzio che era il piú impacciato. « Noi non siamo venuti qui per discutere, ma solo per ricordare al nostro vecchio professore il nostro affetto. »

« Qualunque parola possa essere stata pronunziata » disse Concettino in tono di scusa « essa è stata dettata dall'amicizia, si capisce. »

« Non ne dubito » disse don Benedetto sorridendo, battendogli una mano sulla spalla. « Perché dovremmo disputarci? Sapete, io penso spesso a voi. Non ho neppure bisogno di sforzarmi; non ho altri. »

22

« Cosa sono codeste vecchie carte? » disse Nunzio, creden do di aver indovinato un appiglio per amichevoli ricordi.

Don Benedetto stringeva ancora tra le mani che un po' gli tremavano, il pacchetto di fogli ingialliti portati poco prima dal suo studio.

« Riguardano appunto voi » disse. « Stamane ho rintracciato una vecchia fotografia che ci siamo fatti, quindici anni fa, al momento di separarci. Ve ne ricordate? Ho anche ritrovato gli svolgimenti dell'ultimo tema d'italiano che vi assegnai: "Dite sinceramente che cosa vorreste diventare e quale senso vorreste dare alla vostra vita". Ho cosí riletto le vostre pagine, quelle di Caione, di Di Pretoro, di Candeloro, di Lo Patto, degli altri di cui or ora mi avete raccontato le tristi peripezie. Ebbene, ve lo confesso in confusione e umiltà, comincio col non capire piú nulla. Comincio perfino a dubitare che valga la pena di ricercare una spiegazione. Forse la verità è triste, ha lasciato detto un francese del·secolo scorso, che in gioventú fu educato, come voi, in scuole religiose. »

La voce di don Benedetto si era fatta piú bassa e grave. Egli mostrava una grande esitazione nel parlare, come chi si ascoltasse prima internamente, come chi parlasse avendo un censore dentro di sé, oppure come un miope tra oggetti sconosciuti e che avesse paura di far danno, non a sé, ma agli oggetti stessi. Don Benedetto spiegò qualcuno dei fogli ingial liti che aveva nelle mani.

« In simili componimenti » disse « a tanti anni di distanza, bisogna naturalmente far molta tara. Essi sono carichi di fronzoli letterari alla Carducci, alla Pascoli, alla d'Annunzio. Vi sono inoltre le ingenuità particolari degli allievi di un collegio diretto da preti, le illusioni dell'età. Vi è l'eco dell'armistizio tumultuoso che era stato, allora, da poco concluso. Ma, al di sotto di tutto questo, al di sotto dei fronzoli, degli orna menti, dei plagi, a me sembrava che vi fosse *qualche cosa* di essenziale in parecchi di voi, *qualche cosa* di personale che coincideva con le osservazioni che a me era stato dato di cogliere su ognuno di voi, durante gli anni di ginnasio e di liceo, e che non era affatto banale. Ora quel *qualche cosa*, quando piú tardi siete entrati nella società, dov'è finito? Mi

23

riferisco alle notizie che mi avete dato, poco fa, di alcuni dei vostri compagni di scuola; ma, scusate, senza volere offendervi, penso anche a voi due. Siete appena, se non conto male, tra i trentadue e i trentacinque anni e avete già l'aria di vecchi annoiati, scettici. Mi domando perciò seriamente che senso abbia l'insegnare. Voi capite che per me non è una domanda oziosa. Un povero uomo che sia vissuto con l'idea di fare uso decente della propria vita, arrivato a un compleanno come quello di oggi, non può mica evitare di chiedersi: "Be', che risultati hai ottenuto? Che frutti ha dato il tuo insegnamento?". »

« La scuola non è la vita, caro don Benedetto » disse Concettino. « Nella scuola si sogna, nella vita bisogna adattarsi. Questa è la realtà. Non si diventa mai quello che si vuole. »

« Come? » disse Nunzio in tono ironico all'indirizzo del suo amico. « Parla cosí un attivista? Un tifoso di Nietzsche? »

« Lascia stare la letteratura » disse Concettino. « Ora parlavamo sul serio. »

Marta era come sulle spine, si alzò bruscamente e si diresse verso il tavolo dove erano preparate le bottiglie per i rinfreschi e una dozzina di bicchieri.

« Credete che gli altri verranno ancora? » ella chiese. La povera donna tremava come se fosse febbricitante.

« Certamente avevano l'intenzione di venire, ma ne saranno stati impediti » disse Concettino evasivo.

Marta fece l'atto di riportare in cucina i bicchieri superflui.

« Lasciane uno in piú » disse don Benedetto. « Per don Piccirilli. »

« Non l'abbiamo invitato » disse la sorella. « L'ho escluso dagli inviti, sai bene, con intenzione. »

« Appunto per questo non mancherà di venire » disse don Benedetto. Poi rivolto ai due giovani aggiunse: « Vi ricordate di Piccirilli? Fu l'unico della vostra classe che scelse la carriera ecclesiastica. Ma la famiglia, piccoli proprietari di terra, non aveva mezzi per fargli continuare gli studi; perciò egli si fece accogliere gratuitamente dai salesiani, studiò teologia e prese gli ordini. Ma, appena consacrato ha abbandonato i salesiani ed è tornato in famiglia. Non è stato certo un compor-

24

tamento molto corretto verso i suoi benefattori. Adesso egli è curato di una parrocchia qui vicina, ma non gli basta, vorrebbe essere professore al seminario e canonico. Per ingraziarsi il vescovo fa il suo informatore segreto. Segreto, per modo di dire, lo sappiamo tutti. Non manca mai dove presume che possa essere detto qualche cosa da denunziare alla curia. Lascio quindi immaginarvi se non mi fa l'onore di frequenti e cordiali visite ».

Nel frattempo l'orto si era fatto scuro e nella penombra Marta stentava a riempire i bicchieri. Si era anche levata un'arietta frizzante che veniva dalla montagna e don Benedetto ebbe un nodo di tosse.

« È meglio rientrare » disse Marta.

I due giovani l'aiutarono a trasportare le bottiglie e i bicchieri. A pianterreno c'era una unica grande stanza, che serviva da cucina, da stanza di lavoro e da stanza di soggiorno, come presso i contadini. Marta accese una grande lampada col paralume giallo e alcuni candelieri che dispose negli angoli della stanza. Nell'aria era diffuso un gradevole odore di mele cotogne e di noci.

« È bello qui » disse Nunzio guardandosi attorno. « Nulla è cambiato. »

A un chiodo sulla porta era appeso l'aspo; la conocchia era appoggiata allo stipite; sugli scaffali della scansia erano esposte stoviglie di maiolica a fiorami; sulla parete del camino pendevano le pentole, le casseruole e i caldai di rame; sulla cappa larghissima del camino erano sospese rosse file di peperoni, brune file di sorbe, corone di agli e cerque di cipolle. In un angolo della stanza, probabilmente l'angolo di lavoro di Marta, vi era una piccola nicchia guarnita di carta trinata, con una Madonnina di gesso colorato, tra gigli di carta.

« Sedete e servitevi, vi prego » disse Marta.

Qualcuno bussò alla porta, era don Piccirilli. Don Benedetto lo ricevette in piedi, addossato al camino. Il nuovo venuto andò verso di lui, lo abbracciò e gli augurò mille buone cose. Don Benedetto gli rese l'abbraccio e lo invitò con gli altri.

« Siedi e bevi » gli disse. « C'è già un bicchiere per te. »

Don Piccirilli era piuttosto pingue, ben pasciu.o con un'a-
ia espansiva e gioviale. Raccontò di essere in ritardo per aver
dovuto terminare un articoletto per il bollettino diocesano

« L'articolo ha come titolo: "Il flagello della nostra epoca" » egli disse. « Non vorrei vantarmene, ma mi è ben riuscito. »

« Hai scritto un articolo sulla guerra o sulla disoccupazione? » gli domandò don Benedetto. « Mi congratulo. »

« Quelle sono questioni politiche » rispose secco don Piccirilli. « Sul giornale vescovile vengono trattate solo questioni
religiose. Dal punto di vista puramente spirituale, il flagello
della nostra epoca, secondo me, è il modo di vestire invere-
condo. Voi non siete di questa opinione? »

« Il flagello della nostra epoca » disse calmo don Benedetto
guardandolo negli occhi « devo dirtelo? è l'insincerità tra
uomo e uomo, è l'infetto spirito di Giuda Iscariota che av-
velena i rapporti tra uomo e uomo. Scusami se, parlando cosí
manco ai doveri dell'ospitalità. »

Don Piccirilli tentò una smorfia che voleva essere un sorriso.

« Nella mia parrocchia, in questi ultimi anni, con la grazia
di Dio si sono fatti progressi spirituali enormi » egli disse.
« Enormi » egli ripeté con enfasi. « Il numero delle confessioni è aumentato del quaranta per cento e quello delle
comunioni del trenta per cento. Non vorrei vantarmene, ma
non so quale parrocchia ci possa stare alla pari. »

« Ma perché parli di progressi spirituali e ti esprimi per
calcoli e percentuali come un panettiere? » gli disse don
Benedetto sprezzante e ironico.

Concettino fece un gesto di disperazione, come per dire
"siamo daccapo" e Nunzio fu preso da un violento accesso
di tosse, assai poco naturale. La vittima piú sofferente di quella situazione era tuttavia l'infelicissima Marta. Ella vedeva
andare a pezzi la sua speranza che il fratello si riconciliasse
con le autorità; la poverina riusciva appena a trattenere le
lacrime. Credendo di riportare nella compagnia almeno un po'
di cordialità convenzionale, ella prese dalle mani del fratello
la vecchia fotografia, in cui egli appariva attorniato dai suoi

26

allievi di liceo, e la espose, bene in luce, sulla mensola del camino.

« Vi riconoscete nella fotografia? » ella chiese ai presenti sforzandosi di dare alla propria voce un tono disinvolto. « Scommetto che non vi sarà facile. »

Gli interpellati fecero subito siepe attorno al camino, ognuno cercando anzitutto se stesso, esprimendo poi sorpresa di non riconoscere questo o quello. Don Benedetto troneggiava nel mezzo dei suoi allievi, come una chioccia attorniata dai suoi pulcini. A giudicare dall'aspetto, la cova sembrava assai eterogenea. Il solo tratto comune, si sarebbe detto, era il taglio dei capelli. Gli allievi piú piccoli stavano in prima fila, accoccolati a terra, con le gambe incrociate alla turca, gli altri, in piedi, disposti su tre file. Tra i minori della prima fila c'era Concettino. Come gli altri, anche lui aveva la testa rasa, una faccetta piccola, scura, grigia, con un'espressione di gatto. Dopo tanti anni, solo gli occhi erano rimasti quelli; il ciuffo di capelli e il pizzo sul mento gli davano ora un'aria di moschettiere da teatro di provincia che quindici anni prima nessuno avrebbe sospettato. Nunzio Sacca invece era poco cambiato, a parte la fronte piú spaziosa per la caduta dei capelli sulle tempie. Nella fotografia egli si trovava dietro don Benedetto, e si riconosceva per il suo collo esile, magro, tra le spalle un po' strette, per gli occhi incavati e l'aria timida e incantata, che gli era rimasta.

« Quali erano i suoi allievi preferiti? » chiese ad un tratto Concettino a don Benedetto.

« Naturalmente quelli che avevano piú bisogno di me » disse don Benedetto senza esitare.

« Dei nomi, dei nomi » chiesero in coro i tre ex allievi incuriositi.

Don Benedetto parve perplesso. D'un tratto chiese:

« Dov'è ora Pietro Spina? Che gli succede? »

Nella fotografia, Pietro Spina era accanto a don Benedetto, che gli posava una mano sulla spalla. Spina aveva un aspetto sparuto, terreo, lo sguardo imbronciato e la cravatta di traverso. Dopo un po', siccome nessuno gli aveva risposto, don Benedetto chiese di nuovo:

« Nessuno di voi ha notizie di Pietro Spina? Dove vive ora, in quale paese? »

I tre giovani si guardarono tra loro imbarazzati. Forse Marta, in fondo al suo cuore, nutriva ancora qualche illusione, ma da quel momento ella cessò ogni resistenza e si sedette su uno sgabello, con l'aria affranta di chi si era finalmente convinto che non vi fosse piú nulla da sperare. Nunzio le si avvicinò ed ebbe per lei un sorriso di fraterna commiserazione, mentre don Benedetto sembrava non essersi accorto di nulla. Egli si rivolse direttamente a Concettino.

« Se ben ricordo, in collegio Pietro Spina era il tuo miglior amico » disse. « Tu l'ammiravi tanto, eri come innamorato di lui. Dov'è ora? Che notizie si hanno di lui? Cosa fa? »

« Perché dovrei saperlo? Sono forse il suo guardiano? » rispose l'interpellato evitando lo sguardo di don Benedetto.

Il vecchio, che era in piedi vicino al camino, a quella risposta impallidí a tal punto che quasi barcollò. Si avvicinò lentamente a Concettino, gli posò una mano sulla spalla e guardandolo negli occhi gli disse sottovoce, quasi con le lagrime agli occhi:

« Poverino, a questo punto sei ridotto? Tu non sai che parole terribili hai ripetute. »

Nel silenzio penoso di tutti i presenti, don Benedetto si allontanò dal giovane ufficiale e andò a sedersi nell'angolo estremo della stanza, su una poltrona, ai piedi della nicchia in cui era esposta, tra ornamenti di carta colorata, l'immagine della Madonna.

« Sí, è vero » egli disse « Pietro Spina era, in un certo senso, il mio allievo preferito. Voi lo ricordate? Egli non si accontentava di quello che trovava nei libri di testo, era insaziabile, inquieto, e spesso indisciplinato. Egli mi preoccupava, temevo per il suo avvenire. Avevo forse torto? Non so se ricordate che le punizioni piú gravi da lui ricevute durante gli anni di collegio, furono quasi sempre provocate dalle sue proteste contro dei castighi, secondo lui, immeritati, inflitti a qualche suo compagno. Era uno dei lati del suo carattere. Egli amava molto, e forse troppo, gli amici. Se i superiori commettevano uno sbaglio, egli protestava. Non c'era nessuna considerazione di opportunità che potesse farlo tacere. È esatto, Concettino? Non era cosí? »

Don Benedetto cercò tra le carte ingiallite dell'ultimo tema svolto a scuola, i fogli di Pietro Spina.

« Ecco qui Spina » disse. « Ascoltate: "Se non fosse molto noioso essere posto dopo morto sugli altari, ed essere pregato e adorato da una quantità di persone sconosciute, per la maggior parte vecchie e donne brutte, vorrei essere un santo. Non vorrei vivere secondo le circostanze, l'ambiente e le convenzioni materiali, ma, senza curarmi delle conseguenze, vorrei vivere e lottare per quello che a me apparirà giusto e vero". Quando, quindici anni fa, io lessi questa confessione » continuò don Benedetto « pur non mettendo in dubbio la sincerità del ragazzo, non sapevo fino a qual punto, nello svolgimento del tema, la retorica gli avesse preso la mano. Era un'epoca in cui egli divorava vite di santi. Da pochi anni era rimasto orfano e le disgrazie di famiglia avevano rafforzato la sua tendenza alla meditazione. »

Don Piccirilli aspettava con impazienza che il vecchio facesse una pausa, per interloquire.

« Nel 1920 Spina voleva diventare santo » egli disse. « Va bene; ma nel 1921 aderí alla gioventú socialista, atea e materialista. »

« Non m'interesso di politica » disse seccamente don Benedetto.

« L'ateismo, la lotta contro Dio, non v'interessa? » domandò incuriosito il giovane curato.

Don Benedetto ebbe un leggero sorriso ironico.

« Caro Piccirilli » disse lentamente, quasi sillabando le parole « tu puoi insegnarmi molte cose, per esempio, l'arte di far carriera; ma io sono stato tuo maestro di filologia, tuo maestro nella scienza delle parole e, prendine nota, non ho paura delle parole. »

Dopo una pausa, aggiunse con voce di nuovo serena e in tono di preghiera:

« C'è qualcuno di voi che può darmi notizie di Pietro Spina? Dov'è ora? »

Finalmente Nunzio si decise a dire quello che sapeva.

« Al principio del 1927 egli fu arrestato » disse « e si riseppe che venne deportato in un'isola, a Lipari. L'anno dopo fuggí e si rifugiò in Francia. »

« Questo mi era noto » disse don Benedetto. « Me lo riferí sua nonna, donna Maria Vincenza. »

« Dalla Francia » disse Nunzio « dopo circa un anno fu espulso e andò in Isvizzera. Nella Svizzera pare che gli capitasse lo stesso, e si trasferí nel Lussemburgo. Anche dal Lussemburgo, dopo qualche tempo, fu espulso e trasmigrò nel Belgio. Come riesca a campare la vita non so, ma probabilmente farà la fame. Da un suo zio ho anche udito che egli è malandato di polmoni. »

« Che destino infelice » disse Marta. « Come credere che egli abbia scelto volontariamente quel destino? Pensate che sia pazzo? »

« Anche per me egli è un enigma » disse Nunzio. « Peccato, poiché era veramente il migliore di noi tutti. »

« I suoi parenti non possono aiutarlo? » domandò ancora Marta. « Eppure sono ricchi. Chi sa quanto deve soffrire per lui sua nonna, donna Maria Vincenza. »

Don Benedetto guardava fisso per terra.

« Non crediate che sia una storia nuova » disse. « Tutt'altro, è una vecchia storia noiosa che sempre si ripete. Le volpi hanno le loro tane, gli uccelli del cielo hanno i loro nidi, ma il figlio dell'uomo non ha nulla sul quale posare la testa. »

Marta guardava il fratello tremante e supplichevole. I tre giovani si alzarono e si accomiatarono.

« È tardi » essi dissero. « Dobbiamo partire. »

Il commiato fu breve, quasi laconico. Invano Marta cercò di prendere da parte Concettino.

« È tardi » egli si scusò.

Don Benedetto e la sorella accompagnarono gli ospiti fino al bivio. Don Piccirilli prese il sentiero che andava a sinistra, verso la montagna, Concettino e Nunzio, con la loro auto, la via Valeria.

Il vecchio e la sorella li guardarono allontanarsi, in silenzio.

All'uscita di Rocca, Concettino mormorò a Nunzio, senza guardarlo:

« Pietro è in Italia. È rientrato clandestinamente dal Belgio. La polizia ce l'ha segnalato, è già sulle sue tracce. Forse a quest'ora è già arrestato. Ma che posso farci io, se lui è pazzo? »

« Non lo puoi aiutare? In fin dei conti, è uno dei nostri. »

« Se lui è pazzo, che ci posso fare io? Aveva la fortuna di starsene all'estero, poteva restarvi. »

« Non lo puoi aiutare? »

« Come? Quest'è la difficoltà. Anch'io devo guardarmi le spalle. Ti sbagli se mi credi del tutto al sicuro. »

Rovesciamento del significato della fortuna

III

Un mattino presto, all'alba, il dottor Nunzio Sacca fu chiamato al capezzale di un malato. Un giovanotto di Acquafredda era venuto a prenderlo con una biga. Il medico apparve sulla soglia di casa ancora insonnolito, reggendo la valigetta per il pronto soccorso in una mano. Dopo aver sbirciato il giovanotto disse:

« Ci conosciamo, mi pare. »

« Sono Cardile Mulazzi, della famiglia Mulazzi di Acquafredda » disse l'altro. « Ci conosciamo. Scusate per l'ora, vi spiegherò. Mio nonno aveva il mulino vecchio e le terre di monsignore, buone terre, terre care. Mio padre ha avuto in affitto per tre anni una vigna della vostra famiglia. Ve lo ricordate? Poi vennero le disgrazie, le liti, le malattie. Due fratelli che non scrivono, sono nel Brasile. »

« Sí, sí, ci conosciamo » disse il medico. « Piuttosto, chi è il malato? »

Le vie strette e incavate del paese erano ancora al buio; la luce livida dell'alba sfiorava appena i tetti. Alcuni contadini alla porta di casa, caricavano l'asino per andare in campagna. Le ruote della biga cigolavano sulla via imbrecciata di fresco. Il cavallo andava al passo, contro vento; un vento che portava dietro di sé la pioggia. Il medico si calò il cappello sulla fronte e alzò sulla nuca il bavero del mantello. Per lui, appena uscito dal letto, faceva freddo.

« Alla fine di aprile la pioggia fa bene » disse Cardile. « Voi teneste un discorso sulla piazza di Acquafredda, per la chiesa e per il popolo, quando io ero ragazzo. Ve lo ricordate? Sulla bandiera c'era scritto: "Libertà". La nostra famiglia era della stessa parte. Era subito dopo la guerra, la libertà era permessa. Allora la Chiesa non era per il governo, ma per il popolo. Noi eravamo dalla stessa parte. Poi l'aria è cambiata. »

Il medico osservò il giovanotto, incuriosito.

« Che strano discorso » disse. Ma non sembrò dispiaciuto.

« Il motivo c'è » disse Cardile. « Vedrete. »

« Quale motivo? » disse il medico.

Al bivio della stazione sostavano quattro carabinieri. Perché cosí mattinieri? Uno di essi riconobbe il dottor Sacca e lo salutò. La biga uscí dal paese, andando incontro alla pioggia. La strada era in leggera discesa e il cavallo si mise al trotto.

« Adesso » continuò Cardile « le donne e i vecchi sono rimasti per la Chiesa, e noi, si capisce, ci facciamo i fatti nostri. Mio padre ha sessant'anni ed è priore della confraternita del Sacramento. Potete informarvi, se volete. Alla domenica mattina egli canta l'uffizio, il Venerdí Santo e il Corpus Domini va alla processione con la veste rossa e risponde agli Oremus. Ogni anno diamo due barili di vino alla parrocchia per le messe. Tutti i nostri morti sono sepolti nella cappella del Sacramento, nel cimitero di Acquafredda, a destra quando si entra. Con questo non siamo piú degli altri, ma lo so io perché adesso ricordo queste cose. Insomma, voglio dire che siamo dalla stessa parte. »

« Ci conosciamo » disse il medico « ci conosciamo. Chi è malato, qualcuno della tua famiglia? »

La biga lasciò la via nazionale e imboccò una stradetta laterale, piena di pozzanghere, tra campi appena arati. La stradetta saliva sulla collina compiendo ampie giravolte. Una leggera nebbia biancastra era sospesa sulle braccia scheletriche dei meli. Il cavallo si mise al passo, senza aver bisogno di richiamo del padrone.

« Eppure ci sono molte maniere di conoscersi » disse Cardile. « Noi contadini pratichiamo la gente per via delle terre, o per via dei certificati. Ma è questo un modo di conoscersi? Si lavora, si compra, si vende, si affitta, e c'è sempre bisogno di carte, di certificati. Si va all'estero per lavorare e si ha a che fare con molti uffici, si ha bisogno di raccomandazioni. Ma questo è un vero modo di conoscersi? »

« Ho capito » disse il medico. « Ma ora dimmi dove mi porti. Non mi hai mica svegliato prima di giorno per farmi questi discorsi? »

« Presto arriviamo » disse Cardile. « Ancora un po' di pazienza. Quello che sto dicendo però non sono chiacchiere. »

La biga arrivò sulla sommità della collina assieme ai primi raggi di un sole malaticcio. Il cavallo sudava, ma, da sé, riprese il trotto. La strada era divenuta un sentiero di campagna, da cui si dominava l'intero villaggio. Sul mucchio grigio e nero delle case il fumo dei camini stava stendendo una coltre azzurrognola.

« A sedici anni andai via di casa » disse Cardile. « Il lavoro non mi mancava con mio padre, ma mi annoiavo. Andai in Francia, con altri paesani. Lavoravo a l'Estaque, vicino Marsiglia, dove si scavava un canale sotterraneo. Un giorno uno mi dice: "C'è qui un tuo paesano, una persona d'istruzione". Sarà uno che vuol fregarmi, pensai tra me. I certificati e le carte sono in ordine, quel che c'era da pagare l'ho pagato, cosa vuole costui? L'uomo dunque viene nell'osteria dove mangiavamo, si siede, dice che manca da alcuni anni dalla Marsica e comincia a discorrere della terra, della gente di qui, della loro vita, mi parla del suo paese, del Fucino. Le sere seguenti, da capo. Andiamo sul molo di l'Estaque, ci sediamo per terra e parliamo fino a tardi. Cosí divenne un'abitudine. Non andavo piú al cinema o a ballare. Mi piaceva la sua compagnia. Non avevo mai avuto un compagno simile. Non so se mi spiego. Il giorno dunque io lavoravo nella galleria. L'orario è di otto ore, ma tutti fanno due o tre ore in piú, per guadagnare meglio. Però, da quando so che sul molo mi aspetta quell'uomo col quale mi piace parlare, finite le otto ore, io stacco. Di che si parla? Si discorre dell'uomo, della terra, della vita. Si discute, ma anche si scherza e si ride. Io penso, ecco una persona con la quale non ho a che fare né per il lavoro, né per le carte, né per altri certificati; egli non viene a me come un prete, né come un maestro, né come un propagandista, gente che sa tutto e che è pagata per convincere gli altri. Ecco uno che viene a me come un uomo. Un brutto giorno egli partí e non fece sapere piú nulla di sé. Sentii subito che mi mancava qualcosa. Poi seppi che, su denunzia del consolato italiano, egli era stato espulso dalla Francia. »

« Posso già immaginarmi chi fosse » disse il medico. « Ma perché mi parli di lui? »

« Non vorrei essere capito male » disse Cardile. « Sto parlando di me. Che io non sia nulla di speciale, questo si vede. Sono nato contadino e rimasto contadino. Il contadino vive secondo le usanze, ma non c'è solo l'usanza di portare il coltello in tasca, ve ne sono anche altre. »

La biga incontrò due carabinieri che scendevano dalla montagna. Essi riconobbero e salutarono il medico.

In quel momento riprese a piovere.

« Due anni fa » disse Cardile « tornando col carretto dalla festa di San Bartolomeo, sulla via di Magliano, incontrai un cane al quale un'automobile aveva rotto un piede e guaiva sul ciglio della strada, in modo da far pietà. Metto il cane sul carretto, gli fascio il piede con una pezzuola e lo porto a casa. Due mesi dopo viene un carrettiere dalla Scurcola e se lo riprende perché è il padrone. Racconto questo per dire come sono le usanze. L'estate scorsa ho trovato per strada una pecora zoppa, l'ho portata nella stalla, tra la vacca e l'asino; dopo è venuto il padrone e se l'è ripresa. Cosí si usa. Io come un altro. Dunque, quell'uomo conosciuto a l'Estaque, ieri sera ha bussato alla porta di casa mia. In principio non potevo riconoscerlo. »

« Pietro Spina è qui? Mi stai forse conducendo da lui? » chiese spaventato il dottor Sacca.

Cardile accostò e fermò la biga a un lato della stradetta. I due uomini saltarono a terra. Cardile attaccò il cavallo a un olmo e lo coprí con una coperta di lana. Il medico osservò preoccupato i dintorni. La pioggia aveva rallentato e si allontanava verso Tagliacozzo, ma da Avezzano erano in marcia nuvoloni di riserva. La campagna appariva deserta. Le spiegazioni tra i due continuarono accanto alla biga.

« Quell'uomo, dunque, bussa alla mia porta » disse Cardile « ma non vuole entrare in casa, benché sia abbastanza malridotto e febbricitante. Facciamo allora alcuni passi, usciamo dal paese, prendiamo una via di campagna e ci sediamo sotto un albero. Dopo qualche ricordo di l'Estaque, lui comincia a raccontarmi di essere rientrato in Italia di nascosto e di essere sfuggito per miracolo, trovandosi a Roma, all'arresto della polizia. Sicché ha perduto il contatto con i suoi amici di partito e, per un po' di tempo, non può riprenderli senza rischiare la cattura. Mi dice di aver vagato lungamente alcuni giorni per la montagna, sotto la pioggia, ma di non poterne piú, avendo la febbre alta. Dopo molte esitazioni si è deciso a venire da me, perché io lo nasconda per qualche giorno, finché riprenda fiato. Egli mi dice: "Tu sei un lavoratore ed è per il partito dei lavoratori che sono tornato in Italia; non tradirmi". La notte scorsa l'ho nascosto in una stalla e adesso mi domando cosa si può fare per quell'uomo. Possiamo lasciarlo morire cosí? »

« Egli non aveva che da restare dov'era, all'estero » disse il medico con voce seccata.

« Ora però è qui. Uno lo trova sulla soglia di casa sua, come si trova un cane o una pecora, come qualche cosa che muore. Si può lasciare morire cosí? »

« Lui non ha nulla da perdere, è solo. Io ho moglie e figli. Le nostre idee politiche non sono le stesse » ribatté il medico.

« Scusate, qui non si tratta di politica » tornò a spiegare Cardile. « C'è un uomo che muore. Nel catechismo, che da ragazzo mi hanno fatto imparare a memoria, stava scritto: le opere di misericordia sono, dare da bere agli assetati, vestire gli ignudi, ricoverare i pellegrini, curare gli infermi... Non c'era scritto, curare gli infermi che la pensano come te. C'era scritto curare gli infermi, senz'altro. Non so se mi sbaglio. »

« È lui che ti ha mandato da me? Ti ha anche detto di conoscermi? » disse il medico.

« Mi ha detto di avere fatto gli studi con voi, ma non voleva assolutamente che venissi a chiamarvi » disse Cardile. « Quest'è la verità. »

Le spiegazioni continuarono ancora un po' accanto alla biga. Passò un contadino con un asino carico di legna che guardò

36

sospettoso. Dopo un po' passò una vecchia con una capra. Cardile non sapeva se dovesse dire tutta la verità. Infine si decise:

« Sul mio onore, ascoltatemi. Lui non voleva. Anzi, ieri sera mi ha detto: "Sono rientrato nel mio paese per il partito dei lavoratori e se chiedo aiuto a te è perché sei un lavoratore onesto. Ma il dottor Sacca è un intellettuale che deve far carriera; per di più" egli ha aggiunto "il dottor Sacca frequenta il Vescovato e per ingraziarsi le autorità sarebbe capace di consegnarmi alla milizia". Questo io ve lo riferisco, ma non l'ho creduto. Si è pure dichiarato contrarissimo che io vada ad avvertire qualcuno dei suoi parenti. Dice di considerarsi morto per la sua famiglia, come un frate andato in frateria. A parere suo, solo un uomo non avrebbe paura di aiutarlo, un prete che fu suo professore in collegio, ma ora è troppo vecchio e vuole risparmiargli dei rischi. Cosí ci siamo lasciati ieri sera. Come potete immaginare, non ho chiuso occhio per lui. Mi sono appisolato verso le tre e m'è venuto un incubo, come se fosse morto. Sono subito corso quassú e l'ho trovato peggio. Allora sono venuto da voi senza piú chiedere il suo parere. Anche se fosse soltanto una pecora, per Cristo, bisognerebbe aiutarlo. »

Il medico era appoggiato a una stanga della biga e guardava sospettoso i dintorni come chi ha la nausea. Finalmente si fece coraggio.

« Bisogna assolutamente farlo partire subito » egli disse. « Cercherò di persuaderlo. Se vi sono medicine da prendere, ti darò una ricetta intestandola a qualcuno della tua famiglia. Che Dio ce la mandi buona. »

« Egli è laggiú » disse Cardile « nella stalla dietro quell'albero di noce. È una stalla di cui mio padre si serve d'estate. Potete andare solo, mentre io resto qui di guardia. »

Dietro l'albero di noce, rannicchiato sulla soglia della stalla, il medico trovò un uomo anziano, dall'aspetto di un garzone di scuderia. Questo fatto lo irritò, perché Cardile non l'aveva avvertito della presenza d'altre persone.

« Dov'è il malato? » domandò seccamente.

« Nunzio, che fai qui? » disse l'uomo. « Chi cerchi? »

« Cardile mi ha avvertito che qualcuno qui è malato » disse il medico ancor piú irritato di sentirsi chiamare per nome.

« Mi dispiace » disse l'uomo alzandosi. « Eppure gli avevo espressamente proibito di chiamarti. »

Solo allora il medico riconobbe il suo antico compagno di collegio, Pietro Spina; ma restò senza fiato per la sorpresa.

« Sei tu? » gli riuscí appena di balbettare. « Come ti sei ridotto. »

Gli occhi grandi stralunati nelle occhiaie profonde e la bella fronte spaziosa erano i soli tratti che potevano ricordargli l'antico compagno.

« Hai la mia età » disse il medico « e ne dimostri sessanta. Che male t'ha preso? Di che soffri? »

Pietro sorrise. No, il suo "invecchiamento precoce" non era effetto di qualche strano morbo. Doveva proprio rivelargli il suo segreto? Per cambiare sembiante e rendersi irriconoscibile alla polizia, prima di rientrare in Italia, egli si era curato la faccia con una miscela a base di tintura di iodio, durante alcune settimane, procurandosi cosí le grinze e il colore d'una vecchiaia precoce.

« È una ricetta da me trovata in una biografia di un vecchio rivoluzionario russo » disse Pietro « ed è suscettibile di piú vaste applicazioni. Quando l'ideale del giovane italiano medio cesserà di essere l'amante di una turista americana o svizzera e si rivolgerà a scopi piú seri, allora sarà forse necessario aprire per gli zerbinotti piú fragili un *Institut d'Enlaidissement Artificiel* in contrapposto agli attuali *Instituts de Beauté*. »

Nunzio osservava attonito e compassionevole la testa deturpata del suo coetaneo. Pietro non era mai stato quello che si dice un bel ragazzo, ma per la sua irruenza e franchezza, il suo viso era spesso illuminato da un fuoco interno che lo rendeva attraente agli occhi delle donne. Come aveva potuto il settarismo politico condurlo fino ad abbruttirsi in quella barbara maniera?

« La polizia tuttavia è riuscita a riconoscerti, malgrado che tu sia cosí malridotto » disse il medico. « Tutta la contrada, qui, è rastrellata da carabinieri e militi che ti cercano. »

« La polizia non mi ha affatto riconosciuto » disse Spina.

38

« Alla questura sono stato denunziato. Se tuttavia sono riuscito a salvarmi è perché essa ha diramato dappertutto la copia di una mia vecchia fotografia. D'altronde, io non avevo alcuna intenzione di stabilirmi a Roma, ma in qualche provincia dell'Italia meridionale. »

Quell'intrigo da romanzo giallo richiamò bruscamente il medico alla realtà infantile e pericolosa in cui si era lasciato impensatamente attrarre. Il lontano rumore di un autocarro sulla strada nazionale lo fece sobbalzare.

« Non aver paura » gli disse Pietro sorridendo. « Siediti. Come te la passi? Ne ho avuto qualche sentore: moglie, figli, successi professionali, il rispetto delle autorità. Mi congratulo. Sei già commendatore? No? Ma è una nera ingiustizia. »

« Me ne vado » disse Nunzio seccamente. « Perché dovrei sedermi? Credi forse che io abbia voglia di compromettermi con te? Discutere con te? Ascoltare le tue idee stravaganti? »

Spina gli fece cenno di calmarsi.

« So che sei sempre stato un coniglio » disse. « Vattene subito, mi dà fastidio vederti tremare di paura. Se ancora non ti hanno fatto commendatore, e certamente bruci dal desiderio di diventarlo, ti suggerisco anzi un mezzo infallibile, corri a denunziarmi. »

« Non essere insolente » disse Nunzio. « Solo un pazzo può scambiare il buon senso per vigliaccheria. D'altronde io sono stato chiamato qui come medico. Non sono venuto per discutere, ma per vedere di che cosa hai bisogno. »

« *Cura te ipsum* » disse Pietro. « T'assicuro che sto meglio di te. Puoi non credermi, ma ti ripeto di non essere stato io a chiamarti. »

Nunzio sembrò preso da improvvisa compassione e si sedette accanto a lui.

« Non eri al sicuro all'estero? » disse. « Perché sei tornato in questo paesaccio, in bocca al lupo? Se ami la libertà, perché non sei rimasto nei paesi liberi? »

« Sono rientrato per riprendere aria » disse Pietro e fece l'atto di respirare a pieni polmoni. « Vedi, anche lontano, la realtà in cui mentalmente vivevo, era questa; ma nella lontananza a poco a poco essa mi era diventata un'astrazione, un

39

sogno. Avevo veramente bisogno di sentire di nuovo i piedi sulla terra. »

« I piú grandi rivoluzionari » disse Nunzio « i tuoi maestri, Mazzini Lenin Trotzkij, quelli che durante decenni hanno cospirato per le loro idee, hanno passato la loro vita in esilio, e tu non puoi? »

« Forse hai ragione » disse Spina. « Io sono un pessimo rivoluzionario. Al diavolo la politica, la tattica e la strategia. Voglio dire, non so preservarmi in attesa di un grande ruolo. A ogni buon conto, all'estero non ci metto piú piede. Vedi, Nunzio, a me capita come ai vini di queste nostre vigne: non sono mica spregevoli, ma, portati in altro clima, diventano stupidi. Altri uomini e vini, invece, sembrano creati apposta per l'esportazione. »

« E se ti arrestano? » disse Nunzio.

« La reclusione, l'ammetto, è piuttosto scomoda » disse Spina. « Spontaneamente, puoi credermi, non ci andrò di cer to. Ma se mi ci porteranno per forza, che potrò farci? »

« Insomma, non vuoi tornare all'estero? »

« No. »

« In questo caso » disse il medico « è una faccenda che non mi riguarda. Io me ne lavo le mani. »

« Mi piace di sentirti esprimere per similitudini evangeliche » disse Pietro ironico. « Ah, ah, ah, vedo che dell'educazione dei preti t'è rimasto qualcosa. »

« A te invece è rimasto il fanatismo » disse Nunzio. « Tu non credi piú in Dio, ma nel proletariato, però con lo stesso assolutismo di una volta. »

Pietro fece un gesto come per interdirgli di parlare di cose che non poteva minimamente capire.

« Ieri sera » disse « per sfuggire ai carabinieri e ai militi, ho fatto a piedi tutto il sentiero a mezza costa del monte della Croce. Ho rivisto da lontano il collegio nel quale abbiamo vissuto assieme otto anni. Nel giardino devono esserci ancora le aiuole che noi coltivavamo. Ti ricordi dei miei gerani? Al secondo piano deve esserci ancora la grande camerata dove i nostri letti erano l'uno a fianco dell'altro, cosí vicini da poter conversare fino a tarda notte senza che il prefetto se ne ac-

40

corgesse. Ricordi ancora i piani fantastici che allora progettavamo? »

« A me sembra » disse Nunzio « che tu stia ricordando la preistoria. »

« Quando lasciammo gli studi » continuò Pietro « trovammo una società del tutto imprevista, e ognuno di noi dovette fare la sua scelta: sottometterci o andare allo sbaraglio. Sembra che una volta ci fossero vie di mezzo; ma, dopo quella guerra, per la nostra generazione, esse erano state chiuse. Quanti anni sono passati da allora? Appena quindici, e se qualcuno dovesse ora vederci, qui, te e me, non potrebbe supporre che fino a vent'anni le nostre vie erano parallele e che noi nutrivamo gli stessi sogni per l'avvenire. »

Nunzio appariva seccato e nervoso.

« È vero » disse « ora apparteniamo a due partiti differenti. »

« A due diverse umanità » corresse Pietro. « A due razze diverse. Non trovo altri termini per esprimere quello che voglio dire. Nella situazione in cui mi trovo, praticamente nelle tue mani, simulare una stima verso di te e quelli come te, mi costerebbe uno sforzo di cui non sono capace. D'altronde, è ancora troppo presto per fare i conti. Puoi andartene. »

« Di molte altre cose tu non sei capace » disse Nunzio. « Non sei capace di capire che l'uomo ordinariamente non fa nessuna scelta. Le condizioni della sua esistenza, egli se le trova prefabbricate. Se esse contrastano con le sue preferenze, il meglio che può fare è di aspettare che mutino. »

« E se da sé non cambiano? » disse Pietro. « Chi deve cambiarle? Ah, com'è miserabile un'intelligenza che non serve che a fabbricare alibi per far tacere la coscienza. Vattene, fammi almeno questo favore. »

Pietro rientrò nella stalla e andò a sedersi, stanco, su un basto d'asino. Il medico rimase un po' incerto, poi andò verso di lui e gli disse:

« Lasciami almeno auscultare. Posso farti procurare qualche medicina per mezzo di Cardile. »

Di mala voglia Pietro si snudò il dorso. La sua testa precocemente senile, del colore della fibra vulcanizzata, apparve in contrasto grottesco col suo torace, sottile, pulito, leggermente arcuato, bianco e gracile come quello di un adolescente. Il medico si curvò sul petto malato, batté con insistenza su ogni costola, vi appoggiò l'orecchio, controllò il disperato martellare del cuore, cercò di cogliere da tutti i lati l'ansimare affannoso dei polmoni. L'auscultazione esaurí la scarsa resistenza fisica di Pietro, che si lasciò scivolare lentamente dal basto e si distese sul pavimento ricoperto di paglia, socchiudendo gli occhi. Bruscamente, un senso di bontà e di fraternità invase Nunzio.

« Senti, Pietro » disse « parliamoci chiaro, tu non devi morire. »

Egli si sedette accanto a lui, sulla paglia, e cominciò a parlargli a cuore aperto. Gli raccontò le illusioni, le disillusioni, le miserie, le menzogne, gli intrighi, la noia della sua vita professionale.

« Si vive nel provvisorio » disse. « Si pensa che per ora la vita va male, per ora bisogna arrangiarsi, per ora bisogna anche umiliarsi, ma che tutto ciò è provvisorio. La vera vita comincerà un giorno. Ci prepariamo a morire col rimpianto di non aver vissuto. A volte quest'idea mi ossessiona: si vive una sola volta e quest'unica volta si vive nel provvisorio, nella vana attesa del giorno in cui dovrebbe cominciare la vera vita. Cosí passa l'esistenza. Di quelli che conosco, t'assicuro, nessuno vive nel presente. Nessuno mette nel suo attivo quello che fa ogni giorno. Nessuno è in condizione di dire: "Da allora, da quella data occasionale, è cominciata la mia vita". Anche quelli che hanno il potere e ne sfruttano i vantaggi, credi a me, vivono d'intrighi e paure, e sono pieni di disgusto verso la stupidità dominante. Anch'essi vivono nel provvisorio, in attesa. »

« Non bisogna aspettare » disse Pietro. « Anche nell'emigrazione si vive in attesa. Questo è il male. Bisogna agire. Bisogna dire: Basta, da oggi. »

« Ma se non c'è libertà? » disse Nunzio.

« La libertà non è una cosa che si possa ricevere in regalo » disse Pietro. « Si può vivere anche in paese di dittatura ed essere libero, a una semplice condizione, basta lottare contro la dittatura. L'uomo che pensa con la propria testa e conserva il suo cuore incorrotto, è libero. L'uomo che lotta per ciò che egli ritiene giusto, è libero. Per contro, si può vivere nel paese piú democratico della terra, ma se si è interiormente pigri, ottusi, servili, non si è liberi; malgrado l'assenza di ogni coercizione violenta, si è schiavi. Questo è il male, non bisogna implorare la propria libertà dagli altri. La libertà bisogna prendersela, ognuno la porzione che può. »

Nunzio restò pensieroso e impacciato.

« Tu sei la nostra vendetta » disse. « Tu sei la parte migliore di noi stessi. Pietro, cerca di essere forte. Cerca di vivere, di durare. Sta' veramente attento alla tua salute. »

« Nunzio » disse Pietro a stento « se il mio ritorno in Italia non fosse servito che a suscitare questa tua voce, già mi basterebbe. Quest'è la tua voce di allora, delle notti insonni del collegio, mentre la camerata dormiva. »

Sulla porta della stalla apparve Cardile, grondante di pioggia.

« Non cessa di piovere » disse. « Nei dintorni non si vede anima viva. »

Il medico e Cardile confabularono un po' tra loro.

« Per ora resterai qui nascosto » disse Nunzio a Pietro. « Resterai disteso durante tutto il giorno, e Cardile ti porterà il necessario. Intanto cercheremo un rifugio piú comodo. »

« Nell'emigrazione non torno » disse Pietro.

« Purtroppo, anche se tu volessi, non potresti tornarvi » disse il medico. « Non sei in condizione di fare un lungo viaggio. Bisogna trovare un nascondiglio per un paio di mesi, sicuro e tranquillo. In seguito farai quello che ti pare. »

Rimasto solo Pietro si arrampicò, per mezzo di una scaletta a piuoli, sul pagliaio che stava sopra la stalla. Era il suo sanatorio.

▸il medico vs. Nunzio - narratore

43

Finalmente egli poteva riposare, confortato dal caldo tepore della febbre. Erano i suoi primi momenti di sosta e di distensione dei nervi da quando era rientrato in "patria".

« Mi pare di essere in un Presepio » egli disse a Cardile.

Perché l'immagine del Presepio fosse completa, bisognava, veramente, che egli fosse fiancheggiato dall'asino e dalla vacca. Nel suo caso l'asino e la vacca non mancavano, ma erano giú nella stalla, in compagnia di un cavallo, e solo di notte, perché durante il giorno dovevano guadagnarsi la paglia. Le bestie tornavano stanche, quando l'uomo fuorilegge era già assopito. La paglia gli conciliava il sonno. Nessun rumore lo molestava. Dietro il pagliaio scorreva un ruscello; la sua cantilena lo cullava nella notte. Nell'oscurità le ninfe paesane uscivano dal rigagnolo e gli ricordavano le storie dimenticate dell'infanzia. Le reminiscenze gli conciliavano la sonnolenza. Pietro apriva gli occhi quando arrivava Cardile con gli alimenti e le medicine. Mangiava, prendeva le pillole e poi si risprofondava nella paglia e si riaddormentava. Cardile appariva due volte al giorno. Arrivava con l'asino o il cavallo, scendeva, scaricava la bestia, la legava per la capezza all'anello infisso nel muro, dava uno sguardo attorno e saliva al pagliaio. Pietro riconosceva ognuno dei suoi movimenti. La visita durava il tempo strettamente necessario.

« Novità? »

« Nessuna. Abbi pazienza. »

Egli non aveva fretta. Il pagliaio aveva un finestrone senza imposte, che serviva, dopo la trebbiatura, per rientrare la paglia. Attraverso quell'ampia apertura egli poteva vedere, rimanendo nell'ombra, una larga distesa di campi; campi di grano verde tenero, vigne basse, meli, mandorli fioriti. In fondo scorgeva anche un tratto della via nazionale. Una notte passò una lunga fila di carretti, una lunga processione di lumicini penzolanti tra le ruote, che andavano a qualche fiera. Pietro chiuse gli occhi per andare con loro alla fiera.

« Non t'annoi? » gli domandava Cardile.

No, non s'annoiava. Era difficile per lui spiegare il suo stato d'animo. Egli era colpito dalla naturalezza delle cose che erano là, davanti a lui, al loro posto, non piú nella sua ossessione di emigrato, nel mondo fittizio, nella campagna fittizia, della sua immaginazione. Ed il proprio corpo malato come una cosa naturale accanto a cose naturali; come un oggetto tra oggetti, un mucchietto d'ossa indolenzite. Neppure come un oggetto centrale o fondamentale, rispetto agli altri, ma come un oggetto concreto e limitato: un prodotto della terra. Il corpo era disteso sulla paglia, tra un filone di pane e un fiasco di vino. Era questa l'abituale colazione che gli serviva Cardile. La paglia era gialla, il pane bruno, il vino rosso.

« Portami delle matite colorate » egli disse a Cardile. « Ti dipingerò un quadro. »

Ma una sera Cardile arrivò tutto trafelato.

« Come? Sei ancora qui? Devo credere ai miei occhi? » egli disse a Pietro.

« Dove credevi che mi trovassi? »

« Poco fa il dottor Sacca ha ricevuto la notizia del tuo arresto in un albergo di Avezzano. »

« Be', dipende da chi l'ha saputo. »

« Da un ufficiale della milizia, suo amico. »

« In questo caso » disse Pietro seriamente « la notizia è attendibile. »

« Vogliamo festeggiarla? » propose Cardile. « È una notizia importante. »

« Alla gloria della milizia » disse Pietro alzando il fiasco.

« La milizia ha sempre ragione » disse Cardile. « Bevi ancora. »

Il fiasco fu rapidamente scolato.

« Non potresti portarmi anche qualche giornale? » disse Pietro.

« Mi dispiace, ma non ne ho mai comprati » disse Cardile. « Le persone che leggono giornali, ad Acquafredda, si contano sulle dita di una mano. Non vorrei destare sospetti. »

Pietro non osò insistere. Egli aveva conservato presso di sé alcuni quaderni sgualciti di appunti leninisti sulla rivoluzione agraria. Malgrado che, in caso di fermo casuale da parte della milizia, quei quaderni potessero denunziarlo, egli non aveva voluto disfarsene, pensando che gli sarebbero stati utili per uno studio piú ampio, sulla questione meridionale, specialmente se costretto a restare qualche settimana assente dalla lotta attiva. Però, sfogliando quei quaderni nell'ozio del pagliaio, egli non riusciva a leggervi piú innanzi: gli sembravano scritti in cinese. La verità era che le teorie lo avevano sempre annoiato.

Un giorno il dottor Sacca tenne a Cardile un discorsetto sulle vitamine per concludere che Pietro avrebbe avuto bisogno di una nutrizione piú sostanziosa. Da quel giorno il malato ricevette regolarmente a colazione due filoni di pane e una doppia quantità di vino. Ogni tanto riusciva a Cardile di rubare da casa anche del formaggio e del salame; allora per Spina erano banchetti luculliani.

Cardile passava alla stalla all'alba e al tramonto, per rigovernare le bestie, e, secondo il bisogno, trarle al lavoro dei campi e riportarle. Pietro riconosceva, a orecchio, ogni suo gesto, quando ammucchiava il letame, quando spargeva lo strame, quando accostava la porta perché sarebbe tornato presto e quando invece la chiudeva. L'abbeveratoio delle bestie si trovava a poca distanza. Esso consisteva in una ampia vasca di legno che riceveva l'acqua da una cannella di ferro infissa in un parapetto di pietre a secco. Il muro proteggeva una sorgente. Attraverso una fenditura aperta a un lato della vasca, l'acqua continuava poi il suo corso giú per la collina, formando il ruscello che Pietro sentiva cantare durante la notte.

Una mattina, dopo la solita visita di Cardile, Pietro non

resisté piú alla tentazione di un bagno. Era una giornata chiarissima. Si era appena levato il sole, i meli e i ciliegi brillavano di rugiada. Frotte di contadini erano intenti nel piano alla mondatura del grano nuovo e alle semine primaverili; ma sulla collina non si vedeva anima viva. Seguendo le orme delle bestie, non riuscí difficile a Pietro rintracciare l'abbeveratoio. L'acqua della vasca era verde-tenero, trasparente, gelida. Ma Pietro si era appena tolta la camicia e stava slacciandosi le scarpe, quando apparve una giovane contadina con un secchio in mano. Non vi erano stati rumori di passi poiché la ragazza era scalza; evidentemente era venuta per attingere acqua. In fretta Pietro rivestí la camicia.

« Scusate » egli disse cercando di sorridere.

« Nelle vicinanze di casa vostra non avete fontane? » disse la ragazza con tono arrogante. « Perché venite sulle terre degli altri? »

« Sono un pellegrino » disse l'uomo confuso. « Sono qui semplicemente di passaggio. »

Egli cercò di ammansire la sconosciuta con la cortesia.

« Volete che vi aiuti a riempire il secchio? » egli disse.

« La primavera non è mai stata tempo di pellegrinaggi » disse la ragazza. « Nei paesi cristiani si va in pellegrinaggio in agosto o in settembre. In primavera si lavora. »

« Ho pronunziato un voto » disse l'uomo. « Certamente voi sapete cosa sia un voto. Ecco, si tratta proprio di un caso di coscienza. »

Quella era una ragazza robusta, sicura di sé, non facile a intimidire; aveva ciglia foltissime, spalle e collo poderosi, di donna da fatica, come pure le anche; ma il naso sottile, gli occhi svegli e ironici, la magrezza delle caviglie dimostravano una fattura non ordinaria.

« Non posso aiutarvi? » disse l'uomo. « Sapete, non ho mica fretta. »

La ragazza lo osservava con attenzione e sosteneva il suo sguardo senza impaccio.

« Forse abitate da queste parti? » disse l'uomo. « Mi fa piacere di vedere che anche voi non avete fretta. »

Senza rispondergli la ragazza immerse, con gesto sicuro,

47

il secchio nella vasca e lo ritrasse pieno. Prima di allontanarsi, si rivolse all'uomo riflettendo su qualche cosa da dire.

« Buona fortuna » disse finalmente, con un tono affabile che lasciò nell'uomo una profonda impressione. Perché quel saluto e quel brusco mutamento di voce?

Egli cercò di seguirla con lo sguardo fin dove poté. Tornato di corsa nel pagliaio, si pose dietro il finestrone con gli occhi fissi sull'ultimo tratto di sentiero da cui l'aveva vista sparire. Il sentiero s'inoltrava in un frutteto e al di là, al di sopra degli alberi, si scorgeva il tetto di una casa colonica. Era la sua? Durante tutto il giorno Pietro rimase immobile nel suo appostamento. Le ore passarono senza che se ne avvedesse. Il tempo si era arrestato. Quando, nel pomeriggio, bruscamente egli la vide riapparire, come al mattino, col secchio in una mano, non era forse un'allucinazione della sua mente? Tuttavia egli si precipitò per la scala a piuoli, incontro a lei. Ebbe però l'istinto di arrivare alla vasca dell'acqua come se scendesse dalla sommità della collina.

« Ancora qui? » disse la donna fingendo sorpresa. « Avete dimenticato il vostro voto? »

« Ho aspettato che tornaste » disse lealmente l'uomo.

« Sapevate di certo che sarei tornata? » disse la donna. ‹ Che presuntuoso. »

« No, vi assicuro, temevo il contrario » disse l'uomo. « Ma ho sperato che tornaste. Non ho pensato ad altro durante tutto il giorno. »

« Dove eravate, se non sono indiscreta? » disse la donna.

« Su, nella macchia » disse l'uomo. « Durante tutto il tempo ho guardato verso la vostra casa, al di là del frutteto. »

« Anche la notte scorsa l'avete passata nella macchia? » disse la donna. « Non è comodo, di questa stagione. Come fate se piove? »

« Aspetto che voi mi offriate un rifugio piú sicuro » disse l'uomo. Ormai il giuoco era a carte scoperte. La ragazza non rispose; aspettava che lui continuasse.

« Avete gente in casa? » disse l'uomo. La sua voce tremava ed egli si sforzò di sorridere cortesemente per attenuare la crudezza della richiesta.

« Sí, la suocera » disse la donna.

« A una certa ora le suocere usano addormentarsi » disse l'uomo.

Per un momento la ragazza si difese con l'ironia.

« Veramente » ella disse ridendo « come pellegrino non c'è male. » Dopo un po' aggiunse: « C'è anche il cane. Quello dorme di giorno, fa il turno con la suocera ».

« Dunque, ti aspetterò qui » disse l'uomo. « La stagione è mite, non farmi però aspettare troppo a lungo ».

« Hai tanta fretta? » disse la donna con tono provocante.

« Stare solo, annoia » disse l'uomo.

La donna dimenticò ogni prudenza e rise ad alta voce.

« Potresti recitare il rosario » ella disse.

« Appena buio, ti aspetto » disse l'uomo. « Non farmi aspettare. »

Come sono interminabili le ore che precedono un appuntamento d'amore.

Quella sera il passaggio di Cardile al pagliaio tardò piú del solito. La giornata del contadino si regola secondo il tempo. Sarebbe sciocco non sfruttare a pieno, nel mese di aprile, una giornata di sole. Pietro era impaziente.

« Ti trovo molto migliorato d'aspetto » gli disse Cardile. « Mi fa piacere che l'aria della mia stalla ti sia di profitto. »

« Sí, mi sento rinascere » disse Pietro. « Ma la notte scorsa ho dormito poco a causa di un cane. Chi c'è in quella casa che si vede al di là del frutteto? »

« Una mia cugina, con la suocera » disse Cardile. « Il marito della ragazza lavora adesso allo zuccherificio. »

« Che gente sono? » disse Pietro.

« Da non fidarsi » disse Cardile. « Ci parliamo appena. »

« Scusami, ho sonno » disse Pietro. « Spero che questa notte il cane mi lasci in pace. »

Appena Cardile si fu allontanato, egli scese dal pagliaio e corse diritto alla vasca dell'acqua, per non piú tardare, senza preoccuparsi di occultare la direzione della sua provenienza. La ragazza era già vicino alla vasca.

« Vi fate desiderare » ella disse.

« Mi ha ritardato la vista di un uomo, vicino alla stalla, qui accanto » egli disse.

« È mio cugino » disse la donna. « Avete fatto bene a evitarlo. »

« Che tipo è? » disse l'uomo.

« Da non fidarsi » disse la donna.

« Meno male che tu sei diversa » egli disse.

« Che ne sai? Sei sicuro che finirà bene? »

« La suocera ti ha dato la libera uscita? » egli disse.

« Ho chiesto il permesso di andare in paese, per una commissione » ella disse. « Non potrò tornare tardi; rientrando devo darle la buona notte. »

Per terra, appoggiato alla vasca, c'era un bottiglione.

« Ti ho portato da bere » ella disse.

« Grazie » disse l'uomo. « Berremo dopo. Non è di vino che adesso ho sete. »

« È da molto che non sei stato con una donna? » ella disse. « Fa' piano, sii buono. No, qui la terra è bagnata, non vedi? Andiamo là, sotto l'albero, è piú pulito »

« Come ti chiami? » Pietro le domandò

« Margherita » disse la donna « e tu? No, ti prego di non rispondermi, sarebbe un'altra bugia. »

« Credi che ti abbia già detto delle bugie? Mi credi un bugiardo? » disse lui.

« Tu non sei un pellegrino » disse la donna sorridendo

« Hai ragione » disse l'uomo. « Ma quella non era una bugia, era un modo di dire. »

I due erano distesi sull'erba, l'aria conservava ancora un po' del tepore del giorno. Il villaggio, ai piedi della collina, era un mucchietto di deboli luci.

« Si sta bene, qui » disse l'uomo.

« Vuoi scommettere che io indovino il tuo nome? » disse la donna.

« Perché? » disse l'uomo. « Se azzecchi non ne vale la pena, perché il mio vero nome lo conosco anch'io; se sbagli, è un modo stupido di perdere tempo. Ti piace perdere tempo? »

« Nei giorni scorsi » disse la donna « i carabinieri hanno

visitato tutte le case di campagna di questa zona. C'è un fuggiasco nei dintorni, essi ci hanno avvertito; se egli si presenta da voi per chiedervi alloggio o alimenti, fate finta di soddisfarlo e correte subito a denunziarlo alla forza pubblica. »

« Tu mi hai già denunziato? » domandò Pietro.

« Egli è un nemico del governo, hanno spiegato i carabinieri, e chi lo denunzierà riceverà un premio » aggiunse la donna. « In paese si parla molto di te, il tuo vero nome è Pietro. »

« Il premio non ti alletta? » disse Pietro. « Oppure ne preferisci un altro, da me? »

La reazione di Margherita fu brusca: ritirò il braccio sul quale poggiava la testa di Pietro, si rassettò le vesti e si mise a sedere.

« Scusami » disse Pietro. « Sono un idiota. »

« Hai creduto » disse Margherita « che una povera cristiana non tradisca un uomo solo se spera di coricarsi con lui? »

« Hai ragione » disse Pietro. « Ti prego di scusarmi. »

« Puoi non credermi » disse Margherita « ma, se nella tua condizione di ricercato si fosse trovata una donna e io l'avessi incontrata, non mi sarei comportata altrimenti. »

« Ti credo, Margherita, scusami » disse Pietro.

« Vuoi sapere chi m'ha dato quest'educazione? » disse Margherita. « A casa nostra, quando ero bambina, abbiamo tenuto nascosto, durante alcuni mesi, un evaso dal carcere. Era uno sconosciuto, un disgraziato. Mio padre ci ripeteva spesso che, per le persone d'onore, la prima delle opere di misericordia è aiutare i perseguitati. »

Dopo un po' la donna aggiunse:

« Certo, può parere curioso che proprio io, adesso, parli d'onore. »

« Ne hai parlato nel senso che io maggiormente rispetto » disse Pietro gravemente. « Ogni parte del corpo, si può dire, ha il suo onore. Ma per troppo tempo si è creduto che l'onore più importante fosse quello riposto tra le gambe. »

« Pietro, restiamo leali » disse Margherita. « A che serve sofisticare? È meglio tacere. »

I due visi lentamente si riavvicinarono.

« Le tue labbra hanno il sapore di quelle dei bambini » disse Margherita. « È vero che sei nativo di qui vicino, dalle parti del Fucino? L'ho udito raccontare. »

« Che altro hai udito? » disse Pietro.

« Che sei di famiglia ricca, che perdesti i genitori al terremoto, che sei un po' pazzo » disse Margherita. « Perché fai questa vita disperata? »

« Per quello che tu stessa, Margherita, hai detto poco fa » disse Pietro. « Ho un certo senso dell'onore. »

« Hai bisogno di far sapere qualcosa a tua nonna? » disse Margherita. « Potrei andare a visitarla. Raccontano che è una vera signora. »

« Da molti anni ho rinunziato alla parentela del sangue » disse Pietro. « È scomodo, ma penso che bisogna cominciare di lí. »

« Com'è possibile? » disse Margherita. « Che strana idea. Non sei mica un trovatello. »

« La sola parentela che ora rispetto » disse Pietro « è quella delle anime. Come questa che ora è nata qui tra noi. »

« Pietro, fammi riflettere un momento a quello che adesso hai detto » disse Margherita. « Sí, anch'io, adesso, ho verso di te lo stesso sentimento. Pietro, ascoltami, vorrei farti una proposta. »

La ragazza si alzò in piedi e si ravviò le trecce. Quindi porse una mano a Pietro per aiutarlo ad alzarsi.

« Separiamoci senza giacere insieme » disse Margherita risoluta. « Dopo quest'ultima cosa che ci siamo detta, mi pare la conclusione piú giusta. Sei d'accordo? Mi fa piacere.

« Ma che vedo? » disse Margherita. « Non hai ancora assaggiato il mio vino. »

Pietro alzò il bottiglione e bevve a lungo.

« È forte » disse. « Bevi anche tu. »

Le sorsate di Margherita non erano meno lunghe e copiose. Il gorgoglio del vino si confondeva con quello del ruscello. L'armonioso duetto continuò senza pause fino all'esaurimento del vino.

« Quanto era? » disse Pietro.

« Tre litri » disse Margherita. « Ora è tempo che io vada. »

« T'accompagno fino al frutteto » disse Pietro.

« Non è prudente » disse Margherita. « La notte il nostro cane è sciolto e potrebbe inseguirti. »

Si lasciarono senza dirsi addio né arrivederci. Soltanto quando la vide sparire in fondo al viottolo, Pietro fu sopraffatto dalla tristezza, si sedette per terra e cominciò a piangere. Il suo ritorno al pagliaio fu laborioso per altre cause. Qualche imbecille, in sua assenza, aveva sconvolto la topografia dell'edificio. La porta, ad esempio, era stata spostata e impicciolita, e la scala a piuoli era semplicemente irreperibile. Anche l'alba arrivò quel giorno prima del solito, quando la sbornia di Pietro non era ancora svaporata. Cardile lo trovò rannicchiato nella mangiatoia.

« Perché stai quaggiú? » gli disse. « Perché non hai dormito sopra, nel pagliaio? »

« C'era un enorme topo noioso » disse Pietro stropicciandosi gli occhi. « Non è che mi abbia fatto paura, ma non volevo perdere tempo a ragionare con lui. »

« Il fiasco che ti portai ieri sera » disse Cardile ridendo « ti è salito in testa. »

Cardile pulí in fretta le bestie e poi si arrampicò nel pagliaio per la provvista quotidiana di strame. Pietro cercava intanto di decifrare un'enigmatica lettera di Nunzio; ma la difficile lettura fu interrotta da esclamazioni di sorpresa che gli arrivavano dal piano di sopra.

« Com'è possibile? » diceva Cardile. « Che stranezza, non credo ai miei occhi. »

Egli scese in fretta per la scala a piuoli, tenendo in mano il fiasco da lui stesso portato la sera precedente. Il fiasco era pieno.

« Con che ti sei abbeverato ieri sera » disse Cardile « se il fiasco è ancora intatto? »

La sorpresa di Pietro non fu da meno, ma di piú breve durata, per la sua innata tendenza a rimanere impassibile di fronte alle stranezze della natura.

« Come me lo spieghi? » diceva Cardile.

« Ebbene » disse Pietro « a me pare che questa sia una

netta smentita al vecchio proverbio per cui dovrebbe essere impossibile avere il fiasco pieno e la moglie, o l'amico, ubbriaco. Non c'è, mi sembra, che da prenderne nota. »

« Non capisco » disse Cardile.

« Il tuo turbamento non mi stupisce » disse Pietro. « Tu sei un contadino e l'agricoltura si regge sui proverbi. Ma la verità, fortunatamente, è piú grande dei proverbi. »

Quelle parole valsero a chiudere la discussione, ma non a persuadere Cardile, che ogni tanto lanciava sguardi sospettosi al fiasco e scuoteva la testa. Cosí Pietro poté riprendere l'interpretazione della lettera di Nunzio. In termini sibillini vi si parlava di un curioso espediente per vivere al sicuro in un villaggio di montagna, durante due o tre mesi, il tempo minimo per rimettersi in salute. Cosa ne pensava l'interessato? I particolari dello stratagemma erano taciuti, o incomprensibili, ma parve a Pietro che fosse urgente cambiare aria e togliere l'incomodo a Cardile, e perciò disse d'accettare. Tra l'altro egli non aveva capito che la partenza sarebbe stata immediata.

Invece, quella stessa sera, egli si era appena appisolato tra la paglia, quando udí chiamarsi dall'interno della stalla.

« Pietro, Pietro » diceva la voce « scendi. »

A tastoni, nel buio, riuscí a Pietro di alzare lo sportello della botola e guardare in giú, nella stalla. Era Nunzio, con una lanterna in mano, tra l'asino e la vacca, che lo chiamava.

« Porta giú con te gli oggetti di cui puoi avere bisogno » disse Nunzio. « Parti subito. »

Quando Pietro gli fu accanto, Nunzio gli sciorinò, alla scarsa luce della lanterna, un grande fagotto d'indumenti ecclesiastici.

« È una messinscena complicata » disse Nunzio. « E, a dir vero, non è tutta farina del mio sacco. »

Pietro rimase interdetto. Dalla lettera non aveva affatto capito che si trattasse di travestirsi da prete.

« Ho orrore del carnevale » egli disse. « Anche da ragazzo non mi sono mai mascherato. »

« Data la contrada » disse Nunzio « non siamo riusciti a escogitare protezione piú sicura. »

54

Pietro continuava a fare di no con la testa.

« Mi considero fuori della Chiesa da parecchio tempo » egli aggiunse. « Tuttavia, travestirmi da prete mi ripugna, è un'irriverenza che non si confà al mio carattere. »

Quello scrupolo piacque a Nunzio.

« Se non ti conoscessimo » disse « se avessimo dubitato che tu potessi fare di quest'abito un uso illecito, non te l'avremmo offerto. »

La vestizione sacra ebbe luogo subito, allo scarso lume della lampada a olio. Il cavallo dormiva. La vacca fece l'impressione di non rendersi conto, si accosciò sullo strame e chiuse gli occhi. L'asino invece restò in piedi a guardare. Quell'attenzione finí con l'infastidire il medico, che prese la bestia per la capezza e la fece girare dall'altra parte. L'asino si lasciò spostare, ma poi rigirò la testa e riprese a guardare fisso quello strano uomo sceso dal pagliaio che si stava vestendo con una lunga sottana nera, chiusa davanti da una lunga fila di piccoli bottoni.

« Non dimenticare che l'abito non fa il monaco » disse Nunzio.

Ma Pietro aveva perduto ogni voglia di scherzare e continuava a borbottare parole incomprensibili. Per distrarlo Nunzio improvvisò un discorsetto di consacrazione, in tono semiserio.

« Questi indumenti » egli disse « provengono dalle primitive religioni dei misteri, dei sacerdoti di Iside e di Serapide, come anche tu sai. Essi furono adottati nella Chiesa cattolica dalle prime comunità monastiche che cercarono di salvare i valori cristiani dalla contaminazione mondana per assicurare, a una minoranza vivente fuori della società e in opposizione alla società, le virtú carismatiche essenziali. Cosí i riti sopravvivono alle epoche nelle quali nascono e passano da una religione all'altra, da una società all'altra. Ora, ecco che tu, uomo iniziato ai nuovi misteri rivoluzionari, ai misteri della materia in rivolta, vesti gli stessi neri indumenti che da migliaia di anni sono simboli di sacrificio e di ispirazione soprannaturale. »

Gli occhi di Pietro sorrisero contro voglia.

« Non stottere » disse.

« Non capisco » continuò Nunzio sullo stesso tono, « per ché Lenin non abbia introdotto una simile veste, o almeno la tonsura, nel personale del Komintern per distinguere i¹ funzionario, depositario e interprete dei sacri testi, dal sem plice proletario o cafone. »

Il tempo stringeva. Cardile aspettava per strada con la biga.

« Farai una sosta nella mia clinica » disse Nunzio. « Prenderai un bagno, ti saranno tagliati i capelli, ti farò una radiografia. »

« Prometti di venire a trovarmi » disse Pietro.

« Va bene » disse Nunzio. « Come ti chiamerai? »

Pietro rifletté; quindi propose:

« Spada. Che te ne pare? »

« Va bene » disse Nunzio. « Allora diremo, don Paolo Spada. »

« Perché don Paolo? »

« Pietro Spada ricorderebbe troppo da vicino il tuo vero nome. Dunque, reverendo don Paolo Spada, andiamo. Non dimentichi nulla? Hai nella valigetta il tricorno, il breviario, la corona, lo scapolare? Le istruzioni speciali per la sacra missione? »

« Andiamo » disse don Paolo Spada. « *Procedamus in pace*. »

« Il cavallo non ama camminare di notte » disse il cocchiere. « Non gli do torto. »

« Neppure io » disse don Paolo « ma ho perduto il treno. Sono stato trattenuto dal vescovo. »

« Monsignore dovrebbe comprarsi un orologio » disse il cocchiere. « Come fa a mandare i suoi preti in giro di notte, con questo tempaccio? »

Aveva smesso da poco di piovere, ma tirava vento e l'aria era pungente come d'inverno.

« Devo alzare il mantice? Avete freddo? » disse il cocchiere.

« Finché non piove, va bene così » disse don Paolo.

La strada era buia e solitaria. Il trotto della carrozzella svegliava nei pagliai gli ululati dei cani. A qualche finestra ancora illuminata appariva una faccia curiosa. Il cocchiere sedeva a cassetta e fumava la pipa. Per mantenere il cavallo al trotto gli bastava ogni tanto di scuotere le redini. Il cocchiere si girò verso don Paolo per domandargli:

« Quanto lo fate pagare voi un mortorio? Tanto per sapere. »

« Avresti voglia di morire subito? » disse don Paolo.

« Non per ora » disse il cocchiere e si toccò una parte del corpo. « Mi piacerebbe saperlo, così, per un paragone. »

« Lascia stare » disse don Paolo. « I paragoni sono odiosi. »

« Conoscete questi posti? » disse il cocchiere.

contradiction?

Don Paolo non rispose. Era la sua contrada nativa, dalla quale era stato bandito una decina d'anni prima, la sua patria proibita. Il cuore gli batteva forte e malgrado il freddo notturno si sentiva inondare di sudore. Alle sue spalle la carrozzella lasciava il monte Velino, con le due sommità ancora cariche di neve, e davanti si dispiegava, in tutto l'arco dell'orizzonte, la barriera montagnosa che circonda la conca del Fucino e che, contro quel cielo notturno e nuvoloso, pareva la fosca muraglia di un mondo chiuso. La carrozzella incontrò un vasto abitato, in cui le palazzine e le ville costruite di recente si alternavano con agglomerati fangosi di baracche e mucchi di macerie. L'illuminazione era scarsa e le zone di buio coincidevano con i tratti di strada in cui le pozzanghere erano piú larghe e profonde. A una svolta la carrozzella fu bruscamente fermata da due carabinieri, che subito però la lasciarono proseguire, appena videro che il suo unico passeggero era un sacerdote.

« Buona sera, reverendo » essi dissero.

« *Pax vobiscum* » rispose don Paolo.

All'uscita dell'abitato la strada era in riparazione e il cavallo si mise al passo. Don Paolo si rannicchiò nella carrozzella traballante, reggendosi al sedile per non finire tra le ruote. Era una fatica, ma anche una distrazione. Appena la strada tornò normale, il cocchiere si girò verso di lui e gli chiese:

« Voi ci credete alla nuova guerra d'Africa? »

« Un prete, se crede, crede in Dio » disse don Paolo. « È già molto. »

« Volevo sapere » disse il cocchiere « se voi pensate che la nuova guerra sarà profittevole. »

« Non a quelli che morranno » disse don Paolo.

Il cocchiere accolse la risposta come una spiritosaggine e ci rise sopra per un po'. Ma veramente la sua domanda era un'altra e si spiegò con parole diverse.

« Voi credete » disse « che laggiú ci sia molto da rubare? Vi si trova dell'oro, molto oro? »

« Secondo te » disse don Paolo « le guerre sono giuste se c'è da rubare? »

58

« Secondo tutti » disse il cocchiere. « I poveri figli di mamma dovrebbero morire per niente? Forse solo gli inglesi hanno diritto di rubare? »

« Ho sonno » disse don Paolo. « Lasciami in pace. »

La strada era nuovamente ghiaiata. Il paese nativo di don Paolo era vicino. La carrozzella traballava nello spazio e nel tempo. Era una contrada in cui don Paolo conosceva ogni ponte, ogni vigna, ogni ruscello, ogni albero. Al crocevia prima di Orta c'era una vecchia taverna. Acquasanta, la padrona, stava abbassando la saracinesca e una ragazza l'aiutava. La figlia di Acquasanta era già cosí grande. Le ruote della carrozzella affondavano nella strada ghiaiata e giravano a fatica. Quando, ecco d'improvviso, a una svolta, a pochi passi, le prime case di Orta, ecco il lampione elettrico sulla bottega nera del facocchio, all'entrata del paese. Don Paolo chiuse gli occhi. Non voleva vedere. Il primo ad accorgersi dell'arrivo della carrozzella fu il mastino del facocchio. Il mastino abbaiò due o tre volte, come d'uso; poi si mise in ascolto dietro la porta, ringhiò tra sé, in modo incerto e interrogativo. La carrozzella passò davanti alla bottega e ne sfiorò quasi la porta. Allora il mastino emise un lungo altissimo ululato. Gli rispose allarmata la cagna che guardava l'orto dietro alla chiesa. Don Paolo manteneva gli occhi chiusi; ma dal rumore delle ruote egli poté riconoscere quando la carrozzella fu sull'acciottolato della piazzetta di Orta. La cagna si mise ad abbaiare come un'isterica, svegliò i figli che dormivano nel canile, assieme ai cuccioli, saltò contro il cancello dell'orto. A uno a uno gli altri cani del borgo furono messi in allarme. Si svegliarono anche quelli che erano dalla parte del mulino, i cani dei depositi del genio civile, i cani delle stalle dei carrettieri.

« Che diavolo succede? » gridò il cocchiere. « Dove siamo capitati? »

Erano dai trenta ai quaranta cani che guaivano, ringhiavano, abbaiavano, ululavano da tutti i vicoli e cortili. La carrozzella si allontanò dalle ultime case di Orta e i cani abbaiavano ancora, poi, a uno a uno, tacquero. Quando don Paolo riaprí gli occhi, la carrozzella era ferma a una fontana con un ampio abbeveratoio per le bestie. Sulla fontana c'era una placca di bronzo che diceva: "Costruita a spese della famiglia Spina". Don Paolo disse al cocchiere:

« Aspetta, scendo anch'io. »

Egli scese dalla carrozza, raccolse dell'acqua nel concavo della mano e bevve. Con le mani umide si rinfrescò la fronte che bruciava. Sulla strada non c'era piú ghiaia; il cavallo poté riprendere il trotto. Don Paolo si sedette con le spalle verso il cocchiere, in modo da guardare le ultime luci del borgo. Sparse qua e là si vedevano ancora una diecina di finestre illuminate, poi una si spense sulla collina, una in basso, vicino al mulino, una verso il fiume, poi di nuovo una sulla collina. Don Paolo poteva riconoscere ogni casa, ogni camino, ogni finestra, ogni orto. Cosa faceva la nonna, la vecchia donna Maria Vincenza? Viveva ancora? Si dava pensiero per lui? Aveva avuto noie dalle autorità? Cosa faceva Faustina? Si ricordava di lui? Si era sposata? Pareva un viaggio d'oltretomba. La carrozza passò vicino a una vecchia cava di pozzolana che apparteneva al padre di don Paolo. Da bambino egli vi giuocava a nascondiglio con i figli degli scavatori. A mezza costa, sulla collina, egli riconobbe la "sua" vigna, l'ultimo resto dell'eredità paterna. Gli alberi di fico erano ancora al loro posto; ma dove erano i ciliegi? Dove il noce? Lo zio che aveva in consegna la vigna, doveva averli fatti abbattere. Gli occhi di don Paolo si riempirono di lagrime. Poi l'aria della notte girò verso levante, il vento si alzò e girò verso levante, gli alberi stormirono. Don Paolo piegò la testa e si addormentò sul serio.

Il cocchiere lo svegliò a Fossa dei Marsi, davanti all'albergo del Girasole. Era atteso. Una donna prese in consegna la valigia del prete.

Prima di congedarsi il cocchiere chiese un favore a don Paolo.

« Non potreste scrivermi una buona raccomandazione? »

« Una raccomandazione per chi e per che cosa? »

Il cocchiere rifletté e poi disse:

« In questo momento non saprei dire, ma le occasioni non mancano. Potreste farmi una raccomandazione generica. »

« Ma io non ti conosco › disse il prete.

« Neppure io vi conoscevo » disse il cocchiere. « Eppure vi ho portato fin qui. »

« Per questo t'ho già pagato » disse il prete. « Buona notte. »

Di quell'arrivo alla locanda don Paolo non serbò altro ricordo. Doveva essere stordito e stanco morto.

VI

L'indomani don Paolo si svegliò per tempo, ma indugiò a letto fino a tardi.

Egli aveva ricevuto da Nunzio alcuni foglietti scritti a macchina sul tema: *Come deve comportarsi un sacerdote fuori della sua diocesi*. Don Paolo era della diocesi di Frascati, e si recava nella diocesi dei Marsi per rimettersi in salute nel villaggio montano di Pietrasecca. Nelle istruzioni scritte a macchina erano previste le maggiori difficoltà che poteva incontrare e il modo di superarle. Don Paolo lesse e rilesse le istruzioni. Il carrettiere che avrebbe dovuto condurlo a Pietrasecca, sarebbe venuto a prenderlo solo nel pomeriggio, perciò egli si vestí lentamente e passò l'intera mattinata in camera. Vide con gioia che la camera aveva un lavandino con acqua corrente. Dopo il campeggio nel pagliaio, un lavandino faceva piacere. Inoltre gli provava i progressi del suo paese. Sul lavandino c'era un avviso scritto a mano, con bella calligrafia, che diceva: "Gli spettabilissimi signori viaggiatori sono pregati di non urinare nel lavandino, se no poi puzza". Infatti il lavandino puzzava.

Don Paolo si osservò in uno specchio. Alla clinica di Nunzio gli erano stati tagliati i capelli molto bassi. Con la zimarra nera e i capelli rasi il suo aspetto era francamente grottesco. Quasi si mise a piangere. La sottana aveva davanti ventotto bottoni. Che disperazione sbottonare e abbottonare ventotto bottoni. Non gli sarebbe rimasto tempo per altro. Per fortuna egli scoprí che bastava sbottonare dal collo fino alla cintura per togliere la sottana dall'alto, oppure farla cadere ai piedi. Questi gesti femminili lo rimisero di buonumore. Ma sorsero altre difficoltà. Don Paolo si seccò all'idea che, per prendere qualcosa dalle tasche dei pantaloni, dovesse ogni volta alzare la sottana. Alzare la sottana in pubblico non era ridicolo? Ma, piú tardi, vicino alle tasche della sottana, egli scoprí un'apertura che arrivava direttamente ai pantaloni. Eh eh, fare il prete non era, in fin dei conti, tanto difficile. Appena sul pianerottolo don Paolo fece conoscenza della padrona dell'albergo, la vedova Berenice Girasole. L'accoglienza della vecchia donna fu per lui piuttosto allarmante. Doveva trovarsi alle prese con qualche sciagura, poiché ella aveva sguardi lagrimosi e sospirosi che per don Paolo non promettevano nulla di buono.

« È la Provvidenza che vi ha mandato » disse, baciandogli la mano.

« No, è il medico » disse don Paolo.

E se la svignò. Davanti all'albergo vi era un negozio di merceria. Per darsi un contegno egli finse di guardare una vetrina; ma le risate di alcuni giovanotti lo fecero attento agli oggetti esposti; reggiseni e mutande per donna. Fuggí via e si fermò soltanto davanti a un cappellaio. Nella vetrina un grande specchio gli mise davanti, in una luce anche piú cruda di quella della camera, la propria immagine. Che orrore. Tornò in albergo avvilito e stanco. Era già ora della colazione.

« Il reverendo mangia spaghetti? » gli chiese la padrona.

« Dio me ne liberi » disse don Paolo « tutto fuorché spaghetti. »

Per fortuna la padrona doveva servire anche altri clienti.

Le pareti della sala da pranzo erano largamente decorate con le pagine a colori di un noto settimanale illustrato, riproducenti episodi commoventi: la figlia del casellante ferroviario che salva un treno da sicura catastrofe, l'aeroplano assalito dall'aquila, le gabbie di un serraglio infrante nel centro di una città e le bestie feroci alla rincorsa dei passanti esterrefatti. Vi erano forse una diecina d'altri clienti nella sala. Don Paolo ebbe l'impressione che tutti l'osservassero e parlassero di lui. Si sforzò di non alzare gli occhi dal proprio piatto. Al momento del caffè la signora Berenice si sedette al tavolo del prete per rivelargli la causa dei suoi affanni. Era senza busto, con i vasti seni in abbandono e in copioso sudore, per le fatiche del servizio. Appena Berenice tornò a parlare di Provvidenza, don Paolo l'interruppe in malo modo.

« Mi dispiace » disse « ma io non sono di questa diocesi. Sono venuto da queste parti unicamente per riposarmi. »

La donna tacque, offesa e disperata. Don Paolo approfittò di quel turbamento per andare a prendere un po' di sole davanti all'albergo. Seduti attorno a un tavolino, cinque o sei giovani del tipo vitelloni dormicchiavano col cappello in testa e la sigaretta spenta al labbro. A un tavolino più lontano altri giovani giuocavano alle carte e distribuivano attorno a loro, nella polvere, sputi gialli come farfalle. All'occhiello della giacca essi portavano quasi tutti l'emblema del partito governativo. Tra i giovani era un uomo anziano con una faccia da vecchio attore in pensione e il cappello a larghe tese, che giuocava anche lui a carte, e prendeva il caffè sbuffando. Alla vista del prete forestiero egli diede il segnale contro la iettatura.

« Ferro, ferro » gridò.

I dormienti si svegliarono di colpo e anche loro presero le precauzioni d'urgenza. Don Paolo riconobbe il rito ed era sul punto di rispondere qualche insolenza, ma tacque, perché il modo di comportarsi di quegli oziosi era una conferma della sua qualità di prete. Soddisfatto rimase al suo posto. Davanti all'albergo c'era la sede imbandierata del partito governativo e la loggia municipale con un medaglione del re Umberto coi soliti baffoni. Un usciere mingherlino era seduto davanti alla porta, anche lui con imponenti baffi a manubrio di bicicletta. Egli era attorniato da mosche e di tanto in tanto muggiva e sputava con un'ampia traiettoria che arrivava fino al centro della piazzetta. La presenza del prete forestiero richiamò verso l'albergo alcuni mendicanti accompagnati da torme di mosche. Un uomo storpio che camminava a salti, puntellandosi sulle stampelle, implorò un'elemosina a nome di tutti. Don Paolo li fuggì, retrocedendo nell'albergo, dove però era in

64

agguato la padrona. La donna gli afferrò un braccio. lo tenne saldo, e ricominciò, con voce lagrimosa:

« Ascoltatemi, per l'amore dell'Addolorata. In casa c'è una ragazza, la mia unica figlia, che muore » ella disse con voce accorata. « Non siate crudele. »

« Mi dispiace » disse don Paolo ai limiti della collera. « Ve l'ho già spiegato e ve lo ripeto, non sono di questa diocesi e non sono autorizzato alla cura d'anime da queste parti. »

« Neppure in casi urgenti? »

« In nessun caso. »

Berenice non poté piú trattenere i singhiozzi.

« Va bene » disse « ma almeno lasciate che vi spieghi il caso. Potrete magari darmi un consiglio. Ecco, la ragazza è in punto di morte e non vuole confessarsi al prete di qui, perché è un parente. Non potete capirla? Quando io l'ho informata che c'era qui un prete forestiero, ha avuto una grande gioia. Me l'ha mandato Gesú Cristo, ha detto subito. »

« Mi dispiace » disse don Paolo. « Se il caso è urgente, perché non chiamate subito il parroco di un paese vicino? »

« Forse non c'è piú tempo » disse Berenice. « E poi darebbe all'occhio, nascerebbe ugualmente lo scandalo. Direbbe la gente: "Perché non è stato chiamato il prete di famiglia?". »

« Mi dispiace » disse don Paolo.

Berenice non riuscí a soffocare il suo pianto accorato.

« Come si fa » diceva « come si fa a lasciare morire una ragazza senza prete e senza medico? »

« Perché anche senza medico? » disse don Paolo. « Cos'è questa storia? »

Berenice temé di aver detto troppo e si guardò attorno sbigottita.

« Posso parlare come in confessione? » disse.

Don Paolo fece cenno di sí. Senza smettere di piangere e sottovoce Berenice gli narrò quella sventura.

« La ragazza non è sposata ed ha avuto l'impiccio. Allora, per non essere disonorata e non disonorare il parentado, ha cercato di liberarsi da sé. Mi avete capito? La legge, voi lo sapete, non lo permette. Se un medico o una levatrice, o una persona qualsiasi, aiuta una donna a liberarsi, c'è il carcere.

65

Si racconta spesso di casi simili, basta leggere i giornali. Vi sono quelli che finiscono anche peggio. La figlia del notaio di Fossa ha bevuto la varecchina con un bambino di quattro mesi in seno. Una ragazza di qui che stava a servizio dal podestà, è andata a Tivoli a buttarsi alla cascata. Questa mia poveretta invece ha cercato di liberarsi da sé. Non aveva da scegliere: rischiare la morte o il disonore. Ha rischiato la morte, sta morendo. Voi v'immaginate la situazione di una povera madre? Non posso chiamare un medico, perché farebbe un verbale, vi sarebbe un'istruttoria, un processo, e tutto si saprebbe. Né la ragazza, come vi ho spiegato, vuole chiamare il prete di qui, perché è un parente. Certo che ha peccato, ma il perdono c'è per tutti. Cristo non è morto in croce per tutti? »

Don Paolo rimase allibito. Quel caso non era previsto nelle istruzioni consegnategli da Nunzio.

« Signora » egli disse « vi compiango, ma non so proprio cosa consigliarvi. »

Gli occhi del povero prete erano pieni di lagrime. Berenice se ne accorse e gli fece cenno di accompagnarla, come se volesse raccontargli ancora qualcosa. Docilmente don Paolo la seguí. Dietro di lei egli salí le scale fino al primo piano. Berenice aprí lentamente, senza far rumore, la porta di una cameretta. La cameretta era semibuia e puzzava di disinfettanti. In un angolo, sotto un grande crocifisso nero, c'era un lettino bianco, di ferro.

« Bianchina » chiamò sottovoce Berenice. « Vedi chi c'è? »

Nel letto si mosse qualcosa. Tra folti capelli neri sparsi sul capezzale apparve una faccetta livida, affilata, infantile, deformata dal dolore. Quando don Paolo si accorse che Berenice era sparita, era già tardi. Egli restò in piedi, inchiodato vicino alla porta. Cosí trascorsero alcuni minuti. Accennò a ritirarsi, in punta di piedi; ma gli occhi grandi spalancati della fanciulla morente lo fermarono. Come faceva a spiegare a un moribondo di non essere un prete come gli altri? Don Paolo era paralizzato, non sapeva che fare. La fanciulla morente continuava a fissare il prete con i suoi grandi occhi febbricitanti.

« Coraggio » le disse don Paolo e cercò anche di sorridere.

Egli si avvicinò lentamente, in punta di piedi, verso la ragazza, si curvò verso di lei, le baciò una mano. I grandi occhi della ragazza si riempirono di lagrime. La coperta leggera modellava il suo gracile corpo in disfacimento, i seni in rilievo come due limoni, le gambe stecchite.

« Cara » disse il prete « so tutto. Ti prego di non dirmi nulla, di non umiliarti, di non rinnovare le tue sofferenze. Tu non hai bisogno di confessarti. Sei già confessata. »

L'ammalata disse:

« Mi dà l'assoluzione? »

« Sei perdonata » disse il prete. « Chi potrebbe non perdonarti? La penitenza l'hai già fatta ed è stata troppo dura. »

« Se muoio » disse la ragazza « dove vado? »

« Al camposanto » disse il prete « come gli altri. »

« Mi salverò? »

« Certamente; ma non aver fretta, cerca di rinviare la partenza » egli disse in tono forzatamente scherzoso.

Don Paolo teneva stretta nelle proprie mani una mano della ragazza. Le mani bruciavano.

« Anche lei ha la febbre; è forse malato? » disse la ragazza.

Don Paolo fece segno di sí.

« Anch'io » disse sorridendo « anch'io fo penitenza. »

In quel momento arrivò una voce dalla strada:

« Dov'è questo prete che va a Pietrasecca? »

Don Paolo voleva partire, ma la ragazza lo trattenne per una mano.

« Non mi lasci cosí presto » disse. « Quando ci rivedremo? »

« Penserò a te » disse don Paolo.

« Non posso crederla » disse la ragazza. « Lei ha altro da pensare. »

« Non mi credi? Perché non mi credi? » disse don Paolo.

Egli si chinò sul viso di lei, la guardò da vicino, negli occhi. I due si guardarono negli occhi, in silenzio, durante alcuni minuti. Don Paolo era preso da una grande pietà.

« Perché non mi credi? » egli disse.

« Sí, adesso ti credo » disse la ragazza. « Non ho mai creduto a nulla, come a questo. Hai degli occhi straordinari, che non dicono bugie. Non ho mai visto degli occhi come i tuoi. »

« Penserò a te » disse don Paolo.

Attraverso la finestra arrivò una voce adirata:

« Viene e non viene questo prete? »

« Adesso devo andare » disse don Paolo. « Non aver paura, sei perdonata. Quella che non sarà perdonata è questa cattiva società che ti ha messo a scegliere tra la morte e il disonore. »

Il vecchio Magascià era seduto sulla soglia dell'albergo, aveva già mangiato la minestra, e stava bagnando il pane nel vino. Egli era grande, barbuto, largo nel torace e massiccio. La manica sinistra della giacca pendeva vuota dalla spalla mozza.

« Andiamo » disse Magascià a don Paolo. « Ne abbiamo della strada. »

Egli fece sedere il prete accanto a sé. Il traino a due ruote si avviò lentamente, tirato da un asino che andava al passo. Magascià riportava a Pietrasecca la provvista settimanale di sale e tabacchi.

« Non è una carrozza da prete » disse l'uomo. « Ancora meno da prete in convalescenza. »

« Non fa niente » disse don Paolo. « È da molto che ti han tagliato il braccio? »

« Si sono fatti due anni alla Candelora » disse Magascià. « Perché lagnarsi? All'asino vecchio, Dio manda le mosche.

« Conoscevate già Berenice? » aggiunse Magascià. « Avete conosciuto anche la figlia? È una ragazza di cui si parla. »

Il prete non rispose.

Magascià legò le redini alla martinicca e accese la pipa.

« Non c'è bisogno che tenga le redini » disse. « Da dieci anni l'asina fa questa strada ogni settimana e non si sbaglia. Sa dove fermarsi per bere, dove fare i propri bisogni, quanto dura ogni salita, ogni discesa. »

Magascià aveva comprato a Fossa un cappello nuovo e lo portava in testa, infilato sul vecchio.

« Si chiama Bersagliera » disse Magascià indicando la povera bestia scarnita che tirava il traino. « Bersagliera vorrebbe dire che corre, ma ormai è vecchia. »

« Tutti diventiamo vecchi » disse il prete.

« L'asino è ancora fortunato » disse Magascià. « Un asino di solito lavora fino a ventiquattro anni, un mulo fino a ventidue, un cavallo fino a quindici. Ma l'uomo disgraziato lavora fino a settanta e piú. Perché Dio ha avuto pietà degli animali e non dell'uomo? D'altronde, Lui ha il diritto di fare quello che gli pare. »

Appena fuori del paese la strada cominciava a salire. Il prete guardava i monti, le valli, i colli, i torrenti come vecchie conoscenze. I borghi recavano ancora i segni del terremoto, sembravano poveri alveari spaccati, diroccati, solo in parte ricostruiti. Strada facendo il traino di Magascià incontrò una famigliola di cafoni, il marito, la moglie e un bambino sullo stesso asino; la moglie aveva il seno scoperto e allattava il bambino.

« Come si presenta il raccolto? » domandò Magascià all'uomo sull'asino.

« Male » disse quello.

Magascià suggerí all'orecchio del prete:

« Quello aspetta un buon raccolto. »

« Perché ha detto il contrario? »

« Per salvarsi dall'invidia » disse Magascià.

« E il tuo raccolto come si annunzia? » disse il prete.

Magascià si fece il segno della croce.

« Disastroso » disse.

« Temi che anche io possa invidiarti? » disse don Paolo.

« L'invidia qui è nell'aria » disse Magascià.

A un lato della strada, di tanto in tanto s'incontravano, accanto a mucchi di breccia, degli spaccapietre, seduti per terra, che battevano con un martelletto sui sassi piú grossi. Il traino di Magascià attraversò il villaggio di Lama dei Marsi. Sulle case e i tuguri si vedevano corna di bue, infisse contro il malocchio; sulle soglie delle case, gruppi di vecchi silenziosi, sciami di bambini seminudi. All'uscita di Lama c'era una cappella dedicata alla Madonna. Magascià si fece la croce e spiegò a don Paolo:

69

« È una cappella consacrata alla Madonna delle Rose, ricorda un antico miracolo. In quell'anno, nel mese di gennaio, si videro fiorire le rose, maturare le ciliege, figliare le pecore. Invece di rallegrarsi, naturalmente la gente cominciò ad aver paura. Tutte queste gentilezze non annunziavano per caso qualche grande sciagura? Infatti, d'estate arrivò il colera. »

« Perché è stata costruita la cappella? » disse don Paolo.

« Lo sapete meglio di me » disse Magascià. « Affinché la Madonna se ne stia tranquilla. » Poi aggiunse: « Anche quest'anno l'annata è buona. Non da me, beninteso. Dico, dagli altri, in generale, l'annata si presenta bene. Chissà che grossi guai si preparano ».

Dopo la cappella la strada serpeggiava tra due colline, attraversò un ponte ed entrò nella serra di Pietrasecca, dapprima ampia, poi strozzata tra ripide pendici di rocce grigie. Tra le rocce, negli avvallamenti composti dai detriti delle alluvioni, si vedevano campicelli coltivati, poderetti che non si misuravano a ettari, ma a canne e a coppe. Sulle pendici della montagna si vedevano altri di quei minuscoli campicelli, appiccicati come cerotti. Il traino avanzava lentamente. La strada era incisa dai solchi della carreggiata come da due binari e costeggiava il letto sassoso di un torrente. I fianchi della valle apparivano sempre piú corrosi, screpolati e poveri di vegetazione. Tra le rocce un branco di capre che brucavano a uno a uno i pochi fili d'erba nuova, voltarono la loro barbetta verso lo strano prete che avanzava sul traino del sale e tabacco. Quando la salita si fece piú ripida, Magascià scese dal traino per alleggerire il carico.

A una svolta apparve un villino in stile rinascimentale costruito su uno spiazzo scavato in parte nella roccia viva. Le porte e le finestre del villino erano sprangate.

« È la villa di un paesano arricchito, don Simone Scaraffa » disse Magascià. « Non ne avete udito parlare? Dopo aver passato una trentina d'anni nel Brasile ed essersi arricchito nella coltivazione del caffè, volle tornare al paese per godersi la nostra invidia e perciò si fece costruire questo villino. Ma l'invidia prevalse. La prima settimana che vi abitò, egli diventò pazzo furioso e dovette essere trasportato nel manicomio

70

di Aquila, a Santa Maria di Collemaggio, dove ancora si trova. Valeva la pena? »

Piú in là, su una macera di sassi era piantata una croce di legno con scritta una data.

« In questo posto fu ammazzato e derubato don Giulio, il notaio di Lama » disse Magascià. « Nell'autopsia gli contarono sette coltellate al cuore. Non si è mai saputo chi gli fece quel brutto servizio. Don Giulio dava il denaro a usura, al trenta per cento con pegno. Dopo la sua morte l'usura scomparve. »

Si avvistarono, da lontano, le prime case di Pietrasecca.

« Pare alla fine del mondo » disse il prete scosso da brividi.

« È un paese disgraziato » disse Magascià. « Due volte è stato distrutto dalle alluvioni, una volta dal terremoto. »

« Quanta gente vi è rimasta? » disse il prete.

« Una quarantina di fuochi. Chi può, scende al piano » disse Magascià. « Chi può, scappa. »

A un lato della stradetta si incontrò una nuova macera di sassi con una croce di legno e una data.

« In questo posto » cominciò a dire Magascià.

« Non mi interessa » disse don Paolo annoiato. « Certamente, vi successe un'altra disgrazia. »

« Come fate a saperlo? »

« Non fai che raccontarmi disgrazie. Vuoi spaventarmi? »

Magascià rise di cuore.

« Neppure il diavolo in persona può spaventare un prete » disse. « Non siete voi che amministrate la morte? »

Il traino arrivò a Pietrasecca verso l'ora del crepuscolo. Don Paolo vide davanti a sé una sessantina di casette affumicate e screpolate, di cui una parte avevano le porte e le finestrelle chiuse, essendo probabilmente deserte. Il villaggio appariva costruito in una specie d'imbuto, incavato nella chiusura della valle. Non si scorgevano che due sole case civili. Una, subito dopo il ponticello, era la locanda di Matalena Ricotta, nella quale il prete doveva prendere alloggio, e l'altra, piú grande e piú antica, all'estremità del villaggio, su un ampio spiazzo chiuso da un recinto in muratura, era la casa patrizia della famiglia Colamartini, la sola vecchia casa di

Pietrasecca salvatasi dalle alluvioni e dal terremoto. Al di là si vedeva una chiesetta, con un piccolo campanile e un portico verso valle.

« Si fanno funzioni religiose nella chiesa? » domandò don Paolo.

« Da trent'anni la chiesa non ha piú parroco » disse Magascià. « Raramente ne viene uno. Il paese è povero. Come faremmo a mantenere un prete? »

Anche attorno al villaggio la poca terra tra le rocce appariva sminuzzata in un gran numero di campicelli. Cosí piccoli i campi e cosí numerosi e alti i muri di sassi che li dividevano, da sembrare le fondamenta di una città distrutta. Subito dietro il villaggio la serra si chiudeva come una barriera. Nessuna strada conduceva al di là. Due vene d'acqua che scendevano dai fianchi della montagna si riunivano nel fondovalle e formavano un ruscello che divideva il villaggio in due parti, ricongiunte da un ponte di legno. Don Paolo si guardava attorno e non nascondeva la sua inquietudine.

« Non vi piace? » disse Magascià.

« Non capisco come si possano costruire paesi in luoghi cosí stupidi » disse il prete. « Se uno deve scappare di qui, quale scelta gli offrite? Non è un paese, è una trappola. »

« Mancano tutti i comodi » disse Magascià. « L'unico vantaggio è che anche le autorità si occupano poco di noi. »

Davanti alla locanda c'era un fontanile. Un ragazzo che perdeva sangue dal naso si stava lavando chino sull'acqua, già tutta arrossata. Sotto il ponte un gruppo di donne e ragazze, battevano e ribattevano i panni. Alla vista del prete si fermarono come incantate.

Magascià portò il traino davanti alla locanda, dove c'era già una donna anziana, la padrona, che aspettava. Era una donna tarchiata, di bassa statura, infagottata di pesanti sottane. Subito sopraggiunse anche un vecchio signore, molto dignitoso, il quale traeva sulla spalla un fucile da caccia. Egli augurò al sacerdote il benvenuto nel suo povero paese. Magascià lo presentò.

« Questo » disse « è don Pasquale Colamartini. »

Don Paolo si scusò, egli si sentiva mortalmente stanco.

La donna lo condusse direttamente alla camera preparata per lui.

« Cosa volete per cena? » gli chiese.

« Niente » disse don Paolo. « Voglio solo dormire. »

Nell'oscurità della sua cameretta egli udí una voce di donna che chiamava il suo bambino attardatosi a giuocare con i ragazzi piú grandi.

« Vengo, madre, vengo subito. »

VII

Nello spiazzo tra la locanda e il ponte di Pietrasecca, sotto la finestra di don Paolo ebbe luogo una domenica mattina il battesimo di un giovane asino comprato all'ultima fiera. Un giovanotto teneva l'asino per la cavezza e un vecchio contadino lo batteva con una stanga di legno. Dopo ogni colpo i due uomini gridavano alle orecchie della bestia:

« Garibaldi. »

Garibaldi era il nome scelto per l'asino. Nella mente dei cafoni esso voleva dire forza e coraggio. Il battesimo si protrasse per le lunghe, perché, naturalmente, ce ne volle prima che l'asino si persuadesse di essere Garibaldi. L'uomo batteva l'asino sulla groppa, senza ira, senza impazienza, senza risentimento, con forza, come se battesse un materasso e, dopo ogni battitura, il vecchio e il giovane gridavano alle orecchie della bestia:

« Garibaldi. »

L'asino li guardava, e ogni volta scuoteva la testa. L'uomo batteva l'asino sulla groppa, ogni colpo su una costola diversa; quando il giro della groppa era finito, ricominciava da capo. Diecine e diecine di volte risuonò sullo spiazzo di Pietrasecca il nome eroico di Garibaldi, alternato dai colpi di legno sulla groppa dell'asino. Finché l'uomo si stancò e disse al giovane:

« Adesso basta. Certamente si è convinto. »

Il giovane fece un esperimento, prese un pugno di paglia, andò sul ponte di legno e chiamò da lontano, mostrando la paglia:

« Garibaldi. »

L'asino accorse trottando verso di lui.

« È convinto » disse il giovane.

Don Paolo era a letto, bruciato dalla febbre. Il viaggio l'aveva spossato. La ripetuta invocazione di Garibaldi che gli arrivava attraverso la finestra, lo sorprese e insospettí. Era possibile che il partito repubblicano fosse tanto forte in un paesetto cosí recondito?

« Che succede? » chiese il prete alla padrona della locanda.

« Niente di straordinario » disse Matalena. « Il vecchio Sciatàp sta battezzando il suo nuovo asino. »

Il vecchio Sciatàp era conosciuto con questo nome in tutta la valle. Anche lui era stato battezzato come il suo asino, a legnate. Da giovane egli aveva lavorato in America come uomo di fatica presso un paesano, un certo Carlo Campanella, che d'inverno vendeva carbone e d'estate ghiaccio nella Mulberry Street di Nuova York. Veramente, colui che a Pietrasecca era il paesano Carlo Campanella, a New York era diventato Mister Charles Little-Bell, *Ice and Coal*. Egli trattava il suo dipendente come una bestia da lavoro. Ogni volta che la povera bestia si lamentava, Mister Little-Bell gli gridava:

« Sciatàp. »

Pare che in lingua inglese Sciatàp voglia dire: sta' zitto. Quando, dopo vari anni di residenza in America, Sciatàp tornò a Pietrasecca, egli non sapeva che quella sola parola d'inglese, *sciatàp*, e la ripeteva, per diritto e traverso, ogni momento. Sua moglie non poteva piú aprire bocca, perché lui metteva l'indice sulla bocca e intimava:

« Sciatàp. »

Cosí la parola entrò nel dialetto della valle. Era la sola espressione inglese che si conoscesse a Pietrasecca, il solo elemento di cultura moderna e straniera nell'umile antica tradizione paesana.

Don Paolo si alzò da letto e andò alla finestra incuriosito di vedere l'uomo. Sciatàp e l'asino scendevano verso il ruscello per un viottolo accanto al ponte di legno. All'inizio del viottolo c'era una vecchia tabella con la scritta: "È proibito gettare in questo posto immondizie e altre porcherie". Ma, proprio in quel punto, era pieno d'immondizie, cocci, resti di cucina e altri rifiuti. Don Paolo sorrise. Ogni anticonformismo gli era simpatico, e non era da tutti stampare libelli clandestini.

Matalena aveva ceduto al prete, al primo piano della locanda, la propria camera con un immenso letto vedovile che occupava quasi tre quarti dello spazio, lasciando appena posto per un piccolo tavolo, una sedia e una bacinella di ferro smaltato. A capo del letto pendeva un Cristo in croce, dalle membra livide, magre e tortuose, e dal volto d'un povero cafone famelico. Sul comodino c'era una statuetta in gesso, bianca e celeste, dell'Immacolata, in atto di schiacciare la testa al serpente.

Intanto la salute di don Paolo rimaneva stazionaria. Il clima montano non gli apportò il rapido miglioramento che lui sperava. Egli restava quasi tutto il giorno a letto, senza trovarvi vero riposo. Le giornate e le nottate non finivano mai. L'aria era calda e inerte. Il puzzo di cavoli e di baccalà che saliva dalla cucina, gli dava la nausea.

Per completare la messinscena del prete, don Paolo aveva ricevuto da Nunzio alcuni libri di devozione, il breviario, le *Massime Eterne* di S. Alfonso Maria dei Liguori, la *Filotea*, una *Vita di S. Camillo de Lellis*, santo abruzzese del seicento, una *Vita di S. Giovanni Bosco*, santo piemontese della fine del secolo scorso, una *Vita di San Gabriele dell'Addolorata*, un manuale di liturgia. Don Paolo cominciò a sfogliare e leggicchiare quei libri, per distrarsi, come avrebbe fatto con qualsiasi altro stampato, romanzo poliziesco o prospetto di prodotti chimici. Varie di quelle letture le aveva già avute per mano in famiglia e negli anni del collegio, e molte di quelle pagine e illustrazioni rievocavano in lui immagini dimenticate. Dalle pieghe più recondite della memoria riemergevano lentamente i simboli e i ricordi dei terrori infantili. Così arrivò un giorno che si sentì sempre più attratto da quei libri sacri e finì per leggerli ogni sera finché gli occhi vi resistevano. Era in quello stato d'animo quando scrisse la prima lettera a Nunzio. Era l'unica possibilità per lui di comunicare senza mentire, anche se, per prudenza, doveva firmare Paolo Spada. "Ti ringrazio particolarmente per le letture" gli scrisse. "Che impressioni strane e allucinanti. Mi pare di aver ritrovato il filo di una mia vita precedente."

In piú dei libri anche l'estrema debolezza in cui la malattia l'aveva ridotto, riconduceva don Paolo agli anni dell'adolescenza, durante i quali era stato un paio di volte malato, e, per la sua debole costituzione e perché figlio unico, sempre assistito e confortato dalla madre, dalla nonna, dalle zie, dalla serva di casa e sempre avvolto in una calda atmosfera di affettività e tenerezza femminile. Benché il caso lo avesse fatto rifugiare in un ambiente di alcuni gradini inferiore, dal punto di vista sociale, a quello nel quale era cresciuto, tuttavia, anche a Pietrasecca, tutti gli indizi di vita che durante il giorno, tra una lettura e l'altra, arrivavano fino a lui, trovandosi gli uomini adulti al lavoro sulla montagna o a valle, erano di donne e bambini. Le poche forze che gli rimanevano, don Paolo doveva usarle per difendersi dall'irruente affettuosità della vecchia Matalena.

« Salvo il rispetto, potrei essere vostra madre » gli diceva. « Lasciatevi trattare come un figlio. »

« Se non la smetti, scappo » diceva don Paolo. « Non intendo mica rimbambire. »

Matalena considerava la presenza d'un prete nella sua locanda, oltre tutto, come una benedizione, e gli stava spesso attorno, con un pretesto o con un altro. Finché la casa ospitava un prete, poteva ritenersi protetta dalle disgrazie. La paura dei cataclismi teneva la donna in permanente angoscia. Sulla locanda, nella sommità del tetto in cui i due spioventi si univano, era saldamente piantata una cervice di vacca con due grandi corna arcuate.

« A che cosa servono quelle corna? » chiese don Paolo.

« Contro il malocchio » disse Matalena e si fece il segno della croce. « Soltanto contro il malocchio, contro le altre disgrazie purtroppo non servono. »

Infatti, malgrado altre corna di vacca, la casa di Matalena

77

era crollata anch'essa, come molte altre, nel terremoto del 1915.

« Era piú grande di questa » a varie riprese raccontò Matalena. « La buon'anima di mio marito aveva penato sei anni in Argentina per poterla costruire. Tutti i soldi che mi mandava, servivano per i muratori e i falegnami. Quando crollò la casa era finita appena da tre mesi. Io rimasi sepolta in cantina, una settimana. Veramente non sapevo che si trattasse di un terremoto. Credevo che fosse stato il malocchio e fosse crollata solo casa mia. Potete immaginarvi la mia disperazione. Quando, dopo una settimana, le macerie che si erano accumulate sopra il mio rifugio furono sgombrate e fu aperta una buca attraverso la quale potevo uscire, non mi sentivo il coraggio di farlo. "Lasciatemi morire qui" gridavo alla gente "non ho piú voglia di vivere." Realmente non avevo piú voglia di vivere. Ma la gente mi assicurò. "Quasi tutto il paese è crollato" si misero a gridare dalla buca "quasi tutta la Marsica è distrutta, trenta comuni sono stati rasi al suolo, cinquantamila morti sono stati finora contati." Era vero. Non era stato un malocchio privato, ma un castigo di Dio. Come dice il proverbio? "Disgrazia di tutti, niente disgrazia." Intanto la buon'anima di mio marito dovette tornare in Italia per fare la guerra e, con l'aiuto di Dio, se la fece franca. Dopo la guerra ripartí subito per l'Argentina e penò altri cinque anni a mettere da parte i soldi per ricostruire la casa. Appena questa fu terminata ed egli stava per tornare a godersela, cessò di scrivere. Che è e che non è? Dopo sei mesi d'angustie, mi arriva una chiamata dal comune. Credevo che fosse una nuova tassa. Vado, e un impiegato mi dice: "Tuo marito è morto in una disgrazia. L'ha messo sotto un'automobile". Io mi metto a piangere e gridare: "Ecco, l'invidia l'ha colpito perché doveva venire a godersi la nuova casa". »

Il racconto riproduceva ogni volta nella povera donna una lunga crisi di lagrime.

« Un incidente d'automobile » disse don Paolo per farla finita « è una disgrazia che può capitare a chiunque. »

« A voi, scusate, è capitato? »

« No. »

78

« E perché? » disse Matalena. « E se voi, come prete, sinceramente non credete al malocchio, perché vi vestite di nero? Perché, salvo il rispetto, nascondete le gambe? »

Le stranezze di Matalena non riuscivano però a distrarre don Paolo dal suo umore fosco. Nunzio non rispondeva alle sue lettere, ma gli spediva in busta chiusa, ogni due o tre giorni, ritagli di giornali con le piú importanti notizie politiche. Troppo poco per assopire la sua ansietà. Quanto tempo era condannato a rimanere ancora in quella Siberia? L'ininterrotto chiacchierio della padrona di casa acquistò presto all'orecchio di lui la monotonia e la naturalezza dei rumori del vento e del ruscello. A parte ciò, Matalena era una pia donna che si vantava di rispettare il mercoledí e il venerdí, e di dedicare il mese di marzo a San Giuseppe, il mese di maggio alla Madonna, il mese di giugno al Sacro Cuore, il mese di novembre ai Morti. Essa era di molto inoltrata nell'età canonica e mentre parlava, si aggirava per la casa sempre discinta, spettinata, sfiancata. Si dava non poco da fare per ben nutrire il prete. Dopo ogni pasto aspettava complimenti che purtroppo non venivano. Don Paolo non era mai stato un ghiottone e a Pietrasecca, d'altronde, non c'era molto da scegliere per alimentarsi. Il pane bagnato nel vino era la cosa che ancora gradiva di piú. Tuttavia ogni mattina Matalena saliva dal prete per sapere che cosa dovesse cucinare. Era un supplizio quotidiano. Un giorno il prete perse la pazienza e impose a Matalena di servirgli quello che ogni abitante di Pietrasecca ordinariamente mangiava. Matalena si offese e per vendicarsi accettò la sfida. Al mattino portò dunque al prete un pezzo di pane di granoturco con una cipolla; a mezzogiorno gli serví un altro grande pezzo dello stesso pane con peperoni crudi, conditi con olio e sale; la sera, un'abbondante minestra di fagioli e patate. Quella dieta durò solo due giorni, perché, a parte la minestra della sera, lo stomaco di don Paolo mal sopportava il resto. L'episodio fu risaputo dai cafoni e fruttò molte risate. Vivere come i poveri, è facile dire. Matalena abusò della sua vittoria e tornò al consulto mattutino. La donna aveva idee irremovibili in quanto a terapia di malattie polmonari.

« La migliore medicina è l'uovo fresco » diceva.

Nell'orto dietro la locanda essa allevava una dozzina di galline. Appena usciva un uovo, lo portava al malato. Quando una gallina ritardava nel suo turno, Matalena la ricercava, la rincorreva, l'afferrava e la tastava per sapere se l'uovo ci fosse. Dopo questa ricognizione gridava al prete dall'orto:

« Un po' di pazienza, non tarda molto. »

La degenza a letto non impediva a don Paolo di seguire la vita del villaggio. Era una vita rudimentale. Al mattino passava alla locanda una certa Chiarina con una capra. Matalena prendeva una scodella e mungeva la capra, fino all'ultima goccia di latte. Era l'ora in cui gli uomini erano già partiti e le donne si spicciavano i capelli alla finestra o fuori della porta, affinché gli insetti non restassero in casa. Verso mezzogiorno arrivava alla locanda una certa Filomena Sapone, con un bambino in braccio e la lattuga del suo orto. Si sedeva sulla soglia della locanda, apriva il busto e ne sortiva i seni; il marmocchio non si faceva pregare. Filomena fu la prima a domandare a don Paolo se volesse confessarla, ma il prete rispose seccamente che non ne aveva licenza. La risposta fu risaputa anche dagli altri e causò una grande delusione. Se ne discusse parecchio, in ogni famiglia, al forno, nella bottega del ciabattino, del falegname, del barbiere. Matalena andò a chiedere anche l'opinione di don Pasquale, ma ne ricevette una risposta che l'ammutolí.

« Se l'infastidite » egli disse « finirà con l'andarsene. »

Sullo spiazzo tra la locanda e il ponte di legno, i ragazzi piú grandi ripetevano marce ed esercitazioni premilitari. Tra essi un giorno scoppiò un litigio a proposito della denominazione del nemico, che, tutti si lamentavano, cambiava troppo spesso. Tre ragazzi vennero in delegazione nella camera di don Paolo e gli chiesero:

« Chi è adesso il nemico? »

« Quale nemico? » disse il prete sorpreso.

« Il nemico ereditario » disse uno dei ragazzi.

Il prete non capiva o fingeva di non capire.

« Nell'esercitazione ci sono due partiti » spiegò il ragazzo. « Da una parte gli italiani, dall'altra il nemico ereditario. Per molto tempo la maestra ci ha detto che questo era la Francia e la Jugoslavia. Poi ci ha detto la Germania. Poi ci ha detto il Giappone. Stamattina ci ha detto: "Ragazzi, il nuovo nemico ereditario è l'Inghilterra". Ma nel libro di scuola, c'è un capitolo col titolo: *L'amicizia secolare tra l'Inghilterra e l'Italia*. Allora non si capisce piú nulla. Chi ha torto, la maestra o il libro? »

« Il libro » disse don Paolo. « Il libro è stato stampato l'anno scorso e perciò ha notizie sorpassate. »

« Bene » dissero i ragazzi. « Distruggeremo il nemico ereditario inglese. »

« Gli inglesi non si battono per terra, ma in acqua » disse il prete.

I ragazzi decisero di battersi nel ruscello. Don Paolo seguí le vicende della zuffa dalla finestra. Il nuovo nemico ereditario fu rapidamente battuto; però anche il partito nazionale escí dalla lotta inzuppato fradicio.

I ragazzi del villaggio costituivano, in un certo senso, una comunità a parte, con proprie leggi, propri riti e un proprio dialetto. Tra di essi vi erano i primati nel tiro del sasso, nel salto del torrente, nella rincorsa delle lucertole, nell'orinare a distanza contro vento. Le madri gridavano dalla mattina alla sera dietro i loro figli. L'aria risuonava spesso delle maledizioni piú terribili, alle quali però nessuno faceva caso, tanto erano frequenti.

Nel pomeriggio, se faceva bel tempo, ogni donna accudiva alle faccende di casa per strada. Chi stendeva i panni lavati, chi puliva le patate, chi rammendava, chi spidocchiava e grattava il figlio. Quelle poche che non avevano nulla da fare, venivano a sedersi sui sassi davanti alla locanda. Erano donnètte scalze e vestite di cenci, coi capelli unti oleosi, con un'espressione stupida di capre smunte. Tra esse era una certa Cesira, una vecchia corrosa dalla fame e dai parti, che si lamentava sempre per strani dolori. Le donne ragionavano per lo piú di parti. Annunziata avrebbe presto il suo quattordicesimo bambino. Lidovina ne aveva fatti già diciotto. Il piú duro era scaricare il primo; gli altri trovavano la via fatta. Tra le donnette c'era una certa Annina che era incinta, si toccava il ventre e diceva:

« Qui è la testa, qui è un piede, qui è l'altro piede. Deve essere un maschio, perché alle volte mi dà dei calci. »

« Questo è nelle mani di Dio » diceva Cesira. « Iddio si regola secondo i nostri peccati. Ogni dolore è un castigo. »

Appena il chiacchierio delle donne calava di tono, era evidente che parlavano del prete. Cosa inventava Matalena per appagare la loro curiosità? Era difficile immaginarlo. Al prete non arrivava che un ronzío lamentoso. I soli diversivi erano i mutamenti del tempo. Il caldo afoso fu varie volte interrotto da brevi e violenti acquazzoni.

Don Paolo sfogava il suo malumore nei biglietti che scriveva a Nunzio. "Mi sembra di essere una carogna attorniata da una nuvola di mosche" gli scriveva. "È impossibile che io resti qui a lungo." Non riusciva a riposare, né a star seduto, né in piedi, né a leggere, né a scrivere.

Dalla mattina alla sera, una frotta di bambini seminudi, interamente ricoperti di fango, giuocavano attorno a una pozzanghera creata dal deflusso dell'acqua della fontana. Essi fuggivano solo all'apparire della maestra, la signorina Patrignani.

Quando il tempo era bello, in attesa degli uomini, la maggior parte delle donne cucinavano la minestra della sera per strada, mettendo un treppiede su un fuoco attorniato di sassi e sopra il treppiede un caldaio di rame oppure una latta di petrolio. L'intera valle respirava l'odore dei fagioli in cottura.

Appena imbruniva, veniva alla locanda la signorina Cristina Colamartini. Il profondo silenzio che subito si stabiliva al suo apparire, denotava il rispetto in cui era tenuta. Nel silenzio don Paolo riconosceva la voce della fanciulla che domandava premurosamente notizie della sua salute, faceva raccomandazioni e dava consigli a Matalena sul modo come trattarlo, e poi andava via in fretta. Don Paolo non aveva ancora visto la signorina Cristina, ma da Matalena sapeva che aveva studiato musica per molti anni in un istituto di monache ed era in procinto di ripartire per ricevere il velo.

« Donna Cristina non è una donna, è un angelo » diceva di lei Matalena, che tuttavia non risparmiava strali avvelenati per il resto della famiglia. A casa la signorina Cristina doveva assistere una nonna di novant'anni, i propri genitori e una zia, anch'essi di età inoltrata. Un fratello fannullone e scapestrato era quasi sempre via. « Se v'interessa » disse Matalena « potete domandare a Magascià. Egli ne racconta di ogni colore. »

« Non m'interessa » assicurò il prete.

Un personaggio ingombrante era invece Cassarola la fattucchiera. Dopo aver paventato che l'arrivo del prete riducesse il suo potere, ella si era rassicurata nell'udire che don Paolo non aveva licenza d'amministrare i sacramenti. Un giorno ella si presentò a lui per offrirgli le sue erbe magiche contro il mal di tosse. Il malato rifiutò. Era una megera di orribile aspetto, col naso rincagnato, la bocca labbruta e prominente come una negra. Per mostrare al prete la sua devozione religiosa, cominciò a ruminare preghiere, scongiuri e responsori in latino barbaro, si sbottonò il collo della camicetta e mostrò le medaglie, gli scapolari, le corone che portava appesi sul petto, come pure le braccia ricoperte di sacri tatuaggi.

« Dio comanda sul bene, ma non sul male » disse con sicurezza. « Altrimenti perché non guarirebbe i suoi preti quando si ammalano? Ecco, perché tu non preghi Dio e non t'alzi guarito dal letto? »

Don Paolo, per non essere da meno, le offrí un suo consiglio:

« Va' al diavolo » le disse.

Fortunatamente la vecchia aveva altri clienti. La figlia di Antonia la sartora era malata di corpo. Cassarola le prescrisse di bere ogni mattina un bicchiere di vino.

« La creatura ha solo tre anni » disse la madre.

« Già tre anni? » disse Cassarola. « Allora le puoi dare un bicchiere di vino anche la sera. »

L'occupazione principale di Matalena, nella sua qualità di custode e nutrice dell'uomo consacrato, era di spiegare e rispiegare a tutti perché don Paolo non potesse amministrare i sacramenti.

« Neppure pagando il doppio? »

« Neppure. »

« Neppure pagando il triplo? »

« Neppure. »

« Neanche, a credito, per la somma che gli pare? »

« Non facciamo credito. »

Per gli scarsi bisogni religiosi della popolazione di Pietrasecca, i battesimi, i matrimoni, i funerali, avrebbe dovuto provvedere il curato di Lama, don Cipriano; ma, a mano a mano che egli si inoltrava nella vecchiaia, le sue visite diventavano piú rare. Un tacito e graduale accomodamento si era perciò stabilito tra le cieche leggi della natura e gli istinti paesani, per cui quelle cerimonie, a Pietrasecca, si erano assieme aggruppate, in brevi periodi dell'anno. I matrimoni si celebravano fra ottobre e novembre. Tra maggio e luglio si aspettavano i figli. Era una specie di leva, dalla quale ben pochi si astenevano. Molti bambini morivano nei primi mesi di vita. Era una periodica strage degli innocenti.

La domenica mattina varie donne andavano fino a Lama per la messa. Esse portavano sulle spalle scialletti neri, sulla testa fazzoletti neri, perché mostrare i capelli era impudicizia, e scarpe e calze nere. Don Paolo le vedeva partire e tornare, dalla finestra della sua camera. Le piú vecchie camminavano con la corona del rosario in mano, che lasciavano scorrere lentamente tra il pollice e l'indice. Esse s'inchinavano con grande rispetto al veloce sopraggiungere della biga che portava a messa don Pasquale e la signorina Cristina. Ma vi erano circostanze in cui la mancanza di un parroco si faceva sentire; perciò neanche l'accorta custodia di Matalena salvava don Paolo da spiacevoli incidenti.

Una contadina, Teresa Scaraffa, aspettava un bambino e una notte sognò che il bambino sarebbe nato cieco. Di buon mattino la povera donna venne da don Paolo, si mise in ginocchio ai piedi del suo letto e disse:

« Nel sonno ho sognato che il mio bambino che deve nascere sarà cieco. Soltanto voi potete salvarlo. »

« Mi dispiace, povera donna, ma non posso » disse il prete. La donna si mise a piangere e a implorare.

« Io non voglio che il mio bambino sia cieco. Perché gli altri devono avere la luce degli occhi e lui no? »

Il suo viso giallastro e tondeggiante aveva un'espressione di vecchia pecora.

Don Paolo cercò di toglierle quell'idea, senza riuscirvi.

« L'ho sognato » disse la donna « l'ho visto con i miei occhi. Se non mi aiutate, egli sarà cieco. »

La donna non volle andarsene. Ma don Paolo ben sapeva che se lui avesse finto di recitare delle preghiere o compiere degli esorcismi in un solo caso, tutta la locanda si sarebbe subito affollata di gente. Ed egli non avrebbe piú potuto rifiutare. Ognuno gli rinfaccerebbe: "Hai aiutato Teresa Scaraffa, puoi aiutare anche noi". La voce sarebbe arrivata nei villaggi del piano. Oltre che agire da istrione e commediante, egli avrebbe attirato l'attenzione delle autorità sopra di sé.

Perciò egli chiamò Matalena e le disse:

« Vi prego di fare uscire dalla mia camera questa donna, con le buone o con la forza. A me non interessano i suoi sogni. »

Teresa si alzò allora come una furia e si mise a gridare:

« Perché il mio bambino deve essere cieco? Perché gli altri bambini devono vederci e lui no? »

Teresa aspettava da lui una risposta; invece don Paolo ribadí seccamente la sua incompetenza. Invano. La donna si gettò nuovamente in ginocchio, si buttò con la faccia per terra, si mise a dare colpi di testa contro il pavimento, si tirò i capelli, fino a strapparne intere ciocche, gridò le cose piú insensate:

« Perché deve essere cieco? Perché? Ditemi il perché. Voglio almeno sapere il perché. Gli altri ci vedranno e lui non ci vedrà. Gli altri andranno a scuola e lui non potrà. Gli altri lo ruberanno e lui non se ne accorgerà. Gli altri si burleranno di lui e lui non li vedrà. Nessuna donna vorrà sapere di lui, quando sarà grande. »

Poi si alzò in piedi e sembrò d'un tratto calma.

« Adesso so che devo fare » disse. « Mi butto per la finestra. Cosí lui morrà con me. »

La donna andò verso la finestra. Nello stato d'esaltazione in cui la vedeva, don Paolo non dubitò che si sarebbe buttata veramente dalla finestra. Era già sul davanzale, quando un grido del prete la trattenne.

« Farò quello che vuoi » egli disse. « Cosa devo fare? »

Matalena andò a cercare le chiavi della chiesa, custodite in casa Colamartini, e dalla chiesa portò un bicchiere di acqua benedetta. Don Paolo taceva avvilito.

Teresa avvicinò al prete il proprio ventre gonfio.

« Qui » disse « qui deve essere la testa, qui devono essere gli occhi. »

Dove Teresa indicò, il prete fece due croci, una per occhio e mosse le labbra, come se pregasse.

« Adesso è sano » disse la donna soddisfatta. « La disgrazia è evitata. Grazie. »

La donna andò via e dopo un po' tornò con una gallina morta.

« Ancora qui? » gridò il prete con voce di collera.

La donna gli mostrò la gallina.

« Non posso accettare » rispose don Paolo. « I preti non possono accettare regali. »

La donna protestò.

« Allora non vale » ella disse. « Se non prendete la gallina, la grazia non vale e il bambino nascerà cieco. »

« La grazia è gratuita » disse don Paolo.

« Grazie gratuite non esistono » disse la donna. Per tagliare corto essa abbandonò sul tavolo la vittima espiatrice e scappò via.

Questo accadde un sabato. Era il giorno che Magascià scendeva a Fossa col suo traino per la provvista settimanale di sale e tabacchi. Don Paolo lo mandò subito a chiamare e gli affidò una lettera da impostare per Nunzio. "*Ne ho abbastanza*" egli scrisse al suo amico. "*Qui non resto. Appena sfebbrato partirò per Roma.*"

VIII

Egli se ne stava seduto sulla panca ai piedi del sorbo e teneva sulle ginocchia, a mo' di scrittoio, la cassetta a tre sponde di cui si serviva Matalena per lavare i panni al ruscello senza bagnarsi le gambe e le gonne. Dal forno gli arrivava un buon odore di pane fresco.

"Ti scrivo di nuovo, anche se tu non mi rispondi" egli scrisse a Nunzio "per evitare di parlare con me stesso e farmi ritenere pazzo da chi mi veda. Certo, se continua cosí, forse guarisco i polmoni, ma a scapito del cervello. Non è una commedia innocua quella che sto recitando..."

Scendeva giú per il tronco del sorbo e si dilungava per terra una processione di formiche. Ogni formica trascinava un carico. Egli osservò un po' di tempo le formiche; poi riprese a scrivere:

"Se potessi addormentarmi qui e domani mattina svegliarmi, mettere il basto all'asino e andare alla vigna. Se potessi addormentarmi e svegliarmi, non soltanto con i polmoni sani, ma anche con la testa di un uomo normale, col cervello liberato da tutte le astrazioni. Se potessi rientrare nella vita reale e normale. Zappare, arare, seminare, raccogliere, guadagnarmi da vivere e la domenica parlare con gli altri uomini. Adempiere la Legge che dice: 'tu ti guadagnerai la vita col sudore della tua fronte'. A rifletterci bene, forse l'origine delle mie angosce è in questa infrazione all'antica Legge, nella mia abitudine di vivere tra i caffè, le biblioteche e gli alberghi, nell'aver rotto la catena che per secoli aveva legato i miei antenati alla terra. Forse mi sento un uomo fuori legge, non tanto perché contravvengo ai decreti arbitrari del partito al potere quanto perché sono fuori di quella piú vecchia Legge che aveva stabilito: 'tu ti guadagnerai da vivere col sudore della tua fronte'. Non sono piú un contadino, ma neppure sono diventato un politico; mi è impossibile tornare alla terra, ma ancora piú difficile tornare nel mondo immaginario in cui ho vissuto finora. Mi vengono pensieri strani. Ascoltami."

Egli stava ancora scrivendo quando, col traino di Magascià, arrivò a Pietrasecca una ragazza di Fossa dei Marsi.

« La locanda è là, a destra dopo il ponte » disse il carrettiere.

La ragazza arrivò correndo e domandò a Matalena:

« Abita qui un certo don Paolo Spada? »

Matalena era gelosa del suo prete e, prima di rispondere alla forestiera, volle sapere:

« Perché? »

« Mi ha salvato in punto di morte e devo ringraziarlo. »

« Il don Paolo che abita qui, non è un medico, ma un prete » disse Matalena.

« Forse non è né un prete, né un medico, ma un santo » disse la ragazza. « Io ero in punto di morte, egli arrivò, mi toccò la mano e fui salva. »

Matalena era già orgogliosa di avere un prete nella sua locanda, ma l'idea di avere un santo che già da vivo facesse miracoli, la turbò e sconvolse.

« Sí, è un vero santo » disse Matalena, per non avere l'aria di non intendersene. « Egli vive qui in penitenza, come un vero uomo di Dio. Anche per questo non so se vorrà ricevervi. Sapete, egli è di un'altra diocesi. »

« Forse è anche piú di un santo » disse allora la ragazza di Fossa. « Ho idea che potrebbe essere Gesú in persona. »

Matalena accusò il colpo, si sedette su uno sgabello e mormorò:

« Non sei pazza? Come fai a supporre che sia Gesú in persona? Perché Gesú dovrebbe venire proprio nella mia locanda? Non si trova in Cielo, alla destra di suo Padre? »

Matalena parlava sottovoce, affinché colui che era al primo piano, se era proprio Lui, non sentisse le sue parole di dubbio.

« Non sarebbe la prima volta che Gesú si traveste e scende in terra per vedere come vive la povera gente » rispose la ragazza di Fossa. Poi aggiunse con un filo di voce: « Hai osservato se ha le mani e i piedi traforati? Quello è il riconoscimento piú sicuro. Si può travestire quanto vuole, ma, se è veramente Lui, le stimmate non può mica levarsele ».

Di colpo Matalena fu preda di un orgasmo indicibile. Non era preparata a un tale evento. Dio mio, che fare? Sul tavolo era già preparata la cena per la sera, due uova e un'insalata di lattuga. A vedere quella miseria, la donna arrossí. Offrire due uova e un'insalata al Figlio dell'Eterno, che vergogna. Bisognerebbe almeno ammazzare un agnello. Però, se non fosse Lui?

« Come fai a dire che forse è Lui? Come ti è venuta questa idea? Dimmi la verità, sei pazza? » disse Matalena sconvolta dal dubbio.

La ragazza rispose:

« L'ho riconosciuto dalla voce. Quando Egli mi apparve, mi prese una mano e, prima che io aprissi bocca, mi disse: "Coraggio, so tutto". Di colpo sentii che quella non era una voce umana. Gli uomini li conosco, non parlano in quel modo. Ho uno zio prete, curato di Fossa, non parla in quel modo. »

« Dimmi » domandò Matalena « che cosa bisogna fare se è veramente Gesú? Devo avvertire don Cipriano, i carabinieri? »

Sulla porta della locanda era affisso un Regolamento di Polizia, ma l'arrivo di Gesú non vi era previsto.

Le due donne salirono, in punta di piedi e col fiato sospeso, al primo piano. Bussarono alla camera. Nessuno rispose. Aprirono lentamente la porta. La camera era vuota. Matalena si sentí venir meno.

« È sparito » disse.

Le due donne si guardarono spaventate. Allora si udí tossire nell'orto. Subito vi accorsero. Don Paolo era seduto su una panca, ai piedi dell'alberello di sorbo, con alcuni fogli in mano.

« Chi mi cerca? » domandò.

Le donne si avvicinarono timorosamente.

« Sono io, Bianchina » disse la ragazza. « Bianchina Girasole, di Fossa dei Marsi, la figlia di Berenice. Non mi riconosce? Non si ricorda piú di me? »

« Mi fa piacere che tu sia viva » disse don Paolo sorridendo. « Sai, ho pensato spesso a te. »

« Hai mantenuto la promessa? » disse Bianchina raggiante. « Non mi credi? »

« Ti credo » disse Bianchina. « Ero quasi morente, abbandonata da tutti, venisti tu, mi toccasti una mano e mi salvasti. »

Don Paolo ebbe un nuovo accesso di tosse. Il sole era tramontato. Le ombre fredde della notte salivano dal fondo della valle. Egli si alzò e le due donne lo seguirono nella sua camera. Don Paolo era stanco e si sedette sulla sponda del letto. Bianchina restò vicina alla porta, poi si fece animo e con voce tremante gli domandò:

« Per favore, fammi vedere le tue mani. »

Don Paolo sorrise:

« Vuoi leggervi l'avvenire? »

Bianchina osservò bene le mani. Nessuna traccia di stimmate. Nessuna traccia di crocefissione. Non era Gesú. Era un santo, ma non Gesú.

« Meglio cosí » disse Bianchina soddisfatta. « Preferisco che tu sia un uomo. »

« Mi credevi uno spettro? » disse don Paolo ridendo.

Anche Matalena ebbe un sospiro di sollievo e tornò in cucina. I due restarono in silenzio per un po' di tempo.

« Non posso far nulla per te? » disse Bianchina. « Vedo che stai male. »

« Grazie » disse don Paolo.

Contro il rettangolo buio della porta il viso gracile della ragazza appariva ancor piú delicato; il collo era forse un po' esile, la bocca rossa era un po' larga, e quando rideva un po' troppo larga, ma la vivacità degli occhi e dei gesti e la franchezza nel domandare le davano un'espressione disinvolta, quasi fanciullesca.

« Mia madre vuole scacciarmi di casa » disse Bianchina con una smorfia di dispetto.

« Perché? »

Bianchina cercò le parole.

« Mia madre pensa che io sono il disonore della famiglia.

Forse ha ragione. Se un uomo mi piace, non gli so resistere. Naturalmente, tu sei d'accordo con mia madre. »

« Non so » disse Paolo. « Non sono ancora stato madre. »

Bianchina scoppiò a ridere, ma subito ricadde nella malinconia.

« Anche se mia madre mi sopportasse » ella disse « non potrei piú vivere a casa. C'è troppa puzza di muffa. Tu non vi hai sentito la muffa? »

« Cosa vorresti fare? » disse il prete.

« Non posso fare nulla per te? »

« Mi pare che dovresti piuttosto pensare a te stessa » disse il prete. « Che cosa farai se tua madre ti mette alla porta? »

« Non so » disse Bianchina « non so fare nulla. Se faccio la calza, sbaglio le maglie; se cucisco, mi pungo le dita; se coltivo l'orto, mi do la zappa sui piedi. Le monache mi hanno insegnato a fare i dolci, a ricamare e il canto gregoriano. Potrei forse andare a cantare *Magnificat* e *Salve Regina* in una sala di varietà? »

« Ma se non sai far niente » disse il prete « cosa vorresti fare per me? »

« Qualunque cosa, pur di starti vicina. »

« Intanto » disse il prete « dove dormirai stasera? »

Il problema era scabroso. Don Paolo sospirò e Bianchina ebbe le lagrime agli occhi.

« A Pietrasecca » disse « c'è un'antica mia compagna di collegio, Cristina Colamartini; anch'essa è una santarella, forse mi aiuterà. La conosci? »

Era l'ora che Cristina faceva la sua visita quotidiana alla locanda. Matalena l'informò dell'arrivo di Bianchina Girasole e Cristina apparve sul vano della porta del malato, rimasta aperta. Bianchina le saltò subito al collo e l'accarezzò lungamente.

« Come ti sei fatta bella » le diceva e ripeteva.

Matalena portò una seconda sedia e Cristina poté sedersi e ravviarsi i capelli sconvolti. Don Paolo non conosceva di lei che la voce; cosí poté constatare che il resto vi corrispondeva perfettamente. Era una creatura veramente piena di grazia: viso affilato e emaciato ma di forma perfetta, su una figura alta e slanciata; portava un grembiule nero, chiuso al collo e ai polsi, come una collegiale. Quell'impressione era accentuata dalla pettinatura dei capelli nerissimi, spartiti a metà testa, leggermente ondulati sulle tempie e raccolti sulla nuca in un largo nodo di minute trecciuole.

Cristina diede la buona sera al prete e si scusò per il disturbo.

« Come, ancora non vi conoscete? » disse Bianchina. « Questa qui, si chiama Cristina ed è stata il mio primo amore. Siamo state assieme tre anni nello stesso collegio di monache. Lei era la prima della classe ed io, naturalmente, l'ultima, e anche per questo ci volevamo bene. »

Poi aggiunse:

« Nella vita arriva sempre un momento in cui si ricorre al primo amore. E questo qui » disse Bianchina alla sua amica, indicando don Paolo « è un santo al quale devo la vita. »

Don Paolo non faceva caso alle parole di Bianchina perché incantato dall'apparizione di Cristina. Una ragazza simile a Pietrasecca? Il suo viso, le sue mani avevano il pallore delle rose bianche, ma per la luce dei suoi occhi e la grazia del suo sorriso non vi erano similitudini nella natura.

« Con le nostre chiacchiere stanchiamo inutilmente don Paolo » disse Cristina arrossendo e si alzò per partire.

« Vengo con te » disse Bianchina. « Non vorresti mica lasciarmi sola con un prete. Domani mattina tornerò » aggiunse rivolta a don Paolo. « Non mi hai ancora risposto a una domanda. »

Non sfuggì a Matalena il cambiamento d'umore del suo ospite, senza riuscire a indovinarne la vera causa.

« Magascià è venuto a raccontarmi delle storie curiose su quella ragazza » disse la locandiera; ma non proseguí perché l'altro non l'ascoltava.

« Mi sento meglio » disse don Paolo. « È strano, ora mi sento quasi ristabilito. »

Invece egli passò l'intera notte insonne. Al mattino Matalena glielo rimproverò mentre gli serviva il caffellatte.

« Avete l'aspetto di un annegato » gli disse. « La gente penserà che io vi tratti male. »

Il prete guardava fissamente attraverso la finestra.

« Mi sorprende che donna Cristina abbia ospitato quella ragazza » aggiunse la locandiera. « Dopo tutte le chiacchiere che sono corse su di lei e suo fratello. »

Attraverso la finestra spalancata, il prete vide Cristina uscire di casa. In gran fretta egli si vestí e scese le scale.

« Buon giorno » disse ridendo. « Buon giorno. Cosí mattiniera? »

« Sono contenta di vederla un momento prima che arrivi Bianchina » disse Cristina. « Lei non sa quale potere immenso ha acquistato sulla mia amica. »

« È una ragazza di eccessiva immaginazione » si scusò don Paolo.

« Sí, è passata per esperienze terribili » disse Cristina. « Ieri sera mi ha raccontato di sé cose terrificanti. Durante l'intera notte non sono riuscita a chiudere occhio. Ma ora, mi creda, lei è l'unica persona che può salvarla. »

« Bianchina accetta di essere salvata? In che senso? » disse don Paolo.

« Lei può indicarle la buona strada. »

Don Paolo non nascose i suoi dubbi.

« Bianchina camminerà da sola sulla strada indicata, senza esservi accompagnata? Io non potrò certo accompagnarla » egli disse.

« L'accompagnerà con i suoi pensieri » disse Cristina. « Forse basteranno. Lei non sa che influenza ha avuto su Bianchina la sua semplice promessa, mentre era malata, di ricordarla qualche volta. M'ha assicurato di essere vissuta, da allora, in compagnia dei suoi pensieri. »

« Infatti, ho spesso pensato a lei » ammise il prete. « Ma posso continuare? Lei non sa, signorina Cristina, ma io sono già di carattere troppo incline alle idee fisse. »

Quella confidenza mise Cristina in visibile imbarazzo.

« Intendevo » disse arrossendo « che lei la ricordi nelle sue preghiere. »

« Cosa state complottando contro di me? » gridò Bianchina arrivando di corsa con i capelli al vento.

93

« Devo andare a preparare il caffè per il resto della famiglia » disse subito Cristina. « A piú tardi. »

Don Paolo invitò Bianchina a tenergli un po' di compagnia nell'orto accanto alla locanda.

« Vieni, siediti qui » egli disse.

« Spero che hai riflettuto alla mia domanda » disse la ragazza. « Posso fare qualche cosa per te? » Poi aggiunse: « Non vorrei ricadere nel vuoto in cui ho vissuto finora. Vorrei almeno vederti ogni tanto. Ma non vorrei essere una parassita. »

« Sí, ho bisogno di te » disse don Paolo.

« Veramente? » disse Bianchina balzando in piedi. « Mi prenderai con te quando tornerai nella tua diocesi? »

« Anche subito » egli disse.

« Non hai paura dello scandalo? Bada, in cosí piccola località si viene a risapere tutto. »

« Non ti chiedo quello che ora tu immagini. »

« Purtroppo non ho altro » disse Bianchina.

« Hai molte altre cose » disse don Paolo.

« Ne sei certo? Per esempio, che cosa? »

« Ascoltami sul serio » disse don Paolo. « Ho bisogno di mandare qualcuno a Roma da un mio amico, con un incarico personale piuttosto delicato. Solo tu puoi farmi questo favore. »

« Perché solo io? »

« Solo in te ho fiducia. »

« Non mi prendi in giro? Scusami, non intendo mettere in dubbio le tue parole; ma, ecco, nessuno mi ha mai parlato cosí. Non mi sono mai aspettata che qualcuno avesse fiducia in me. »

« Io invece ho fiducia in te. »

« Il viaggio a Roma è per questioni importanti? »

« Molto importanti » disse don Paolo. « Ma, vedi, purtroppo non posso spiegarti di che si tratta. Vi sono segreti sui quali i preti non possono parlare. Non hai fiducia in me? »

« Mi butterei nel fuoco » disse Bianchina seriamente. Poi aggiunse: « Si tratta di segreti di confessione? ».

Don Paolo fece cenno di sí, con la testa.

« Ascoltami bene, Bianchina » egli disse. « Non devi raccontare a nessuno che vai a Roma con un mio incarico. Neppure a Cristina o a tua madre. Inventerai una scusa qualsiasi. »

« Inventare bugie è una delle mie poche specialità » disse Bianchina. « Ma è la prima volta che devo farlo per incarico di un prete. Vi sono dunque menzogne sacre? »

« Non sono vere menzogne » disse don Paolo « ma astuzie. »

« Mentre sarò lontana, penserai a me? »

« Te lo prometto » disse don Paolo.

« Non mi tradirai con Cristina? »

« Non dire sciocchezze. »

Don Paolo si ritirò nella sua camera per scrivere il messaggio da affidare alla ragazza. Lo buttò giú di getto. "Non possiamo continuare a nutrirci di fumo" fu la sua conclusione.

95

dialogo fra don P & Cristina
sulla chiesa

L'ansietà di don Paolo oscillava tra il pensiero che accompagnava Bianchina, partita ignara per Roma in un rischioso tentativo di riannodare il collegamento di lui con l'organizzazione clandestina, e un ardente desiderio di incontrare di nuovo Cristina, la cui grazia l'aveva interamente affascinato. Per il colmo della sua disperazione Cristina in quei giorni non si faceva piú vedere nella locanda di Matalena. Si era forse accorta di avere acceso in don Paolo una fiamma pericolosa? Voleva resistere alla tentazione? Con un pretesto egli spedí Matalena in esplorazione. No, i pensieri di Cristina erano altrove, perché stava per arrivare il giorno della sua partenza per il convento. La famiglia sembrava rassegnata, il corredo era pronto, la madre badessa era stata avvertita; ma alla vigilia della partenza la vecchia nonna di Cristina, che era sempre contraria a quell'idea, riuscí a persuadere don Pasquale. Il colloquio tra padre e figlia era stato assai penoso.

« Tua nonna ha ragione » egli disse. « Tu sai come siamo ridotti. Su tuo fratello ormai non posso piú contare. È uno stravagante, uno scioperato, un fannullone; non sappiamo neanche dove si trovi. Se partirai anche tu, io resterò solo con tua nonna, tua madre e tua zia, tre vecchie inabili a qualunque lavoro. Cosí finiremo la nostra vita, affidati a qualche serva che ci ruberà il poco che ci resta. »

Dopo una lunga crisi di pianto, Cristina finí con l'inchinarsi.

« Padre » disse « non farò nulla contro la tua volontà. »

Il padre, tuttavia, amava molto sua figlia e non osava contrariare in modo definitivo la sua vocazione; non le chiese perciò che un rinvio.

« Se Dio ti vuole, provvederà » disse.

Per una volta la gente di Pietrasecca era dalla parte della vecchia, senza eccezioni. "Una figlia appartiene anzitutto alla famiglia e poi alla Chiesa" era l'opinione comune. Sulla nonna di Cristina, la tiranna di casa Colamartini, don Paolo aveva già udito raccontare varie stranezze. La nonna voleva che Cristina si sposasse. Il patrimonio della famiglia era agli sgoccioli. Solo un buon matrimonio poteva ricostituirlo. Ma era un discorso che don Pasquale non osava tenere a sua figlia. Triste e silenziosa, Cristina continuava ad accudire alle faccende di casa, senza lamentarsi. Governava le galline, rifaceva i letti, scopava le camere e le scale, aiutava la zia e la madre in cucina, stirava la biancheria, sorvegliava le api nell'orto. Solo raramente e per pochi istanti usciva di casa. Ma un mattino, mentre don Paolo era nell'orto di Matalena, arrivò Cristina all'improvviso con un mazzo di cipolline da trapiantare. Don Paolo ne rimase estasiato. La luce mattinale avvolgeva la ragazza come un velo dorato. Alcune api le ronzavano attorno alla testa come attorno a un fiore e l'aspetto del fiore parve al prete quanto mai bello, anche se un po' impallidito. Egli si fece coraggio e le domandò:

« Scusatemi se sono indiscreto, ma soffrite forse di non essere ancora partita per il noviziato? »

Cristina sorrise.

« Non le sembri scortesia » disse « se le rispondo con tre grandi parole che da bambina mi hanno insegnato e che non ho dimenticato: *Jesus autem tacebat*. Forse sono le parole del Vangelo che di più mi hanno fatto impressione. Gesú ci ha insegnato a tacere quando si è sotto la tortura. »

« La vita secolare è per lei una tortura? » disse don Paolo. « L'abbandono della famiglia non può equivalere a una fuga? »

Cristina guardò il prete un po' incerta. Voleva recitare la parte dell'avvocato del diavolo per metterla alla prova?

« La vera fuga » disse Cristina « è allontanarsi da Dio. Chi è lontano da Dio lo è pure dal prossimo. »

« Non si può essere onesti » disse don Paolo « anche nella propria famiglia? Non si può meditare e pregare anche a casa? »

« Non bisogna essere temerari, ma docili e lasciarsi aiutare » disse Cristina. « Nel libro di una monaca francese ho letto proprio stamane: "Forse il neonato si alza lui stesso per prendere il seno della madre? O non è la madre che prende il suo piccolo e si china dolcemente verso di lui per nutrirlo e calmare il suo pianto?". Noi tutti siamo come neonati della Chiesa che ci è madre. »

Erano argomenti convenzionali. Don Paolo e Cristina si conoscevano appena. Anche la risposta del prete fu convenzionale.

« Non intendo fare con lei una discussione teologica » egli disse. « Ma ecco qui un paese in grande miseria economica e in piú grande miseria spirituale. Se c'è un cafone che riesce a dominare gli istinti bestiali, egli va a farsi francescano; se una ragazza riesce a liberarsi dalla schiavitú del corpo, si fa monaca. Non crede lei che questa sia la sorgente di molti mali? Non crede che ogni creatura dovrebbe vivere e lottare tra le altre creature, piuttosto che rinchiudersi in una torre d'avorio? »

« Il credente assorbito dalla preghiera non è mai separato dal suo prossimo » disse Cristina. « Solo l'anima che non sente Dio, è una foglia distaccata dall'albero, una foglia isolata, che cade per terra, secca e imputridisce. L'anima legata a Dio, invece, è come una foglia legata all'albero. Attraverso la linfa che la nutre, essa comunica con i rami, il tronco, le radici, la terra. Non le pare? »

Don Paolo sorrise. Egli era in evidente condizione di inferiorità, dovendo, oltre al resto, esprimersi in un linguaggio compatibile con la sua veste ecclesiastica.

« Ma queste cose lei le sa meglio di me » aggiunse Cristina sorridendo. « È finito l'esame? »

« Non voleva essere un esame, l'assicuro » disse don Paolo. « Nei primi giorni questa solitudine forzata mi ha molto irritato, ma adesso comincio a sopportarla. Adesso ho agio di pensare a certe cose alle quali non è facile pensare nella vita attiva. Mi piacerebbe parlarne con lei. »

« Bisogna lasciarsi trasportare dal silenzio » disse Cristina sorridendo « come un uomo svenuto è portato da una profonda corrente d'acqua. Solo allora Dio ci parla. »

Cristina strinse la mano a don Paolo e gli disse cordialmente: « A presto, spero. Anche a me piace intrattenermi con lei ».

Tornato nella sua camera don Paolo si sedette a tavolino, prese un quaderno e vi scrisse sopra *Dialoghi con Cristina*. Dopo aver un po' riflettuto, cominciò a scrivere:

"Mai la menzogna mi ha ripugnato come adesso. Finché si tratta di sotterfugi per ingannare la polizia, passi, l'espediente può perfino divertirmi. Ma ingannare Cristina, recitare con lei una commedia, tacere quello che vorrei dirle se potessi parlare francamente, che supplizio. Cara Cristina, parlerò con te in questo quaderno. Almeno qui non avrò bisogno di fingere."

Il dialogo con Cristina era anche un discorso con se stesso.

"Mi pare" egli scrisse "che un certo numero di grossi nodi siano arrivati al pettine. Cosí non posso andare avanti. Forse per questo sono malato."

La mano che scriveva ebbe una sosta. Egli si alzò e andò alla finestra. La casa Colamartini sembrava disabitata: una sagoma grigia, compatta contro la montagna nera. Pareva una fortezza. Qual era la camera di Cristina? Don Paolo tornò al tavolino e riprese a scrivere:

"Il soggiorno in questo piccolo paese, il contatto con questa gente primitiva, l'incontro di questa ragazza mi riconducono a me stesso, quale ero quindici anni fa. In questa bellissima Cristina ritrovo molti tratti della mia adolescenza, quasi, direi, un ritratto di me stesso, certo un ritratto abbellito e idealizzato, una versione femminile, ma in sostanza, uno specchio di quello che allora anch'io sentivo e pensavo: la stessa infatuazione d'assoluto, lo stesso ripudio dei compromessi e delle finzioni della vita ordinaria, anche la stessa disponibilità al sacrificio. Nel ripassare, di notte, attraverso il mio villaggio nativo, ho rivisto le spelonche dell'egoismo e dell'ipocrisia da cui fuggii. Mi sono sentito come un morto in transito nel paesaggio della sua vita precedente. Non ho udito altre voci che latrati di cani. Essi mi parvero la trascrizione fedele dei pensieri della maggioranza della popolazione che in quell'ora dormiva. Ah, non sono affatto pentito del distacco. Ma, quest'è l'angoscia: sono stato fedele alla promessa?"

Egli ricordava la sua prima entrata in un circolo socialista. Abbandonò la Chiesa non perché si fosse ricreduto sulla validità dei suoi dogmi e l'efficacia dei sacramenti, ma perché gli parve che essa s'identificasse con la società corrotta, meschina e crudele che avrebbe dovuto invece combattere. Quando aderí al socialismo, egli non era spinto che da quel risentimento. Egli non era ancora marxista: il marxismo lo conobbe piú tardi, nel circolo stesso. Egli l'accettò *"come regola della nuova comunità"*. Nel frattempo quella comunità non era diventata essa stessa una sinagoga? *"Tristezza di tutte le imprese che hanno come scopo dichiarato la salvezza del mondo. Paiono le trappole piú sicure per perdere se stesso."*

Parve allora a don Paolo che il suo ritorno in Italia fosse stato, in fondo, un tentativo di sfuggire a quel professionismo, di tornare nei ranghi, di ritrovare, a ritroso, il bandolo dell'imbrogliata matassa.

Quelle riflessioni non dovevano lasciarlo piú in pace. Durante il pasto egli fu silenzioso e piú del solito distratto. Invano Matalena gli rivolse la parola; egli era come sordo. Con grande rincrescimento e offesa della padrona, egli non badò neanche a quello che portava in bocca. Appena preso il caffè, andò nell'orto. Seduto sulla panca ai piedi del sorbo e col quaderno appoggiato sulle ginocchia, riprese a scrivere.

"È possibile partecipare alla vita politica, mettersi al servizio di un partito e rimanere sincero? La verità non è diventata, per me, una verità di partito? La giustizia, una giustizia di partito? L'interesse dell'organizzazione non ha finito col soverchiare, anche in me, tutti i valori morali, disprezzati come pregiudizi piccolo-borghesi, e non è diventato esso il valore supremo? Sarei dunque sfuggito all'opportunismo di una Chiesa in decadenza per cadere nel machiavellismo di una setta? Se queste sono incrinature pericolose e riflessioni da bandire dalla coscienza rivoluzionaria, come affrontare in buona fede i rischi della lotta cospirativa?"

Don Paolo rilesse da capo le pagine scritte e si avvide di non aver fatto altro che allineare domande. Intanto una frotta di passeri e qualche colombo selvatico gli saltellavano e svolazzavano attorno come in un'uccelliera. Ad alcune donne che osservavano la scena da lontano, parve, ad un certo momento, ch'egli parlasse con i volatili. Infatti, non avendo alcuno con cui discutere, il povero prete discorreva con se stesso. Subito le donne accorsero alla locanda per segnalare il prodigio.

« Il tuo prete » esse dissero a Matalena « conversa con gli uccelli, come San Francesco. »

« Sí, egli è un santo » rispose la locandiera « un vero santo. »

*paragone con S.f. D'Assisi si rinuncia tutto per la povertà e la natura... Paolo sta rinunciando?

101

X

« Dovremmo vederci piú spesso » disse don Paolo a Cristina vincendo la propria timidità. « Mi creda, parlare con lei mi fa bene. »

« Mio padre mi ha rivolto lo stesso invito » disse la ragazza ridendo. « Egli trova che finora siamo stati poco ospitali verso di lei. Lei però ci scuserebbe se conoscesse le nostre afflizioni di famiglia. »

« Finora ho dovuto quasi sempre rimanere a letto » disse don Paolo « ma per il tempo che mi resta a Pietrasecca sono dispostissimo a lasciarmi viziare, se non dalla sua famiglia, da lei. »

L'aria di Pietrasecca aveva intanto ridato al viso del prete una parte della naturalezza perduta. Esso era ancora scuro, ombrato, terroso, ma aveva perduto le rughe.

« Non per vantarmi » gli disse la locandiera « ma in casa mia siete ringiovanito di vent'anni. »

Cristina si accordò con Matalena su alcuni miglioramenti da apportare nelle cure per l'ospite. La ragazza aveva veramente il genio di creare la bellezza con niente, ed era una meraviglia vedere la camera di don Paolo diventare fresca e fiorita sotto le sue mani. A misura che gl'incontri di don Paolo con Cristina si fecero piú frequenti, essi divennero anche piú aperti e sinceri. Don Paolo si sentiva in principio ancor sempre impacciato dalla preoccupazione di non far nascere sospetti sulla propria identità; ma conoscendo meglio l'ingenuità di Cristina, le sue preoccupazioni si attenuarono.

Egli si lasciava andare ai racconti della sua adolescenza, del suo villaggio, dei primi studi, delle prime esperienze religiose e dei primi passi nella vita reale, avendo solo cura di situare il paesaggio di sfondo dei suoi ricordi nella propria diocesi e non in quella dei Marsi. Senza avvedersene, egli finí col dare vita autentica al suo ruolo fittizio, nutrendolo coi fantasmi ancora vivi della sua gioventú. Vi era tanta spontaneità, sincerità e calore nel suo discorrere, che Cristina ne rimaneva tutta infervorata.

Una volta la ragazza gli osservò:

« Se dovessi scrivere quello che lei racconta e dovessi farlo leggere a qualcuno senza particolari sulla persona, scommetto che direbbe: "Questo viene da un giovane di diciotto anni". »

La simpatia reciproca rendeva i due piú concilianti nelle discussioni che talvolta ancora tra loro si accendevano. Quello che don Paolo non osava dirle a voce, lo confessava nel diario, con tenere espressioni d'innamorato. Spesso egli indugiava a scrivere nel quaderno fino a tardi nella notte. Scriveva una frase e la cancellava, la riscriveva e la ricancellava.

Una mattina nell'aprire la finestra, egli vide Cristina affacciata a un balconcino del secondo piano della sua casa. Subito ella sorrise e salutò con un leggero cenno della testa e quindi si ritrasse. A lui parve che la ragazza l'avesse salutato come se avesse aspettato il suo apparire. Era la prima volta che don Paolo vedeva affacciarsi qualcuno a quel balconcino, sempre chiuso, prospiciente la propria finestra. Ma per il balconcino cominciava forse una nuova vita. Quella mattina Cristina vi aveva infatti esposto due vasi di gerani. La novità non sfuggí neppure alla padrona della locanda che parlò apertamente di stravaganza.

« Non capisco » osservò Matalena « perché abbia esposto quei gerani proprio in un balcone su cui non batte mai il sole. »

« Sarà per un esperimento » disse il prete. « Non bisogna scoraggiarla. »

« Non mi pareva che donna Cristina fosse ragazza da esperimenti » disse Matalena.

Ma le frequenti innaffiature alle quali Cristina da quel giorno sottopose i due vasi di gerani, inacerbirono le preoccupazioni della locandiera.

« Cosa le è saltato in mente a donna Cristina? » ella diceva. « Con tutta quell'acqua, e senza sole, i gerani moriranno. »

Similmente ella scoprí che anche il tavolino da lavoro di don Paolo si era spostato verso la finestra. Ne rimase quasi senza fiato.

« Vi siete sempre lagnato delle correnti d'aria » disse. Ella aveva capito di che si trattava, ma non osava chiamare la novità col suo vero nome. Perciò si limitò a dire: « Non immaginavo che un sacerdote potesse incoraggiare certi capricci. »

Matalena non era gelosa ma offesa e allarmata. Ella considerava il suo prete col piú tradizionale dei rispetti e neppure in sogno avrebbe mai tollerato qualsiasi ambiguità nei propri sentimenti verso di lui. Poiché, essendo vecchia, ella aveva accettato la propria vecchiaia. Ma don Paolo era il "suo" prete, il "suo" protettore, e non di altri, neppure della famiglia Colamartini. Matalena cominciò a temere che una maggiore intimità con Cristina inducesse il prete ad accettare l'ospitalità in casa Colamartini. Divenuta consapevole della minaccia, ella non ebbe piú il ritegno di difendersi con tutti i mezzi. Cosí, quello stesso giorno ella rifiutò una lepre che Cristina voleva donarle perché la cucinasse per don Paolo. Era un modo d'avvertirla che il suo giuoco era scoperto.

« Grazie » disse seccamente respingendo il dono. « Egli non ama la selvaggina. »

Cristina sembrò cadere dalle nuvole.

« Non puoi chiedere a lui? » disse. « Forse sei male informata. »

« Non è necessario » disse Matalena. « Del resto, egli è mio ospite, e se gli mancasse qualcosa, spetterebbe a me di provvedere. »

« Egli non è che il tuo pensionante » disse Cristina risentita. « E mio padre ha bene il diritto di fare i suoi regali a chi gli pare. »

Ma probabilmente dovette subito pensare che fosse poco

decoroso proseguire quella conversazione e perciò andò via di corsa, prima che don Paolo, di cui aveva udito i passi per le scale, apparisse nella cantina.

Anche se involontario, il torto era dalla parte di Cristina. Non era vero che per la vecchia locandiera don Paolo fosse un pensionante qualsiasi. Senza che egli se ne accorgesse, la sua importanza si era accresciuta di giorno in giorno. Contava poco, agli occhi di Matalena, che egli si astenesse dall'esercitare a Pietrasecca il suo sacro ministero; poiché ciò non diminuiva di nulla il carattere sacro della sua presenza. Anzi, non amministrando i sacramenti, l'investitura divina che era in lui, rimaneva inaccessibile agli abitanti di Pietrasecca e restava concentrata e intatta per cosí dire, nella sua sola presenza. La sua efficacia esorcizzatrice non poteva esserne che rafforzata.

Al suo cospetto Matalena si sentiva, secondo i giorni, una realtà cangiante: nutrice, orfana, vedova. E col passare dei giorni, in modo strano, sempre piú di frequente orfana, piuttosto che vedova o nutrice. Don Paolo aveva adottato, nei suoi confronti, il prudente ripiego di fingere di non capire.

« Non riesco piú a immaginare questa casa senza di voi » ella cominciò a ripetere sempre piú spesso. « Ah, non potrei piú vivere senza la vostra protezione. Sono certa che il malocchio e l'invidia piomberebbero subito sulla mia casa, mentre ora girano al largo, per rispetto a voi, persona consacrata. »

Matalena non era però cosí ingenua da pensare che don Paolo potesse rimanere inoperoso ancora a lungo in quel povero villaggio di montagna. Un folle piano, frattanto, andava maturando nella sua mente primitiva: trattenere il "suo" prete a Pietrasecca e mediante lui dominare l'intera valle.

« Perché non vi fate trasferire qui dal papa? » gli disse quella sera del diverbio con Cristina. « Lo conoscete personalmente il papa? »

« A quale scopo dovrei trasferirmi qui? » chiese don Paolo.

« Il clima qui è buono, invece, se ripartite, vi ammalate di nuovo » disse Matalena. « Tanto vale farvi trasferire qui. Potrete amministrare i sacramenti, confessare, battezzare, seppellire. Non importa se la valle è povera. Se resterete ad abitare qui, alle vostre spese ci penserò io. »

« Un'altra parola su questo tema » disse don Paolo gelido « e partirò domani mattina, all'alba. »

« Non mi avete capito » disse Matalena. « A me, mi preoccupa soltanto la vostra salute. Ne riparleremo; tanto abbiamo tempo. »

« Meno di quello che tu credi » disse il prete.

La locandiera rimase a bocca aperta, col respiro grosso e un'espressione di cagna assetata.

Il giorno dopo, l'arrivo di una carrozza signorile sullo spiazzo davanti alla locanda, fu un avvenimento che incuriosí tutta la popolazione. Una visita per don Paolo? No, era un prelato sconosciuto, alto, magro, dal portamento elegante, che, appena sceso dalla carrozza, si diresse verso la casa Colamartini. A guardia della carrozza, rimase un cocchiere in uniforme. Attorniato e interrogato da molti curiosi, egli spiegò che il prelato era stato confessore e padre spirituale della signorina Cristina in collegio. Era dunque venuto a prelevare la signorina? Il cocchiere non lo sapeva. Dopo un paio d'ore, il prelato riapparve accompagnato dal solo don Pasquale, e, prima di ripartire, volle salutare don Paolo. Il colloquio si svolse quasi sulla porta della locanda, mentre don Pasquale se ne stava deferente e silenzioso un po' discosto.

« La signorina Colamartini m'ha parlato di lei con molto rispetto » egli disse a don Paolo. « Di passaggio per la Marsica ho voluto fare un'escursione fin quassú, a Pietrasecca, cedendo alle preghiere e alle insistenze della Madre Superiora e delle suore che amano molto la signorina Colamartini e si rattristano di non vederla ancora tra loro. »

Don Paolo pareva molto impacciato; se ne stava con le spalle al muro, stringendo al petto il breviario. Egli si limitò a rispondere:

« Io sono rimasto del tutto estraneo alle discussioni che si possono essere svolte in casa Colamartini. »

« È giusto » disse il padre spirituale. « Con la mia visita neanch'io ho avuto intenzione di esercitare una pressione sulla giovane. Ho ritenuto però mio dovere appurare per quali motivi ella rinvii l'obbedienza a una vocazione alla quale, senza alcun dubbio, è chiamata. »

« La signorina Cristina » disse don Paolo « potrà essere molto utile anche a Pietrasecca. »

« Certamente » disse il padre spirituale « se si tiene conto delle qualità ordinarie umane della signorina Cristina. Benché, essendo di una sensibilità e di una intelligenza veramente eccezionali, non vedo come queste sue doti possano impiegarsi in un borgo cosí primitivo. Ma nella signorina Cristina vi è qualche cosa di piú. Lei non se n'è accorto? Ella va messa nel novero di quegli esseri predestinati che già su questa terra, secondo l'espressione biblica, recano sulla loro fronte il nome dell'Agnello. »

« Anche a me la signorina Cristina ha fatto una profonda impressione » disse don Paolo. « Tuttavia non saprei dire che sia un male per lei rimanere tra gente cosí bisognosa. Nulla le impedirebbe, anche qui, dal consacrare una parte della giornata alla preghiera e alla meditazione. La vocazione religiosa non comporta necessariamente la coabitazione in un monastero. »

Il padre spirituale si sentí punto sul vivo e stava per replicare, quando il cocchiere rispettosamente gli fece osservare che si faceva tardi.

Dopo la partenza del prelato, don Pasquale tornò nella locanda a ringraziare don Paolo per le sue assennate parole e commise l'imprudenza di parlargli alla presenza di Matalena. Tra l'altro, con un tono di voce sinceramente addolorato, si scusò con lui di non averlo ospitato in casa sua. « Ma se conoscesse la nostra situazione di famiglia... » disse. Senonché don Paolo si sentí in dovere d'interromperlo.

« Lei si fa dei rimproveri del tutto ingiustificati » gli disse. « Io non sono venuto quassú in visita, ma su prescrizione medica. »

Don Pasquale insisté tuttavia nelle scuse.

« Lei non conosce la nostra tradizione » egli disse. « Ebbene, secondo il costume abruzzese, specialmente dei piccoli centri, le locande non esistono che per i mercanti. Gli altri viaggiatori, anche se sconosciuti, vengono generalmente ospitati nelle case private. »

« Apprezzo codesta tradizione » disse don Paolo « ma veramente essa non mi concerne. Io non sono venuto a Pietrasecca per una notte o due. »

« La difficoltà, posso assicurarla, non era nella durata del suo soggiorno » replicò don Pasquale. « In altri tempi abbiamo accolto ospiti nella nostra casa anche per intere stagioni. Ma ora abbiamo in casa tre vecchie donne inferme, e siamo privi di domestici. »

La conversazione si protrasse ancora su quel tono complimentoso, e si concluse infine con un invito, per don Paolo, a visitare l'indomani la casa dei Colamartini. Ciò che il prete accettò ben volentieri.

Ma, appena don Pasquale si fu allontanato, il prete dovette fare i conti con Matalena. Egli non l'aveva mai vista in tale orgasmo.

« Spero » ella disse con voce alterata dall'emozione « che non abbiate creduto una sola parola delle chiacchiere del vecchio. »

« Mi ha fatto l'impressione di un perfetto gentiluomo » disse don Paolo.

« Questa è la sua apparenza » disse Matalena « ma v'interessa conoscere quello che c'è sotto? »

Benché il prete si astenesse dall'incoraggiare delle confidenze pettegole, quella sera esse formarono un ricco e piccante contorno alla sua modesta cena. Delle tre vecchie donne che vivevano in casa dei Colamartini, gli raccontò la locandiera, la piú vecchia, la nonna di Cristina, era una tiranna senza scrupoli. Anzi, Matalena specificò: « Non è una donna, è una diavolessa ». Da giovane, si raccontava, era il terrore della valle. E non era la prima volta che don Paolo ne sentiva parlare da lei in quei termini. L'altra vecchia, la nuora, matrigna di Cristina, non era affatto malata, secondo Matalena, ma semplicemente idiota. La sua intelligenza non era superiore a quella d'una bambina di cinque anni. Don Pasquale l'aveva sposata, dopo la morte della prima moglie, unicamente per la dote. Di quella dote viveva l'intera famiglia. Poteva darsi che don Pasquale avesse avuto ragione di dire che l'altra vecchia di casa, sua sorella, era malata. In realtà, da vari anni non se ne sapeva piú nulla: era come una sepolta viva. L'infelice era coetanea di Matalena, che ben ricordava come, da giovane, fosse assai bella e corteggiata. Non mancarono i giovani di buona famiglia dei paesi vicini che si presentarono a chiedere la sua mano. Ma la madre di lei, la diavolessa incarnata, pose una condizione: senza dote. Ella non intendeva dividere il bene di famiglia, riservato a don Pasquale, come primogenito. Qualcuno degli innamorati pretendenti l'avrebbe perfino accettata senza dote; ma la ragazza, a quella condizione, rifiutò di sposarsi. La sua fierezza non lo consentiva. E cosí via. Matalena vuotò il sacco dei risentimenti segreti della povera gente contro la famiglia Colamartini. Il prete l'ascoltava con disgusto, ma non osava interromperla.

« Conosce queste storie la signorina Cristina? » egli disse a un certo momento.

« Se in tutti i loro particolari, non so » disse Matalena. « Ma la santarella respira quell'aria e conoscerà almeno le storie poco edificanti del proprio fratello Alberto. »

Il giovane Colamartini, fratello di Cristina, aveva la fama d'un vagabondo, senza arte né parte. Non si era fatto piú vedere a Pietrasecca da quando il padre aveva rifiutato di riconoscere la propria firma su alcune cambiali da lui falsificate. Ma, in tutta quella caterva di pettegolezzi incontrollabili, non doveva essere, per don Paolo, il particolare meno curioso l'udire menzionare, a un certo momento, il nome di Bianchina. Allorché la signorina Girasole si era presentata alla locanda chiedendo di don Paolo, Matalena ignorava chi fosse. Solo qualche ora dopo Magascià le rivelò che quella ragazza era stata l'amante di Alberto Colamartini. Magascià conosceva molti segreti. Non c'era da stupirsi se, andando su e giú, col suo traino, tra Pietrasecca e Fossa, e facendo capo all'albergo Girasole, quel vecchio sornione e apatico ne udisse di tutti i colori. Per parecchio tempo, secondo Magascià, il giovane Colamartini aveva usufruito gratis dell'alloggio, del vitto e della figlia di Berenice Girasole. Una situazione da pascià. La signora Berenice l'aveva persuaso a sposare Bianchina, ma la famiglia Colamartini si era opposta. In seguito vi erano state delle chiacchiere anche a proposito di una grande indisposizione della signorina Girasole. Dopo essere stata qualche tempo a letto la ragazza era riapparsa assai dimagrita.

« Ne ho udite abbastanza per il mio mal di testa » disse don Paolo alzandosi dal tavolo. « Buonanotte. »

Il giorno dopo, all'ora indicata, con passo incerto egli oltrepassò il cancello della casa Colamartini. Don Pasquale e Cristina l'accolsero in una grande stanza semibuia del primo piano. Tre vecchie donne, piccole, magre, vestite in fogge antiquate, erano sedute attorno a un pesante tavolo di noce. Erano esposte lí per riceverlo. L'aria sapeva di miele e di sepolcro. Don Paolo fu preso dal sudore freddo, malgrado che Cristina gli sorridesse. Fu lei che fece le presentazioni:

« Mia nonna, mia zia, mia madre » disse.

Quindi, senza indugio, ella aiutò la zia e la madre a trasferirsi nella stanza accanto. Rimase la nonna. Sotto la cuffietta bianca, la sua testa somigliava a quella d'un avvoltoio implume. La faccia era rattrappita e grinzosa come quella di una mummia.

« Di dove siete? » ella chiese al prete, con una voce stridula e malferma.

« Di Frascati » disse don Paolo rabbrividendo.

« Avete avuto fratelli, sorelle? »

« No, sono stato figlio unico. »

« Allora avete fatto male a fare il prete » disse subito la vecchia. « Molto male. »

« La vocazione » si scusò don Paolo.

« La Chiesa non può volere la distruzione delle famiglie » disse la vecchia. « Senza famiglia non c'è Chiesa, né altro. »

La vecchia alzò la testa verso di lui.

« Perché non dite la messa? » gli domandò. « Siete forse sospeso *a divinis*? Anche don Benedetto ebbe questa punizione. »

Don Paolo era assai imbarazzato. Cristina aveva per lui un sorriso di simpatia e di pietà, ma era un soccorso che rimase inutilizzato.

« Cosa avete detto? » chiese la vecchia al prete.

« Niente » egli disse.

La vecchia fece un cenno alla nipote che subito si affrettò ad aiutarla per trasferirsi nella stanza accanto.

« Scusate » disse don Pasquale all'ospite e gli indicò una poltrona su cui sedersi. Egli stesso prese posto accanto a lui.

« Da quando non abbiamo piú domestici » disse don Pasquale « questa stanza ci serve da soggiorno, da cucina e da pranzo. »

Un'intera parete era ricoperta di oggetti di rame, pentole casseruole padelle coperchi formelle. Attraverso due grandi finestre, difese da grate, si vedeva un giardino, e in fondo al giardino alcune arnie per api.

Cristina portò un vassoio con una bottiglia di Marsala e due bicchieri. A un capo del tavolo ella riprese il lavoro interrotto all'arrivo di don Paolo. Stirava, piegava e ripiegava mantili e tovaglioli in canestri di vimini.

Don Pasquale serví il Marsala.

« Domenica scorsa, a Rocca dei Marsi, Cristina ed io abbiamo incontrato don Benedetto » disse don Pasquale. « Egli ci ha chiesto insistentemente sue notizie. »

« Mie notizie? » disse don Paolo. « Strano. »

« Perché se ne stupisce? » disse Cristina. « Non fu don Benedetto a indirizzarla a Pietrasecca, come luogo di riposo? »

« Certo » disse don Paolo. Dopo aver riflettuto, egli aggiunse in tono impacciato: « Mi sorprende solo, in un certo senso, che egli mi faccia l'onore di ricordarsi di me ».

« Altroché » disse Cristina. « Ho avuto l'impressione che sia attualmente la sua preoccupazione piú importante. »

« Purtroppo non la sola » corresse don Pasquale. « Trovammo presso di lui altre persone in visita e la conversazione cadde su un suo ex allievo, un certo famigerato Pietro Spina. Ebbene, don Benedetto ebbe il coraggio di prenderne le difese. Ma lei non può apprezzare questo fatto, non conoscendo il cattivo soggetto. »

« Non ne prese soltanto le difese » disse Cristina. « Egli ne fece un elogio sperticato. »

« Con argomenti scandalosi » aggiunse don Pasquale. « Mi

111

ha rattristato tanto piú che don Benedetto è un nostro vecchio amico di famiglia e moralmente un sant'uomo. »

Cristina aveva finito di stirare e si apprestò ad accendere il fuoco. Curva in ginocchio davanti al camino, ella soffiava a piene gote sulla fiamma che stentava a prendere. La legna non era stagionata e faceva solo fumo.

Don Pasquale cercò di ricondurre la conversazione sull'avvenire di Cristina. Il punto di vista della famiglia era naturalmente interessato. Ma quale sarebbe stato un giudizio disinteressato?

« Non certo il mio » si affrettò a dire don Paolo. « Anch'io sono interessato a che sua figlia resti a Pietrasecca. »

Cristina rise di cuore. E poiché in quel momento la legna aveva preso ad ardere, il riflesso della fiamma serví a dissimulare il rossore del suo viso.

« A me perfino i lupi mi rifiutano » disse Cristina in tono scherzoso.

« Lupi veri o metaforici? » disse don Paolo.

Il padre raccontò allora un curioso episodio dell'infanzia di sua figlia.

« Cristina non lasciava ancora la culla, e siccome amava molto gli agnelli e nell'ovile d'inverno faceva caldo, una sera l'avevamo lasciata per alcune ore tra le pecore, sola, nella sua carrozzella. A un certo momento nell'ovile penetrò un lupo. Richiamato dal forte belare di tutto il gregge, io accorsi col fucile e i cani, ma il lupo riuscí a svignarsela. »

« Cristina dormiva? » disse don Paolo.

« Non dormiva, era anzi seduta nella carrozzella e chiamava la madre. Ella aveva visto il lupo senza spaventarsi, scambiandolo probabilmente per un cane cattivo, che mangiava le pecore. »

« Forse » disse don Paolo « il lupo capí che era ancora piccola e pensò di tornare quando fosse piú grande. »

« Se aspetta ancora un po', non mi acchiapperà piú » disse Cristina ridendo. « Le finestre dei conventi hanno solide inferriate. »

L'accenno al convento mutò bruscamente l'umore di don Pasquale.

« Cosí finirà la famiglia Colamartini » disse con amarezza. « Un figlio scapestrato, una figlia monaca. »

Nella cucina semibuia i tre restarono un po' silenziosi. Cristina salí al piano superiore, a rimettere nelle casse la biancheria stirata.

« È triste assistere alla fine della propria famiglia » disse don Pasquale.

Come sarebbe stato possibile, in quella stanza, pensare o parlare d'altro?

« A me non pare » disse don Paolo « che la sorte della famiglia dipenda dalla decisione della signorina Cristina. »

« Sí, lei ha perfettamente ragione » disse don Pasquale. « Al punto in cui ci troviamo, la nostra fine è irrimediabile. »

« Si può almeno finire con dignità. »

« Invece lei non può sapere fino a che punto i Colamartini finiscano male. »

« Forse non è giusto parlare del bene e del male come di una fatalità. »

« Nel nostro caso lo è. Mi creda pure, lo stesso decoro apparente della famiglia ormai non dipende piú da me. »

« Vi sono circostanze disperate in cui forse bisognerebbe regalare al diavolo anche il decoro apparente della famiglia. »

« Se fossi solo, per Cristo, ne sarei ben capace » disse don Pasquale alzando il tono di voce. « Ma non posso mica portare a pascolare l'erba sulla montagna le tre vecchie da lei conosciute qui poco fa. »

Dicendo questo egli aveva gli occhi pieni di lagrime.

« Mi scusi » disse don Paolo.

« Mi restano quattro pezzi di terra, due a vigna e due a semina » disse don Pasquale. « Fino a pochi anni fa ricavavo dalle viti circa settemila lire di vino. Oggi, dopo la fillossera e gli altri malanni, il provento dei vigneti ricostituiti con grandi sacrifizi, non arriva ad alcune centinaia di lire. Se invece di ricavarlo dalle mie vigne, comprassi il vino al mercato, mi verrebbe a costare tre volte di meno. »

Il vecchio si alzò e prese da un tiretto il libro delle entrate e delle uscite, un vecchio libro unto e sdrucito, gonfio di ricevute e di cambiali.

« Ecco qua » disse « i terreni seminativi bastano appena a pagare le opere, che pure sono scese a quattro o cinque lire al giorno, che non è molto. Restano però a mio carico le tasse. Da vari anni mi domando, perché continuo a coltivare quelle terre? »

« La crisi » disse don Paolo per dire qualche cosa. « Se ne parla ovunque. »

« Il fallimento » disse don Pasquale. « Se non ci fosse l'orgoglio di famiglia che mi trattiene dal vendere quelle terre che da secoli appartengono ai Colamartini, da vari anni avrei dovuto, nel mio interesse, disfarmene. La terra non rende piú. Vicino a Lama ho una vecchia casa, ora adibita ad uso di stalla e l'ho affittata. Vuole sapere, reverendo, quanto ho dovuto spendere per legalizzare l'affitto? Esattamente sei volte di piú del misero introito. Lei crede che io esageri? Sull'affitto vi sono ben quattordici imposizioni diverse. » Aprí il libro e si mise a leggere: « Ecco la lista: carta da bollo, scrittura, repertorio, onorario, archivio, tassa di registro, copia per voltura, copia per trascrizione, note, diritto al conservatore, spese di trascrizione, posta e tassa vaglia, copia alle parti, marche da bollo per la ricevuta di aver pagato quanto sopra... »

« Quello che lei dice mi conferma che la proprietà privata ha finito il suo tempo » disse don Paolo. « Lei non è di questa opinione? »

« Non so » disse don Pasquale. « Prima di ridurmi a questa condizione sono ricorso a molti espedienti, alcuni dei quali non assolutamente dignitosi, e vi ho riflettuto notte e giorno. Ebbene, reverendo, non so che fare. »

« Come stanno i piccoli proprietari? »

« Come me. Con la differenza che sul loro pezzo di terra essi e quelli della loro famiglia, sudano sangue durante tutta l'annata. Eppure ogni cafone aspira alla piccola proprietà, benché i rari che l'ottengono, vivano poi peggio degli altri. In realtà la terra ha bisogno di denaro a fondo perduto. »

« Se coltivare la terra non rende » disse don Paolo « perché furono presi a fucilate i braccianti che ne volevano l'espropriazione? »

In un attimo don Pasquale mutò sembiante.

« Quelle furono fucilate sacrosante » si affrettò a dire « ma ciò non significa che fossero fucilate ispirate dal buon senso o che risolvessero alcunché. I proprietari che continuano a rimetterci per far coltivare le loro terre, sono semplicemente dei pazzi posseduti da un'idea fissa. D'altronde, che potrebbero fare? Un salariato agricolo può diventare un manovale dell'industria mentre un proprietario di terre non ha scampo. »

« I braccianti stanno meglio? »

« Anch'essi, a dir vero, stanno male e se restano qui a grattare la terra è unicamente perché le vie dell'emigrazione sono chiuse » disse don Pasquale. « Tuttavia stanno sempre meglio di me. Carne avvezza a soffrire, dolore non sente. »

« Ho l'impressione » disse don Paolo « che i tempi diventeranno sempre piú duri e che solo uomini di quella sorta sopravviveranno. Per la ragione detta ora da lei: è carne avvezza a soffrire. »

Cristina aveva intanto finito di rimettere a posto la biancheria e tornò a tenere compagnia ai due uomini. Fu la volta di don Pasquale ad alzarsi. Dietro la casa egli aveva una stalla con due vacche, una giovenca e un cavallo. Chiese licenza di assentarsi qualche minuto per andare a rigovernare le bestie.

« Ancora un goccio di Marsala? » disse Cristina.

« Grazie » disse don Paolo. « È ottimo. »

« Avrà udito da mio padre le tristi geremiadi del proprietario di terra » disse Cristina.

« Signorina Cristina » disse don Paolo « non so dirle quanto mi addolori che lei abbia una vita cosí dura. »

« Ha forse pensato per caso che questo sia il motivo della mia decisione di prendere il velo? »

Don Paolo non rispose.

« No » disse Cristina. « Le posso assicurare che la mia vocazione è autentica. Ma per dovere di lealtà devo aggiungere che la mia vocazione senza dubbio è anche opportuna. Come me la sarei cavata, senza questa speciale chiamata di Gesú, se fossi rimasta qui? »

« Le sarebbe rimasta l'altra possibilità che la vita offre alla maggioranza delle donne » disse don Paolo. « Poteva essere una sposa virtuosa, una buona madre di famiglia. »

« Al punto in cui vedo ridotte le buone famiglie » disse Cristina « mi pare molto piú difficile che morire sul rogo. »

« Non ha una buona idea delle buone famiglie. »

« Voglio dire che mi pare questo sia un tempo particolarmente difficile per conciliare i doveri del proprio rango e quelli della propria anima. »

« Una donna cristiana non dovrebbe mettere i doveri del rango accanto a quelli dell'anima. »

« Certo, se abbandona la vita secolare. Ma ognuno che resti nel mondo, vi occupa un rango che gli impone degli obblighi.»

« Ma quando i doveri del rango, come lei riconosce, diventano inconciliabili con quelli dell'anima, allora non c'è che da rispedire i primi senz'altro al diavolo. »

« Seguendo forse l'esempio di Pietro Spina? » esclamò Cristina. « Sa lei che mi sta ripetendo gli stessi argomenti che udii da don Benedetto domenica scorsa? »

« Forse lei si stupirà, signorina Cristina » disse don Paolo con tono ironico « ma io non considero il suo paragone con Spina come oltraggioso. »

« L'insegnamento ufficiale della Chiesa mi sembra però differente » disse Cristina. « Le ineguaglianze sociali sono state anch'esse create da Dio e noi dobbiamo umilmente rispettarle... Ma, ora mi domando perché ogni nostra conversazione finisca immancabilmente in disputa. Certamente è colpa mia, che sono testarda e presuntuosa. Parliamo piuttosto d'altro. »

L'armistizio fu di breve durata.

« Novità di Bianchina? » disse Cristina.

« Una notizia curiosa » disse don Paolo. « Ho saputo di una relazione amorosa tra quella ragazza e suo fratello Alberto. »

« Di nuovo? » disse Cristina indispettita. « Non era finita da parecchio tempo? È un vero scandalo. »

La disputa si riaccese. La sorda irritazione che covava in don Paolo, aveva un nuovo pretesto per manifestarsi.

« Vi sarebbe un mezzo semplicissimo per eliminare lo scandalo » egli disse. « Lasciarli sposare. Risolverebbe tutto. »

Il viso di Cristina si increspò e indurí.

« È impossibile » ella disse seccamente.

Il prete finse di non capire. « Impossibile? Perché? »

« Mia nonna e mio padre lo considererebbero un disonore, non solo per sé, ma per gli antenati » disse Cristina decisa a troncare la discussione. « Per favore, parliamo d'altro. »

« Non si tratta degli antenati, ma di Alberto e Bianchina » disse don Paolo con ostinazione. « Se i due si amano, sarebbe un atto d'onestà. »

« Sull'onore di famiglia non si discute » disse Cristina esasperata.

« Anche lei ha di queste fisime medievali? » esclamò il prete con finta meraviglia. « Perfino lei? »

« Anch'io, naturalmente » disse la ragazza accettando la sfida. « Chi sono i Girasole? Donde vengono? In quanto a Bianchina mi permetto solo di ricordarle le circostanze un po' speciali in cui lei l'ha conosciuta. »

« Non le ho affatto dimenticate » disse don Paolo. « Ma cosa ne penserebbe lei se il signorino Alberto non fosse stato estraneo all'indisposizione della ragazza? »

« Cosa si permette? » gridò Cristina e balzò in piedi come per rintuzzare un affronto personale.

« Scusi » disse don Paolo.

Senza esitare egli fece un leggero inchino di saluto e si avviò verso la porta. Pallida e tremante Cristina lo vide allontanarsi e non accennò al minimo gesto per trattenerlo.

117

XI

Durante quell'assenza del prete, Matalena aveva fatto chiamare in segreto Cassarola la fattucchiera. La vecchia arrivò trascinando i piedi per terra e lamentandosi di misteriosi dolori in varie parti del corpo.

« Ho bisogno urgente del tuo aiuto » le disse la locandiera. « L'invidia vuol portarmi via il prete. »

« Non capisco » disse Cassarola. « Tu possiedi un prete? »

Matalena le spiegò in un orecchio la causa dei suoi timori.

« Non capisco » ripeté la fattucchiera. « Forse sarà perché sono ancora a digiuno. »

La locandiera le offrí pane e formaggio e un bicchiere di vino; aspettò un po' e tornò a domandarle:

« Non c'è un mezzo sicuro per trattenere don Paolo qui? »

« Il tuo cacio è salato » disse la fattucchiera sputando per terra.

Matalena si affrettò a offrirle un altro bicchiere di vino.

« Ora però devi sbrigarti a parlare » le disse « perché don Paolo può tornare da un momento all'altro. »

« Vediamo un po' » cominciò Cassarola. « Dormite assieme? »

La locandiera si mostrò sinceramente indignata.

« Ti pare? » esclamò. « Alla mia età e con una persona consacrata. »

« Sarebbe stata anche la mia opinione » disse la fattucchiera. « E in quel caso, di certo, se ne sarebbe già scappato via.

Perché dunque vuoi legarlo al tuo materasso? Per il guadagno? »

« No, per la protezione. Questa casa altrimenti non si regge più in piedi. Cosa devo fare? »

« Fammi riflettere, abbi pazienza. »

Matalena le riempí il bicchiere vuoto e l'esortò a riflettere bene e presto.

« Non posso piú vivere senza di lui » insisté la locandiera. « Ho paura come una bambina. »

« Paura di che? »

« Di tutto. »

Cassarola chiuse gli occhi. Respirava a fatica e si lamentava per i suoi misteriosi dolori.

« Dammi da bere » mormorò. « Sento bruciarmi. »

« Vuoi un po' d'acqua fresca? »

« Credi che io sia una vacca? Purtroppo non sono una vacca. »

Matalena portò in tavola un boccale pieno e lo posò accanto al bicchiere; ma la fattucchiera si serví direttamente dal boccale. Fece alcune lunghe sorsate.

« Lo legheremo come una mortadella » disse ghignando dopo aver bevuto.

« No, a me basta che lui resti qui. »

« Invece, egli ubbidirà a noi due, come una creatura. Per mezzo di lui, noi due comanderemo su tutta la valle, sulle anime del Purgatorio, sugli esorcismi. »

« Sui cataclismi » aggiunse Matalena. « Sulle forze sotterranee. »

« Per cominciare » disse Cassarola « metterai sette capelli tuoi in ogni piatto della sua minestra. È solo un principio. Naturalmente i capelli devono essere neri, non tinti. »

« Non credo che li ami. »

« Basta che siano cotti assieme alla minestra. Non è necessario che lui li mangi. »

« Vi sono parole da dire durante la cottura? »

« Le dirò io. Hai un qualsiasi ritratto di donna? »

« No. Ci sarebbe la Madonna del Rosario. »

Cassarola ebbé una smorfia di disgusto e riprese a lamentarsi per i dolori. Prese il boccale e vi fece alcune altre lunghe bevute.

« Allora prenderai un pezzo di carta e farai da te un ritratto di donna. Non è necessario che sia completo, basta disegnare i buchi. Sta' attenta, non interrompermi. Sul pezzo di carta farai nove volte un O, per rappresentare i nove buchi del corpo. Poi metterai quel ritratto sotto il suo cuscino. »

« Se ne accorgerà e mi domanderà spiegazioni. »

« Allora lo metterai sotto il materasso. Non potresti procurarmi anche qualche suo capello? »

« Cercherò la mattina nel suo pettine » disse Matalena.

Appena Cassarola si fu allontanata, per maggiore sicurezza la locandiera accese una lampada a olio da mettere davanti alla Madonna del Rosario. In piedi, sulla sedia, mentre aggiustava la lampada, essa tremava tutta per l'ansietà. Avvicinò le labbra a un orecchio della Vergine.

« Madonna Santa » disse « ti raccomando questo mio povero prete. Costringilo a rimanere qui. Se lo farai rimanere qui, ti accenderò la lampada durante tutto l'anno. »

Quelle precauzioni valsero un po' a calmarla. Portò una sedia davanti alla locanda e vi si sedette, in attesa del ritorno di don Paolo. La calura del giorno cominciava a scendere. Dalla montagna veniva un'arietta piacevole, con un buon odore di sambuco e d'erba tagliata. Fortunatamente ella dovette aspettare meno di quello che temeva.

« Com'è andata? » la donna gli domandò. Il tono della sua voce fu così timoroso come se avesse chiesto l'elemosina.

Il prete non rispose. L'espressione del suo viso era strana. Egli sembrava, nello stesso tempo, irritato e soddisfatto. Dietro di lui apparve, tutto impolverato e infangato, un frate. Il sacco che il questuante portava su una spalla era quasi vuoto.

« Poche elemosine? » domandò don Paolo.

« Nemmeno per il consumo dei sandali » disse il cappuccino.

Egli rimase umilmente in piedi vicino alla porta. Nei sandali logori i suoi piedi apparivano deformi e neri, a causa dei gonfiori e delle cicatrici. Matalena gli offrí un bicchiere di vino, ma egli rifiutò. La presenza del prete lo metteva in soggezione, e non sapeva se partire o restare, che dire. Alcuni curati l'avevano denunziato varie volte al padre provinciale per la sua eccessiva familiarità con i cafoni e il suo amore per il vino.

« Bevi, bevi, fra' Gioacchino, non vergognarti » disse Matalena; ma la sua insistenza non fece che aumentare l'imbarazzo del cappuccino.

« Ognuno serve il Signore come può » egli disse. « Chi con la parola, chi con la carità, chi con la santità. A me è capitato in sorte di dover camminare. Sono un asino del Signore, mi dice il padre guardiano. »

Don Paolo sorrise. Il cappuccino osava appena guardarlo con uno sguardo di cafone sottomesso.

« Perché la gente fa meno elemosine? C'è meno religione? » chiese il prete.

« In pianura c'è adesso l'assicurazione, un'invenzione del diavolo » disse il frate. « Se domando qualche cosa per San Francesco affinché protegga il raccolto contro la grandine, mi rispondono che il raccolto è già assicurato. "Allora vi proteggerà contro gli incendi" dico io. Mi rispondono che sono assicurati anche contro gli incendi. Ma come va, che malgrado tutte queste assicurazioni, sono sempre impauriti? Di che cosa hanno paura? »

« La povera gente è sempre in paura » disse Matalena. « Si ha una casa e viene il terremoto. Si ha la salute e viene la malattia. Si ha un pezzo di terra e viene l'alluvione. C'è l'invidia nell'aria. »

« Una volta ogni mestiere aveva il suo santo » disse il frate. « Gli scarpari avevano S. Crispino, i sartori S. Omobono, i falegnami S. Giuseppe. Adesso ogni mestiere ha il suo sindacato. Ma non si sta mica piú sicuri di prima. La paura è rimasta. »

« In convento si vive meglio? » disse Matalena.

« Si vive anche male, ma al sicuro » disse il cappuccino. « Manca la famiglia, ma anche la paura. In piú c'è la speranza. »

« Che speranza? » disse don Paolo.

Il frate indicò il cielo.

« Non è una via per tutti » disse Matalena. « Non possiamo farci tutti frati o monache. »

« Sapete che cosa vi trattiene? » disse il frate. « L'ingordigia della proprietà. È come la catena del cane. Una volta il demonio s'incarnava nella femmina, ora nella proprietà. »

« Non piú nella femmina? » disse Matalena. « Eh, forse sei male informato, frate. »

« La femmina è spodestata » ripeté il frate. « La perdizione delle anime avviene ora per la proprietà. »

« I poveri si salvano? » disse Matalena. « Non mi pare che i poveri si salvino. »

« Non si salvano quelli che hanno l'ingordigia della proprietà » disse il frate. « Sono i falsi poveri. Badate, parlo per esperienza di famiglia. Dopo una pessima annata, in cui tutto il raccolto andò perduto, mio padre dovette vendere una vigna che sta dietro il castello del paese. Egli si rovinò il resto della sua vita per ricomprarla; divenne avaro, cattivo, litigioso, e morí senza riuscirvi. Mio fratello voleva ricomprare la stessa vigna, a causa di essa fece omicidio e finí all'ergastolo. L'altro fratello è andato nel Brasile con l'intenzione di tornare con abbastanza denaro per ricomprare quella vigna, ma laggiú riesce appena a guadagnarsi da mangiare. Quella vigna intanto passa di mano in mano. Ogni tre o quattro anni passa in nuove mani. Quanta gente sta facendo dannare. »

« Che vigna è? » disse Matalena. « Una vigna stregata? Una vigna mala femmina? »

« È una vigna ordinaria » disse il frate. « Una vigna come un'altra. »

« Rende piú delle altre? » disse Matalena. « Perché la tua famiglia vuole avere proprio quella? »

« Era stata dei nonni » disse il frate. « Per il resto è come le altre. »

« Anche ogni femmina in fin dei conti è come le altre » disse Matalena. « Ma se ci si mette in mezzo il diavolo... »

« Adesso, quando le necessità della questua mi conducono da quelle parti » disse il frate « e vedo da lontano quella vigna, mi faccio il segno della croce, come alla presenza del diavolo. »

« Passate spesso da quelle parti? » domandò don Paolo. Il frate fece cenno di sí, con la testa.

« Lo so, faccio male » egli disse. « Quando si abbraccia la vita religiosa e si abbandona il mondo, bisognerebbe andare lontani dalla propria terra. Cambiare il nome non basta, se l'acqua, le pietre, l'erba, le piante, la polvere delle strade sono del paese in cui si è nati. Bisognerebbe andare lontano. »

« Io ero andato lontano » gli confidò il prete a mezza voce. « Ma non ne potevo piú, e sono tornato. »

« Bisognerebbe forse andare in qualche posto dal quale non si possa piú tornare. »

Il frate disse questo con una voce cosí cupa che don Paolo dové trattenersi per non abbracciarlo.

« Bevi » gli disse e gli porse un bicchiere di vino. Questa volta il frate accettò. Bevve lentamente, dopo essersi passato il dorso della mano sulle labbra screpolate.

« Dev'essere vino di Fossa » disse a Matalena.

« È di Fossa » disse la locandiera.

« Dev'essere della contrada a mezza costa, sopra la cava di pozzolana » egli aggiunse.

« Poiché ti piace, bevi ancora » disse il prete sorridendo e gli riempí il bicchiere.

« Grazie » disse il frate. « È un vino che merita confidenza. »

Don Paolo era contento. Quel povero frate lo commuoveva.

« Vieni, non stare lí sulla porta » gli disse. « Vieni a sederti al mio tavolo. Matalena, portaci un fiasco. »

« Un intero fiasco? » disse il frate alla sprovvista.

« Perché no? Se ne avremo voglia, dopo il primo ne vuoteremo un secondo » disse il prete. « Me ne assumo io la responsabilità. »

« Alla salute » disse il frate alzando il calice. « Padrona, non potresti darmi un pezzo di pane? Aiuta a bere » egli spiegò al prete.

Il frate spezzò il pane e ne diede una parte a don Paolo.

« Il pane di grano bagnato nel vino rosso, non c'è nulla di meglio » disse il frate. « Ma bisogna avere il cuore in pace » aggiunse sorridendo.

Don Paolo divenne allegro. Matalena non l'aveva mai visto cosí.

« Perché ridi? » gli chiese il frate.

« Un giorno fregheremo il diavolo » gli confidò don Paolo in un orecchio. « Sí, il diavolo, quel vecchio sporcaccione nemico dell'uomo. »

« In che modo? »

« Con l'abolizione della proprietà privata della terra. »

« Vuoi dire che le terre saranno di tutti? Anche le vigne? »

« Le terre, le vigne, le selve, le cave di pietra, i canali. »

« Vuoi dire che tu credi nella rivoluzione? »

Don Paolo gli rispose in un orecchio:

« Non credo ad altro. Intanto, bevi, frate, sta' allegro. »

« Credi nel Regno? Su questa terra? »

« *Sicut in coelo et in terra, amen.* »

« Secondo te, chi la farà la rivoluzione? La Chiesa? »

« No. Come al solito, la Chiesa benedirà la rivoluzione, ma dopo che gli altri l'avranno fatta. »

« Chi dunque la farà questa rivoluzione? Iddio direttamente? »

« No. Anche tu conosci la sua vecchia regola: Aiutati che Dio t'aiuta. »

« Chi dunque? »

« La faranno i poveri » disse il prete con voce grave. « S'intende, i poveri non contaminati dall'ingordigia della proprietà. »

Il frate si guardò attorno, poi gli disse in un orecchio:

« Hai conosciuto per caso un certo Pietro Spina? »

« Perché me lo chiedi? »

« Egli la pensa come te » disse il frate. « Almeno cosí si racconta. »

« Andando in giro » gli chiese il prete « ne hai incontrati altri che la pensano in questo modo? »

« Sí » disse il frate sottovoce « ma in segreto. »

« Alla salute » disse don Paolo ridendo. « Bevi, frate, sta' allegro. Faremo una rivoluzione che fregherà il demonio, quel vecchio sporcaccione. »

Matalena ascoltava a bocca aperta. Che discorsi strani sulle labbra di gente di Chiesa. Ella aspettava che i due finissero di parlare, per poter interloquire: voleva sapere dal frate se vi fosse da temere qualche cataclisma.

« Mio marito è morto » ella disse « e se un'alluvione mi portasse via la casa, chi me la rifarà? » La sua voce era quella di un'orfanella spaurita.

« Avremo di peggio » sfuggí detto al frate.

Egli si oscurò in viso e non aggiunse altro. Matalena si fece il segno della croce e mormorò atterrita:

« Di peggio? »

« Cosa avremo, dunque? » disse don Paolo al frate con voce amichevole, per indurlo alla confidenza.

« Una notte che ero in preghiera nella mia cella » egli disse senza osar di guardare il prete in faccia « ho visto nella direzione di Roma, sull'orizzonte nero come la pece, un fantasma rosso che spiava tra le nubi. »

« È verosimile » confermò don Paolo sorridendo.

Matalena si rassicurò: la minaccia del cielo non era contro Pietrasecca, ma contro Roma. Intanto il fiasco era vuoto. Il frate prese congedo perché si avvicinava la sera e, come altre volte, egli sperava di ricevere alloggio nella stalla dei Colamartini.

« Arrivederci » egli disse a don Paolo. « Se non ci rivedremo qui, ci rivedremo lassú. »

« Lassú, dove? sulla montagna? » domandò il prete. « Alla macchia? »

« In Cielo » disse il frate sorridendo.

« In caso di bisogno » disse il prete « vi cercherò prima. »

« Mi troverete per strada » disse il frate.

Don Paolo l'osservò allontanarsi. Egli camminava svelto, con un leggero ritmo di danza. Il cancello del muro di cinta della casa Colamartini era aperto. Il frate salí i tre scalini che conducevano alla porta d'ingresso e tirò il cordone del campanello. Poiché non ebbe alcun segno di risposta, senza spazientirsi si sedette sulla soglia. Un piccolo sorcio fece allora capolino da un cespuglio di rose. Esso era bruno come il saio del frate. I due stettero un po' a guardarsi amichevolmente, ma ne furono distratti dallo scricchiolio della porta.

« Scusate » disse don Pasquale. « Poco fa mia figlia è stata colta da un lieve malore. »

illness

from matalena's spell??

XII

L'arrivo di una lettera di Bianchina da Roma pose don Paolo
in uno stato d'insolita ansietà. Eppure essa non gli recò notizie sensazionali: era un messaggio quasi banale. Il viaggio era
andato bene, scriveva Bianchina. Ella aveva trovato facilmente
la persona a cui era stata indirizzata. In tutto il tempo ella non
aveva visto altre persone e perciò aveva avutó modo di visitare
la città. Il suo ritorno poteva essere imminente; di certo gli
avrebbe riportato molte carte da leggere. L'effetto di quel breve messaggio su don Paolo fu quasi miracoloso. D'un tratto
egli si sentí rinvigorito. La fine del suo forzato isolamento era
alle viste. Col Partito avrebbe avuto qualche seria discussione.
Ma discutere vale meglio che monologare.

Da quel momento egli cercò di sfuggire al languore del-
l'atmosfera femminile che lo circondava, dimenticò Cristina,
e cercò la compagnia degli uomini. Prima di lasciare Pietrasecca, avrebbe voluto almeno conoscerli meglio. Questi però durante il giorno erano dispersi nella valle e tornavano solo verso sera, dopo il tramonto, a piccoli gruppi, dietro i lori asini
carichi. Dall'orto della locanda don Paolo li vedeva risalire
la valle stancamente, cenciosi e affamati, nella loro mossa ti-
pica protesa in avanti, derivante dall'uso della zappa, dall'uso
del grattare curvi sopra la terra, e, anche, dall'uso della soggezione, dall'uso dell'ininterrotta servitú. Don Paolo usciva di
casa, ora che stava meglio, per sfuggire ai lamenti di Matalena che paventava la sua partenza, ai lamenti delle altre donne che facevano la calza e si spidocchiavano davanti alla lo-

canda, per sfuggire al breviario, alle massime eterne, agli spettri della sua adolescenza, che egli credeva dispersi e che erano riaffluiti attorno a lui, approfittando della sua solitudine e del suo indebolimento fisico.

Un pomeriggio egli oltrepassò il ponte di legno e prese la stradetta che scendeva verso la valle. Era come una macchina che fosse stata in riparazione e che da se stessa riprendesse il movimento, il cammino abituale. Di nuovo egli era spinto da un istinto a lui connaturale, l'istinto dell'uomo di compagnia. Nella solitudine egli era stato un essere fuori del suo elemento vitale, un pesce fuor d'acqua. Egli si sedette su un paracarro e aspettò. Era cosí naturale per lui aspettare. Da ragazzo, nella piazza di Orta, a sera, dopo il catechismo, aspettava che gli altri ragazzi, quasi tutti figli di povera gente, lo raggiungessero per giuocare alla "campana", agli "sbirri", alla "guerra francese". Piú tardi a Roma, già membro del gruppo degli studenti socialisti, aspettava qualche operaio all'uscita dell'officina Tabanelli, fuori porta S. Giovanni, o del Gazometro, fuori porta S. Paolo, per passare assieme la serata. A L'Estaque egli aspettava Cardile. Egli sapeva aspettare.

Quella sera il primo ad arrivare fu il vecchio Sciatàp col figlio, dietro l'asino che li precedeva di alcuni passi, carico di sarmenti. Alla vista del prete, Sciatàp si fermò.

« Da molto tempo avrei voluto parlare con voi » egli disse « però mi avevano detto che avevate la tosse, non ho voluto disturbarvi. »

« Adesso la tosse si è calmata » disse don Paolo.

« Si tratta » disse il vecchio « che mio figlio ha cercato di arruolarsi nei carabinieri o nella milizia, ma non c'è riuscito. Non potreste scrivergli una raccomandazione? »

« Hai veramente voglia di fare il carabiniere? » domandò il prete al giovane.

« Magari » egli disse. « La gente ne dice male per invidia. Si lavora poco e si guadagna bene. »

« Vedi, la difficoltà invece è un'altra » disse il prete. « Tu sei un lavoratore. Se diventi carabiniere, i tuoi superiori potranno ordinarti di sparare contro dei cafoni malcontenti. Questo è già avvenuto, come forse sai, non lontano di qui, a Sulmona, a Pratola, a Prezza. » Sciatàp fu subito d'accordo col prete.

« Don Paolo ha ragione » disse. « Per vivere un po' bene, bisogna vendere l'anima. Non c'è altra via. »

Il figlio rideva divertito dal modo di parlare del padre.

« Non c'è altra via? » disse don Paolo. « Non si può vivere bene e rimanere onesti? »

« Conoscete anche voi la storia del diavolo e del gatto? » disse Sciatàp. « C'era una volta in una grotta un gran diavolo, vestito di nero, con un cilindro e le dita piene di anelli, come un banchiere. Vanno da lui tre cafoni e gli domandano: "Cosa ci vuole per vivere bene, senza lavorare?". Il diavolo risponde: "Ci vuole un'anima, un'anima innocente". I cafoni se ne vanno, prendono un gatto lo avvolgono nelle fasce, come un bambino appena nato, e lo portano al diavolo: "Ecco un'anima, un'anima veramente innocente", dicono i tre. In cambio ricevono dal diavolo il libro del comando, dove c'è scritto quello che ci vuole per vivere bene senza lavorare; ma, mentre si allontanano, il gatto si mette a miagolare. Il diavolo scopre l'inganno. Il libro magico va in fiamme nelle mani dei tre cafoni. Un gatto non vale. Ci vuole un'anima, una vera anima. »

« Va bene » disse il figlio « farei come gli altri, si capisce. Intanto la domanda non è stata accettata. Ci sono troppe domande. »

« Quest'è il guaio, ci sono troppe anime » disse Sciatàp. « Il terremoto, le epidemie, la guerra han servito a poco. Ci sono ancora troppe anime. »

« All'uomo che vende l'anima, che cosa rimane? » disse il prete.

I due cafoni lo guardarono sorpresi. Che dubbio strano da parte di un prete. Era domanda da farsi?

« C'è sempre un modo di accomodare le cose, finché si vive » disse Sciatàp. « Perché c'è la Chiesa? Forse la Chiesa proibisce ai carabinieri di sparare? Alla processione del Corpus Domini, a Fossa, dietro il Sacramento ci sono sempre quattro carabinieri in grande uniforme, al posto d'onore. Avete detto che a Pratola i carabinieri hanno sparato contro la povera gente. Vuol dire che dopo si saranno confessati. Ma i cafoni che sono morti, chi li ha confessati? In questa vita hanno patito il freddo e nell'altra stanno patendo il fuoco. »

« Mi dispiace » disse don Paolo « ma non saprei proprio a chi raccomandarvi. Non conosco nessun comandante dei carabinieri. »

L'asino intanto si era allontanato.

« Garibaldi » gridò il vecchio infuriato.

Ma l'asino non gli fece caso e continuò a camminare.

« Non mi sente » disse Sciatàp al prete « perché ha fame e sa che la stalla non è lontana. Quando ha fame, dimentica perfino come si chiama. »

Sciatàp e il figlio diedero la buona sera e affrettarono il passo per raggiungere l'asino. Don Paolo tornò a sedersi.

Dopo di loro arrivò un cafone ubbriaco, a cavalcioni ad un asino; l'uomo cadeva ora da una parte ora dall'altra, si rialzava e dava calci e pugni alla bestia.

« Vuoi camminare diritto, sí o no? » diceva l'uomo.

Un gruppo di cafoni, attorno al traino di Magascià sopraggiunse subito appresso.

« Siamo stati al mercato » disse Magascià fermando il suo carretto.

« Avete ben venduto? » disse il prete.

« I prezzi sono ribassati » disse Magascià. « Hanno messo il calmiere. Noi non volevamo vendere, ma siamo stati costretti, altrimenti ci sequestravano i prodotti. »

« Per i prezzi della campagna è stato imposto il calmiere; quelli della città sono rimasti invece senza calmiere e sono rialzati » disse uno che stava vicino al traino.

« Giacinto è stato arrestato dai carabinieri » disse Magascià. « Per ribellione. Appena saputo del calmiere, voleva tornare a Pietrasecca senza vendere. »

Il traino si rimise in movimento e don Paolo con gli altri. Accanto a Magascià camminava un certo Daniele, un uomo alto con un cappellaccio a sghembo sulla faccia barbuta.

« Daniele aveva un asino malato, che certamente non vivrà un altro mese » confidò Magascià al prete. « L'ha portato al mercato e l'ha venduto per sano a una donna di Fossa. »

« La prossima Pasqua mi confesserò » disse Daniele. « Dio mi perdonerà. »

Tutto il gruppo rise di compiacimento per la furberia di Daniele. Dietro al traino camminava anche un giovanotto, un certo Banduccia, che aveva l'aria di essere ubbriaco e per reggersi si teneva al traino.

« Banduccia » confidò Magascià al prete « è stato in una cantina di Fossa; ha mangiato, ha bevuto, ha offerto da bere ai presenti, poi è andato nell'orto con la scusa di dover fare un bisogno, ha saltato il muro ed è scappato senza pagare. »

« Anch'io mi confesserò alla prossima Pasqua » disse Banduccia. « Dio mi perdonerà. »

E nuovamente tutti risero. Don Paolo rabbrividiva.

« La padrona della cantina, sora Rosa Girasole » raccontò Banduccia « quando ha constatato la mia fuga, ha cercato di farsi pagare la mia parte da Biagio, con la scusa che anche lui è di Pietrasecca. La povera sora Rosa ha fatto una cattiva scelta. Se la gente non si metteva di mezzo, Biagio sfasciava tutto. Ha preso un ciocco tra le braccia e l'ha scaraventato contro la donna; se l'acchiappava ci sarebbe rimasta. »

Biagio era il cafone piú forte e brutale della valle, e don Paolo ne aveva già sentito parlare con grande ammirazione.

« Biagio è stato già tre volte in carcere per violenza » disse un altro in tono di elogio. « È un uomo che si fa rispettare. »

« Darle non è vergogna, riceverle è vergogna » disse Banduccia.

« La prima volta Biagio andò in carcere perché ruppe un braccio al padre con un colpo d'accetta » disse Magascià. « Il vecchio mi disse: "Mi ha rotto un braccio, ma mi piace che mio figlio sia cosí forte. Nella vita si farà rispettare almeno dalla gente povera come lui". »

Alcuni ricordavano altre prodezze di Biagio, ma don Paolo non li ascoltava piú. Nel gruppo di cafoni attorno al traino di Magascià c'era anche un giovanotto con uno strano sguardo. Egli era scalzo, mal vestito, alto, magro; un gran ciuffo di capelli sulla fronte gli dava un aspetto selvaggio, in contrasto con due buoni occhi da cane domestico. Egli non partecipava ai lazzi dei compagni. Don Paolo gli sorrise. Il giovane sorrise anche lui e gli si avvicinò. Quando il gruppo passò il ponte di legno e si sciolse, don Paolo prese il giovane per un braccio e lo trattenne.

« Vorrei parlare con te » gli disse sottovoce. « Vorrei sapere quello che pensi sopra alcune cose. »

Il giovane gli sorrise e si avvicinò verso la sua catapecchia. Questa era nell'angolo piú appartato del villaggio, tra un gruppo di stalle e di porcili. Il sentiero che vi conduceva era un lurido fosso che serviva di scolo al letame. Don Paolo seguí il giovane cafone. Ogni tanto egli si girava e guardava il prete senza dir nulla, ma con lo sguardo commosso.

« Vorrei parlare con te, da uomo a uomo » disse don Paolo. « Dimentica un momento, ti prego, che io porto una veste da prete e che tu sei un semplice cafone. »

L'abitazione del giovanotto aveva piuttosto l'aspetto di un porcile. Per entrarvi, bisognava curvarsi; la porta serviva anche da camino. Nell'interno l'oscurità e il puzzo lasciavano vedere con difficoltà un pagliericcio allungato per terra, su un pavimento fatto di ciottoli e una capra che ruminava su un po' di paglia sudicia. Don Paolo non resisté al puzzo di letame e di stracci sporchi di cui era impregnata la poca aria di quella spelonca e si sedette sulla soglia, mentre il giovane si preparava la cena.

« C'è un paese » cominciò a dire don Paolo sottovoce « un grande paese, nell'Oriente d'Europa, una grande pianura coltivata a grano, una grande pianura popolata di milioni di cafoni. In quel paese, nel 1917... »

Il giovane cafone tagliò alcune fette di pane di granturco, sminuzzò due pomidori e una cipolla e offrí al prete un pezzo di pane col condimento. Le sue mani gonfie e piene di cicatrici avevano ancora tracce di terra. Il coltello col quale aveva tagliato il pane doveva servire a tutti i servizi. Don Paolo chiuse gli occhi e per non offenderlo cercò di inghiottire quel cibo.

« C'è un paese » egli riprese a dire sottovoce « un grande paese nel quale i cafoni delle campagne strinsero un accordo con gli operai della città. »

Matalena intanto andava in giro di casa in casa alla ricerca del suo pensionante. « L'avete visto? » diceva. Finalmente lo trovò.

« Da un'ora la cena è pronta » disse. « Temevo una disgrazia. »

« Non ho fame » disse don Paolo. « Tornate pure nella locanda, perché ho ancora da parlare con questo amico. »

« Parlare? » disse Matalena. « Ma non vi siete accorto che questo poveretto è sordomuto e capisce solo qualche segno? »

Il sordomuto era lí, seduto sulla soglia del suo tugurio, accanto al prete. Don Paolo lo guardò in faccia e vide come lentamente i suoi occhi capissero l'equivoco di cui era stato causa.

Il prete disse alla donna:

« Non fa niente, torna pure nella locanda, io non ho fame. »

I due uomini restarono seduti sulla soglia del tugurio e anche colui che aveva il dono della parola tacque. Ogni tanto i due si guardavano e sorridevano. L'aria grigia della sera se n'era andata e arrivò l'aria scura della notte. Al sopraggiungere dell'oscurità il villaggio cadde in letargo quasi di colpo. Se non fosse stato il forte lezzo dei tuguri e delle stalle si sarebbe detto una valle disabitata. Dopo un po' don Paolo si alzò, strinse la mano al sordomuto e gli diede la buona notte. Nell'oscurità egli dovette procedere a tastoni, come un cieco.

L'unica porta ancora aperta e illuminata era quella della locanda. La sera capitava sempre qualcuno a bere o a giuocare e rimaneva fino a tardi. Non v'era altro ritrovo nel villaggio. Due tavoli unti, alcune sedie spagliate, una panca di legno accanto al camino erano il mobilio. Nell'angolo sotto la scala che conduceva al primo piano, stavano ammucchiate le provviste per l'intera annata, alcuni sacchi di patate, di fagioli, di lenticchie. Per invogliare sete ai clienti, sopra uno dei tavoli c'era quasi sempre un piattino di ceci abbrustoliti nel sale. L'immagine della Madonna del Rosario stava appesa al muro da molti anni e vi si era abituata. Gli avventori masticavano ceci, bevevano, masticavano tabacco, ribevevano e sputavano ininterrottamente per terra, in modo che don Paolo, entrando, doveva far bene attenzione a non scivolare.

Vicino al camino stava sempre rannicchiato un vecchio, un certo Fava. Inebetito e triste, egli guardava fisso per terra, masticava come un ruminante e non parlava con altri. Era il primo ad arrivare e l'ultimo a partire, ubbriaco che non si reggeva in piedi. Venivano le figlie a chiamarlo, venivano i figli, veniva la moglie, lui non se ne dava per inteso.

« Anche a casa c'è vino, perché non bevi il vino della nostra vigna? » diceva la moglie.

« Non mi piace » diceva Fava con una smorfia di disgusto.

Matalena era stata costretta a scambiare una certa quantità di vino con la moglie di Fava.

« Adesso abbiamo in casa il vino che ti piace » disse la moglie « resta in casa. »

« Non mi piace » disse lui.

Ogni sera tornava alla cantina. Vi spendeva i pochi soldi che guadagnava. La moglie finí con l'accusare Matalena.

« Tu non devi dargli da bere » disse la donna. « Se vuol bere, che venga a casa sua. »

Non c'era stato mezzo. Ogni sera Fava era alla cantina, sempre allo stesso posto.

Quando don Paolo arrivò quella sera, dopo la conversazione col muto, due soli contadini stavano giuocando a carte.

« A vedervi parlare col muto » disse uno di essi « credevo a un miracolo; invece era solo uno sbaglio. »

Don Paolo si sedette al tavolo dei due.

« Non è stato un miracolo e non è stato uno sbaglio » disse.

« Il muto » disse l'altro contadino « è molto intelligente. Forse Dio gli ha tolto la parola e l'udito per castigo. »

I due ripresero a giocare.

Don Paolo non aveva sonno quella sera. Una strana inquietudine lo rendeva loquace.

« Da che mondo è mondo » egli disse « i cafoni si lamentano, ma restano rassegnati. Continuerà sempre cosí? »

« Se si potesse morire di fame, saremmo già morti » disse uno dei giocatori.

« Non credete che una volta le cose potranno cambiare? » disse ancora don Paolo.

134

« Sí, quando il malato è all'altro mondo, arriva il medico » disse l'altro.

Don Paolo divenne imprudente.

« Non avete mai udito » egli disse « che vi sono paesi in cui le cose sono differenti? »

Fu Matalena a rispondergli.

« Sí, vi sono paesi diversi dai nostri » ella disse. « Dio ha messo l'erba dove non ci sono pecore, e le pecore dove non c'è l'erba. »

« Ho capito » disse don Paolo. « Buona notte. »

I due ripresero a giocare. Piú tardi uno di loro disse alla locandiera:

« Il tuo prete sembra un buon uomo, ma è anche un po' matto. »

« Voi non potete capirlo » disse Matalena. « È troppo istruito per voi. »

« Sí, è istruito » insisté l'altro « ma è anche un po' matto. Perché non dice la messa? »

« Non è di questa diocesi. »

« Che significa? La messa è uguale ovunque. C'è che lui è un po' matto. »

<del>cafone = boar (?)</del>

135

XIII

Il giorno dopo era festa e la sera la cantina si affollò di giocatori e bevitori, come nelle grandi occasioni. Molti stavano in piedi per mancanza di sedie, altri giocavano a morra davanti alla locanda. Don Paolo rimase nella sua camera, a tavolino, curvo su alcuni fogli che recavano questa intestazione: *Sull'inaccessibilità dei cafoni alla politica.* Ma non gli riusciva di concentrarsi col frastuono che saliva dalla cantina. Egli udiva la gente arrivare e partire, i rumori delle sedie, gli appelli della morra, l'improvviso accendersi di discussioni seguito da grida urli tonfi bestemmie, tavoli e sedie che si rovesciavano.

« Fate silenzio » implorava Matalena. « C'è sopra don Paolo che riposa. »

Parole vane. Come divertirsi senza fare chiasso?

Tra quattro giovanotti che giocavano a settemmezzo sorse una strana lite a proposito di una carta da gioco. In quel gioco la carta del re di denari è la piú importante. Matalena possedeva solo due mazzi di carte e in ambedue il re di denari era cosí sciupato e riconoscibile che il gioco non poteva essere regolare. Per evitare baruffe, uno dei giocatori, un certo Daniele, aveva fatto questa proposta:

« Sostituiamo al re di denari, poiché è riconoscibile, un'altra carta, per esempio, il tre di coppe. Siamo d'accordo? Il re di denari, riconoscibile, avrà il valore del tre di coppe, e il tre di coppe, che è una carta che si confonde con le altre, avrà il valore del re di denari. »

« È impossibile » aveva subito detto un altro giocatore, un certo Michele. « Anche se fossimo tutti d'accordo, sarebbe impossibile. »

« Perché? »

« Ma è naturale » disse un altro, un certo Mascolo. « Il re di denari, è sempre il re di denari. Potrà essere sporco, segnato, forato, ma rimane quello che è. »

« Basta mettersi d'accordo » diceva Daniele. « Il gioco andrà meglio se nessuno riconoscerà in anticipo chi ha in mano il re di denari. »

« Il nostro accordo non basta » ripeteva Michele. « C'è la legge. »

« Tu dici che il gioco andrebbe meglio? » diceva Mascolo. « Forse, ma sarebbe un gioco falso. »

Sciatàp che era all'altro tavolo, al tavolo dei vecchi, e aveva sentito la discussione, disse:

« Bisogna domandare a don Paolo. Un prete ne sa quanto il diavolo. »

« Non è possibile » disse Matalena. « Sta riposando. »

Ma don Paolo che aveva udito chiamare il suo nome, apparve in cima alle scale.

« Qualcuno ha chiesto di me? » egli domandò.

Cessarono d'incanto le discussioni e tutti offrirono da bere al prete. Egli ringraziò, cercò di scusarsi, ma infine dovette accettare di fare il giro della stanza e di avvicinare le labbra a ogni bicchiere, secondo il costume.

« Chi mi ha chiamato? » egli disse al termine della cerimonia.

Sciatàp gli spiegò il caso e concluse:

« Adesso spiegaci chi ha ragione. »

« Non si tratta mica d'immagini sacre » il prete disse ridendo.

Ma Sciatàp gli chiuse ogni scappatoia.

« Un prete ne sa quanto il diavolo » disse.

Don Paolo prese allora la carta del re di denari in mano e domandò a Michele:

« Credi tu che questa carta abbia un valore per se stesso, oppure che l'abbia ricevuto? »

137

Michele rispose:

« Essa vale piú delle altre, di per sé, essendo il re di denari. »

« Questa carta ha un valore fisso o variabile? » disse ancora il prete. « Vale il re di denari, in tutti i giochi, a tressette, a briscola, a scopa, sempre lo stesso oppure varia di valore? »

« Varia sempre di valore » disse Michele. « Varia secondo i giochi. »

« Chi ha inventato i giochi? » disse il prete.

Nessuno rispose.

« Non credete che il gioco sia stato inventato dai giocatori? » suggerí il prete.

Vari acconsentirono subito. Di tutta evidenza i giochi sono stati inventati dai giocatori.

Il prete concluse:

« Se questa carta ha un valore variabile, secondo l'accordo e la fantasia dei giocatori, a me pare che voi potete farne quello che vi pare. »

« Ben detto, bravo, benissimo » gridarono in molti.

Don Paolo si sentí lusingato dal successo. Egli si rivolse a Sciatàp.

« C'era una volta qui a Pietrasecca » disse « un uomo che si chiamava Carlo Campanella, e c'è a Nuova York un uomo che si chiama Mr. Charles Little-Bell, *Ice and Coal*. È una sola persona o sono due? »

« È la stessa persona » risposero vari.

« Se un uomo può cambiare nome, perché non può cambiarlo una carta da gioco? » disse il prete.

« Un re è sempre un re » disse Michele.

« Un re è un re finché regna » disse don Paolo. « Un re che non regna piú, è un ex re, non è piú un re. C'è un paese, un grande paese, donde a noi viene il sole, che aveva un re, diciamo un gran re di bastoni, che comandava su milioni di cafoni. Dal momento che i cafoni cessarono dall'ubbidirgli, egli non regnò piú, non fu piú re. Non lontano da noi, nella direzione dove il sole tramonta, c'è un paese dove regnava un altro re, diciamo un re di coppe o denari. Dal momento in cui i sudditi cessarono di ubbidire, egli cessò di regnare, cessò di essere re, divenne un ex re. Adesso egli è un emigrante, ciò che anche ognuno di voi può essere. Giocate dunque a settemmezzo come vi pare, e buona sera. »

Don Paolo riconsegnò la carta del re di denari a Daniele, diede la buona notte a tutti e risalí nella sua camera, seguito dalle acclamazioni degli ubbriachi.

Ma nei giorni seguenti la destituzione del re di denari ebbe un lungo strascico di commenti tra i cafoni di Pietrasecca.

La maestra del villaggio, la signorina Patrignani, se ne lamentò personalmente col prete.

« Nella classe dei grandi » ella disse « mi è stato impossibile oggi di fare lezione. I ragazzi non parlavano che di questa storia del re di denari e del tre di coppe e ripetevano, senza averli capiti, i discorsi da lei fatti ieri sera nella cantina. »

La maestra recava sul petto, sopra il cuore, l'emblema del partito governativo. Tra una frase e l'altra ella sospirava profondamente e l'emblema tricolore sobbalzava come una barchetta su onde agitate.

« Questa gente » disse la maestra « è molto ignorante e se ascolta una persona istruita come noi, capisce quasi sempre il contrario. »

La maestra aveva ricevuto il nuovo numero del giornale murale *Le notizie di Roma* destinato ad essere affisso sulla porta della scuola. Prima di affiggerlo essa aveva l'abitudine di leggere e spiegare le notizie piú importanti ai cafoni riuniti nella cantina di Matalena. Tra i cafoni si sparse la voce che quella sera anche il prete sarebbe stato presente e perciò la cantina si riempí piú del solito. Vennero persone che il prete non aveva ancora viste. In poco tempo si formò una piccola folla di una trentina di straccioni, accovacciati per terra, l'uno accanto all'altro. Don Paolo era seduto ai piedi della scala che conduceva al primo piano e poteva vedere quasi tutti in faccia. Dal mucchio si levava un puzzo di letame e di panni sporchi, un tanfo che stringeva alla gola. Gente sottomessa e diffidente, teste trasognate su ceppi contorti e ritorti, teste deformate dalla fame, dalle malattie, e qualche giovanotto selvatico e rissoso. I piú anziani, i notabili come Sciatàp, Magascià, Grascia, rimasero in piedi, vicino alla porta.

Alla presenza del prete forestiero, la maestra fu insolitamente nervosa e loquace. Ella raccomandò di stare bene attenti e di non aver timore di domandare spiegazioni sulle parole difficili. Poi cominciò a leggere a voce alta e stridula *Le notizie di Roma*.

"Abbiamo un capo" lesse "che tutti i popoli della terra ci invidiano e chissà che cosa sarebbero disposti a pagare per averlo nel loro paese..."

Magascià interruppe. Siccome non gli piacevano le espressioni generiche, egli chiese quanto esattamente gli altri popoli sarebbero disposti a pagare per acquistare il nostro capo.

« È un modo di dire » disse la maestra.

« Nelle compravendite non vi sono modi di dire » protestò Magascià. « Vogliono o non vogliono pagare? Se vogliono pagare, cosa offrono? »

La maestra ripeté stizzita che quello era solo un modo di dire.

« Allora non è vero che vogliono comprarselo? » disse Magascià. « E se non è vero, perché lí c'è scritto che vorrebbero acquistarlo? »

Anche Sciatàp aveva un'informazione precisa da chiedere.

« Quelli che vorrebbero comprarlo » disse « pagherebbero in contanti o con una cambiale? »

La maestra rivolse uno sguardo al prete, come per dire: "Vedete un po' con che razza di gente bisogna avere a che fare in questo paese?".

La notizia seguente riguardava i rurali.

« Chi sono i rurali? » domandò uno del mucchio seduto per terra.

« I rurali siete voi » rispose la maestra perdendo la pazienza. « Ve l'ho detto e ripetuto cento altre volte. »

Vari scoppiarono a ridere.

« Eravamo rurali e non lo sapevamo » dissero.

La maestra lesse:

« "La rivoluzione rurale ha raggiunto i suoi scopi su tutta la linea..." »

« Che linea? » domandò uno. « La linea ferroviaria? »

« I rurali siamo noi? » domandò Sciatàp. « La rivoluzione rurale è la rivoluzione che abbiamo fatto noi? »

« Giustamente » disse la maestra. « Mi congratulo con te per la tua intelligenza. »

« Quale rivoluzione abbiamo fatto noi? »

« Questa parola è qui intesa in senso spirituale » disse la maestra.

Sciatàp non volle sembrare ignorante e finse di capire, ma Magascià si dichiarò insoddisfatto.

« Quello è un foglio che ci manda il governo » egli disse. « Sopra c'è scritto che i rurali, cioè, secondo voi, i cafoni, hanno fatto una rivoluzione e che questa rivoluzione ha raggiunto i suoi scopi. Quali scopi abbiamo noi raggiunto? »

« Scopi spirituali » disse la maestra.

« Quali scopi spirituali? »

La maestra diventò rossa, s'impappinò e nessuno ci capí piú nulla. Infine ella ebbe un'illuminazione, impose silenzio e, nell'attenzione generale, disse:

« La rivoluzione rurale ha salvato il paese dal pericolo comunista. »

« Chi sono i comunisti? » disse Grascia.

La maestra era salva. Non aveva piú bisogno di riflettere.

« Ve l'ho spiegato altre volte, ma posso ripetervelo » disse. « I comunisti sono dei malviventi. Di preferenza essi si riuniscono di notte, nelle fogne della città. Per diventare comunisti bisogna calpestare il Santo Crocifisso, sputargli in faccia e promettere di mangiare carne il Venerdí Santo. »

« La carne chi gliela dà? » domandò Sciatàp. « La ricevono gratis o la devono pagare? »

« Non mi risulta » disse la maestra.

« Insomma » protestò il vecchio Grascia « il piú importante non lo sapete mai. »

La maestra si volse verso don Paolo come per cedergli la parola e togliersi d'impaccio, ma il prete pareva assorbito a esaminare le ragnatele del soffitto.

« Siccome non sono d'accordo, me ne vado » disse Grascia.

La maestra lo invitò a spiegare su quale punto non fosse d'accordo, ma il vecchio si allontanò senza rispondere.

Don Paolo lo raggiunse sullo spiazzo davanti alla locanda.

« Bravo, mi congratulo » gli disse il prete.

« L'ho detto solo per fare arrabbiare la maestra » disse Grascia. Egli trovava insopportabile che una donna volesse insegnare a degli uomini.

« Quando è la donna che insegna all'uomo » aggiunse « i figli nascono gobbi. »

La notte era calda. Dalla valle risalivano, lungo il fiumiciattolo invisibile, folate di tiepido scirocco che davano una leggera nausea. La piccola folla che si era radunata ad ascoltare la maestra, si disperse rapidamente. Vicino al ponte di legno, dove erano rimasti a conversare, don Paolo e Grascia furono raggiunti da Sciatàp, Magascià e Daniele.

« Prima di coricarci, dovremmo almeno rinfrescarci la gola » disse il prete.

« Se si tratta di ubbidire a un precetto della Chiesa » disse Magascià « possiamo essere d'accordo. »

Don Paolo consegnò del denaro a Sciatàp perché si facesse dare da Matalena un fiasco di vino. Grascia intanto aveva ripreso a inveire contro la maestra.

« Non c'è nulla di piú disgraziato » diceva « di una gallina che voglia fare il verso del gallo. »

« Ecco, bevete » disse Sciatàp.

Per don Paolo egli aveva portato un bicchiere, ma il prete rifiutò.

« Si beve meglio direttamente dal fiasco » disse.

Grascia rimaneva alle prese con la sua idea fissa.

« Uno di noi dovrebbe fargli la carità d'un figlio » disse. « Magari potremmo tirare a chi tocca. »

« Di chi parli? » gli domandò Magascià.

« Della maestra. »

« Lascia in pace quella disgraziata » disse Magascià. « Ognuno si guadagna la vita come può. »

« Bevi e passa il fiasco » gli disse Daniele. « Ce la tireremo a sorte un'altra sera. Non avrai mica fretta? »

« Va bene, aspetterò » disse Grascia.

« Forse tra giorni andrò via » disse don Paolo. « Mi sento abbastanza rimesso. Ma prima di partire vorrei avere una idea piú precisa del vostro modo di pensare. »

« Siamo zappaterra » disse Daniele. « È presto detto. C'è poco da pensare. »

« Anche un cafone qualche volta riflette » disse il prete. « Ecco, per cominciare, Daniele, non potresti dirmi che cosa pensi tu della situazione? »

« Di quale situazione voi parlate? » disse Daniele.

« Della situazione generale del paese. »

« Di quale paese? di Pietrasecca? Volete sapere se penso che Pietrasecca non starebbe meglio situata in un altro posto? Devo confessarvi che su questo punto non ho mai riflettuto. Questo paese è stato sempre qui. »

« Non mi hai capito » disse il prete. « Mi riferivo alle condizioni di vita in generale, qui e altrove, in Italia. Cosa ne pensi? »

« Niente » disse Daniele. « Sapete, ognuno ha i suoi dolori. »

« Ognuno ha le sue pulci » disse Sciatàp. « Secondo voi bisogna occuparsi anche di quelle degli altri? »

« Ognuno ha il suo piccolo pezzo di terra » disse Grascia. « Ognuno pensa giorno e notte al suo pezzo di terra. Se piove troppo, se grandina, se non piove affatto. Ma l'Italia è un'infinità di terre, montagne, colline, pianure, boschi, laghi, paludi, spiagge. Ci sarebbe da diventar pazzi, se si dovesse pensare a tutto questo. La testa dell'uomo è troppo piccola. La nostra piccola testa non può pensare che a un piccolo pezzo di terra. »

« A volte » disse Sciatàp « la nostra testa non basta neppure per il nostro piccolo pezzo di terra. E a che servono i pensieri? La grandine cade ugualmente. »

« Non mi avete capito » disse il prete. « Vorrei sapere che cosa ne pensate di questo governo. »

« Niente » disse Daniele.

Gli altri assentirono: « Niente ».

« Come? » disse il prete. « Eppure vi lamentate di continuo. »

« Ognuno ha i suoi dolori » disse Magascià. « Il resto non c'interessa. Tutt'al piú ci si occupa del vicino; si guarda la sua vigna o la sua terra; si guarda attraverso la porta o la finestra della sua casa, se la porta o la finestra è aperta; si guarda nel suo piatto, quando egli mangia la minestra seduto sulla soglia di casa. »

« Ognuno ha le sue pulci » disse Sciatàp. « Probabilmente anche il governo ha le sue. Faccia come noi, si gratti. Che altro gli possiamo consigliare? »

« Non mi avete capito » disse il prete. « Vorrei sapere che cosa pensate delle tasse, dei prezzi, del servizio militare, delle altre leggi. »

« Bevete » gli disse Magascià. « Reverendo, si vede che avete tempo da perdere. No, non volevo offendervi. Intendevo dire che sono domande superflue. Ognuno sa quello che pensiamo di certe cose. »

« Sulle tasse, sul servizio militare, sui fitti delle terre tutti la pensiamo allo stesso modo » disse Daniele. « Anche i piú timorati e sottomessi, anche i piú bigotti. Non è un segreto, non è un pensiero nascosto o nuovo. Sarebbe veramente strano che la pensassimo diversamente. »

« Bevi e passa il fiasco » disse Grascia.

« È vuoto » disse Daniele.

Don Paolo voleva offrire lui, di tasca sua, un altro fiasco, ma gli altri si opposero. « Spetta a noi » dissero. « Conosciamo le regole della creanza. » Misero assieme i soldi e Daniele andò alla cantina e tornò subito con un altro fiasco pieno.

« Bevete prima voi » egli disse al prete. « Servirà di benedizione. »

« Sí, vi lamentate » disse don Paolo riprendendo il discorso di prima « però rimanete curvi e rassegnati. »

« Si nasce e si cresce nello stesso pensiero » disse Sciatàp. « I piú lontani ricordi della nostra mente che cosa sono? I nostri vecchi che si lamentavano. I nostri figli che cosa ricordano della loro infanzia? Noi che ci lamentavamo. Si credeva che non potesse venire il peggio, ma il peggio è venuto. Anche i ciechi, anche i sordomuti lo sanno. Non ho mai incontrato una persona che la pensasse diversamente. »

« Anche le autorità lo sanno » disse Magascià. « Sapete che cosa ha detto il podestà di Fossa nel suo ultimo discorso in piazza? "Non pretendo mica che non vi lamentiate" ha detto, "ma fatelo almeno in famiglia, non in piazza, non nei corridoi del municipio. Abbiate almeno un po' di decoro." E in fin dei conti aveva ragione. Il decoro ci vuole. A che serve lamentarsi? »

« Non sono d'accordo » disse Grascia. « Se non altro serve a non scoppiare. »

« Bevi e passa il fiasco » gli disse Daniele.

« Ma non credete che un giorno le vostre tribolazioni possano finire? » disse il prete.

« Parli di un'altra vita, dopo morto? » disse Grascia. « Parli del Paradiso? »

« No, parlo di questo mondo » insisté don Paolo. « Non credete che un giorno i grandi proprietari possano essere espropriati e le terre date ai poveri? Che il paese sia amministrato da uomini come voi? Che i vostri figli, i vostri nipoti nascano uomini liberi? »

« Conosciamo questo sogno » disse Grascia. « Ogni tanto se ne sente riparlare. È un bel sogno, non ce n'è di piú bello. »

« Ma purtroppo non è che un sogno » disse Magascià.

« Un bel sogno » disse Sciatàp. « I lupi e gli agnelli pascoleranno assieme nello stesso prato. I pesci grossi non mangeranno piú i pesci piccoli. Una bella favola. Ogni tanto se ne sente riparlare. »

« Voi credete che sulla terra la dannazione sarà eterna? » disse il prete. « Voi non pensate che un giorno le leggi possano essere fatte da voi, a favore di tutti? »

« No » disse Magascià. « Questo no. Nessuna illusione. »

« Se dipendesse da me » disse Grascia « abolirei tutte le leggi. Il male viene da lí. »

« È un sogno » disse Sciatàp. « Un bel sogno. »

« Al posto di tutte le leggi abolite, se dipendesse da me, ne metterei una sola » disse Grascia. « Perché nessuno piú si lamenti, basterebbe, credete a me, questa sola legge: Ogni italiano ha il diritto di andarsene. »

« Impossibile » disse Daniele. « Chi ci rimarrebbe qui? »

« È un sogno » disse Sciatàp. « Un bel sogno. Sarebbe come cosa inchiuso il poi

« Bevi e passa il fiasco » gli disse Magascià.

« Non ce n'è piú » disse Sciatàp. « Vado a prendere un altro fiasco? »

« No, è già tardi » disse don Paolo. « Mi sento un po' stanco. »

Tornato in camera, egli tirò fuori dalla valigia il quaderno con l'intestazione *Sull'inaccessibilità dei cafoni* e si sedette vicino al tavolino. A lungo rimase pensieroso con la testa tra le mani; infine cominciò a scrivere: "*Forse essi hanno ragione*".

XIV

Appena don Paolo avvertí la locandiera che il giorno dopo egli sarebbe andato a Fossa, questa l'accolse come il preannunzio d'una catastrofe.

« Quando tornerete? » ebbe appena la forza di chiedere.

« Non so » egli rispose con esagerata indifferenza. « Forse tornerò solo per riprendere gli oggetti che per il momento lascerò qui. »

In quel momento, davanti alla locanda passava Teresa Scaraffa che andava a riempire la conca alla fontana.

« Teresa » chiamò Matalena. « Per l'amore di Dio, tienimi un po' d'occhio la casa, ché torno subito. »

« Che t'è successo? » gridò Teresa spaventata; ma non ebbe risposta.

Cosí come si trovava, spettinata e in pantofole, la locandiera si mise a correre, arrancando affannosamente per il vicolo delle stalle e per gli scalini che conducevano alla grotta di Cassarola la fattucchiera. La trovò sdraiata sopra un saccone di foglie di granturco, che si lamentava per i suoi dolori e sbriciolava pezzi di pane a una capra.

« Cosa t'è successo? » ella domandò alla locandiera. « Ti sta bruciando la casa? »

Col poco di fiato che le rimaneva, Matalena riuscí appena a dire:

« Egli parte. »

« È colpa tua » le rinfacciò subito la fattucchiera. « Dun-

147

que, io attizzo e tu spegni. Perché hai suscitato malintesi tra lui e donna Cristina? »

« Lo sai perché. Non certo per gelosia. »

« Solo nella tua testa di gallina poteva entrare il sospetto che don Pasquale volesse ospitare il prete. Dovresti sapere chi è che comanda in quella casa. »

Matalena si persuase facilmente della propria colpevolezza e cominciò a piagnucolare:

« Che cosa possiamo fare adesso? »

« Se c'è tempo, riparare il malfatto. Per legare qualcuno non si può andare contro natura. Anche un prete è fatto di carne. »

Matalena ridiscese in gran fretta alla locanda per pettinarsi alla meglio, cambiarsi il grembiule e calzare delle scarpe.

« Fammi questa carità » disse a Teresa con voce supplichevole. « Rimani qui ancora un po'. Devo andare da donna Cristina. »

Presentarsi in casa Colamartini, cosí, in fretta e furia, era per la locandiera particolarmente sgradevole. All'emozione per la partenza del prete si aggiungeva un motivo speciale di timidità. Nell'ultimo incontro con Cristina la locandiera era stata rozzamente sgarbata e da allora non si erano piú viste. Fortunatamente la porta le fu aperta dal padre. Ne sapeva egli qualcosa dei motivi per cui il prete voleva affrettare la sua partenza da Pietrasecca? Don Pasquale non ne sapeva nulla. Sopravvenne Cristina che ne sapeva ancor meno, perché negli ultimi giorni ella era stata malata.

« Anch'io vado a Fossa domani » disse don Pasquale. « Può dire a don Paolo che gli offro volentieri un passaggio. »

Cristina riaccompagnò la locandiera fino al cancello.

« Forse abbiamo commesso degli sbagli, gli uni e gli altri » disse Matalena umilmente. « Forse, di comune accordo, avremmo potuto fare di piú per trattenere don Paolo con noi. »

« Cosa potevamo fare? » disse Cristina.

« Forse, senza volerlo, voi l'avete offeso » aggiunse Matalena. « Egli aveva molta affezione per voi e l'ha ancora. »

« Come sta ora di salute? » domandò Cristina. « Parte senza essersi ristabilito? »

148

« In questi ultimi giorni » disse Matalena « egli ha perduto quello che prima aveva guadagnato. »

« Ne sono molto triste » disse Cristina.

Al mattino don Paolo fu puntuale all'appuntamento. Il mattino era chiaro, e dalla montagna scendeva un fresco odore di erba bagnata. Da molto tempo non si era vista una mattina cosí tersa. Mentre il vecchio Colamartini legava la cavalla alle stanghe della biga e aggiustava lentamente le tirelle, il morso, i paraocchi, Cristina venne a salutare il prete.

« Parte già? » disse. « Per sempre? »

« Non so » disse don Paolo impacciato. « Lascio qui i miei oggetti personali. Forse tornerò per prenderli o manderò qualcuno. »

L'irritazione di don Paolo contro la ragazza era svanita: gli era solo rimasto un certo rancore, una certa delusione. Ma, a dir la verità, la sua mente era altrove. Egli non si sentiva piú un malato.

La ragazza invece appariva deperita.

« Donna Cristina è stata malata » aveva detto Matalena al prete mentre quella mattina egli prendeva il caffè. « Ha sofferto molto. »

« Non lo sapevo » aveva detto il prete.

« È stata a letto una settimana » aveva aggiunto Matalena. « Voglio sperare che non sia stato per colpa vostra. »

« Per colpa mia? »

« È una ragazza molto sensibile e si è molto affezionata a voi. Non vi siete accorto che i gerani del balconcino sono appassiti? »

Don Paolo aveva accolto quelle parole con una certa irritazione.

« La biga è pronta » disse don Pasquale.

« Buon viaggio » disse Cristina. « Arrivederci, spero. »

« Arrivederci » disse don Paolo.

Cristina stava per aggiungere qualche cosa, ma la biga si mise in movimento. I due uomini rimasero un po' silenziosi, quasi impacciati.

« La cavalla si chiama Diana » disse don Pasquale. « La

149

comprai quindici anni fa per andare a caccia. Bei tempi che non tornano. »

La forma della biga con in sedili alti su quattro ruote, le anteriori piccole, le posteriori grandi, i finimenti della cavalla, i cuscini ricamati sui quali i due uomini erano seduti, il modo stesso di vestire dei due uomini, erano anche cose di altri tempi.

Dietro a una fila di asini veniva loro incontro un uomo a cavalcioni a un asino. L'asino era piccolo e i piedi dell'uomo toccavano quasi terra. L'uomo guardava verso il torrente e non s'accorse del passaggio della biga.

« Ha una mia terricciola in fitto e non paga da tre anni » disse don Pasquale al prete. « Ogni volta che m'incontra, gira la testa dall'altra parte. »

La biga raggiunse un traino che scendeva a valle, carico di sacchi di grano. Il carrettiere stava dietro il traino, aveva tirato la martinicca e faceva da contrappeso.

« Buon raccolto? » disse don Pasquale.

« Ecco tutto quello che mi è rientrato » disse il carrettiere. « È tutto qui e devo portarlo al padrone prima che venga l'usciere a pignorarlo. »

L'impasto rossiccio della valle si faceva cenerino a mano a mano che si avvicinava la pianura del Fucino. Le stoppie da poco falciate chiazzavano di gialle radure la campagna in pendio. In lontananza si vedevano alti coni di paglia e uomini che vi si agitavano attorno, come formiche. Passavano delle donne col bambino in braccio, come le madonne delle chiese, madonne nere e scontrose, che portavano il cibo agli uomini addetti alla trebbia. Il caldo cominciava a farsi sentire. La testa del cavallo era avvolta da una nuvola di moscerini.

La strada era dura, con brecciame non ancora pestato. Su un prato un gruppo di militi erano accovacciati davanti a una tenda col fucile tra le gambe. Un ciuchino era immobile in mezzo alla via bruciata dal sole e sembrava concentrare su di sé i fuochi della canicola. « Adesso svampa » disse don Paolo. Alcuni asini carichi di sacchi di farina venivano dal mulino di Fossa. Un gruppo di cafoni con dei fagotti sotto il braccio andavano verso la stazione. Anche sotto la canicola, la gente che partiva si metteva tutto quello che aveva, come se non dovesse piú tornare, come profughi in fuga.

Don Pasquale riconobbe sulla porta di una bottega un suo amico, fermò la biga e lo fece salire. Era un impiegato delle imposte, don Genesio.

« Non è una professione generalmente molto stimata » disse don Paolo.

« È vero » disse don Genesio. « Per i cafoni, specialmente per quelli piú arretrati delle valli, ogni impiegato è un grosso insetto parassita. »

« Non hanno tutti i torti » disse don Pasquale. « Per rimediare ai nostri mali, cosa fa Roma? Crea nuovi uffici. Dietro gli uffici s'intrufolano poi i capitalisti forestieri che la fanno da padroni. »

« Anche i preti » disse don Genesio. « Anche i preti sono considerati piú o meno parassiti, come gli impiegati. Con tutto ciò la gente sa di non poter fare a meno né degli uni né degli altri. »

« In che senso ci considerano parassiti? » disse don Paolo. « Alla stregua delle mosche e delle pulci? Se cosí, potrebbero fare a meno di noi senza difficoltà. »

« Con precisione non saprei » disse don Genesio. « Forse alla stregua delle corna di vacca che essi piantano sulle loro case contro il malocchio, o di qualcosa di simile. Comunque, non c'è da preoccuparsi: essi credono di non poterne fare a meno. »

In seguito la conversazione proseguí animata tra don Pasquale e don Genesio su questioni familiari, su trapassi di proprietà e ipoteche, mentre don Paolo pareva assorto in altri pensieri. Ogni tanto dalle colline arrivava l'eco d'un canto liturgico. Gruppi di pellegrini scendevano dai viottoli montani e si riunivano sulla strada nazionale.

« Vanno ai Santi Martiri di Celano » disse don Genesio. « Cammineranno tutta la giornata. »

Quando la biga arrivò a Fossa, don Pasquale lasciò il prete nella piazzetta davanti all'albergo Girasole e ripartí immediatamente, forse per non salutare la signora Berenice. Questa corse incontro al prete e gli baciò la mano con profondo rispetto.

« Qualcuno la sta già aspettando nella sala da pranzo » gli disse.

« Dov'è sua figlia? » chiese don Paolo ansioso.

« La mando subito a cercare » disse Berenice. « È tornata ieri da Roma, dove, grazie a Dio, ha trovato un buon impiego. »

« Mi fa piacere » disse don Paolo.

Nella sala da pranzo egli trovò Cardile seduto a un tavolo con mezzo litro davanti. L'incontro fu assai cordiale.

« Aspettavo anche il dottore » disse don Paolo deluso.

« Mi dispiace » disse Cardile « non è potuto venire. »

« Verrà stasera? Domani mattina? »

« Non credo » disse Cardile.

« Se lui non può muoversi, andrò io da lui » disse don Paolo. « Ho bisogno del suo aiuto per situarmi altrove. A Pietrasecca finirei per morire d'inedia. Ho un progetto da esporgli. »

« Ascoltami » disse Cardile impacciato. « Non possiamo piú contare sul dottore. »

« Perché? Te l'ha detto lui stesso? »

« Sí. »

« Ha paura? »

Berenice portò da bere anche per don Paolo e tornò in cucina.

« Il dottore è in una situazione difficile » disse Cardile. « Tra lui e altri medici del posto è in corso una lotta a coltello per la direzione dell'ospedale. Bisogna capirlo, non è cattivo, ma il suo avvenire ne dipende. Basterebbe il minimo sospetto per rovinarlo. »

Sulla porta della locanda apparve Bianchina. A causa del suo vestito bianco fu come un'improvvisa apparizione luminosa.

« Don Paolo » ella gridò piena d'allegria.

Il prete andò subito verso di lei.

« Come stai? » disse. « Com'è andato il viaggio? »

152

« Punto per punto secondo il programma » disse Bianchina.

La madre che stava apparecchiando i tavoli, guardava compiaciuta.

« Mi racconterai dopo » disse don Paolo, accennando alla madre che avrebbe potuto ascoltare.

Egli ignorava il pretesto inventato dalla ragazza per giustificare il proprio viaggio a Roma. Da ogni punto di vista, ella appariva ripulita, senza quell'aria zingaresca e canaglietta che aveva ancora nella visita a Pietrasecca. Con una certa enfasi, in modo da farsi ascoltare anche dalla madre, ella cominciò a raccontare al prete delle basiliche e dei musei romani; ma, appena la madre sparí in cucina, gli disse sottovoce:

« Ho riportato delle carte per te, le tengo nascoste in soffitta. »

« Di che si tratta? » disse don Paolo.

« Non so, sono sigillate » disse Bianchina. « Poiché hai avuto fiducia in me, eccezionalmente ho rispettato il segreto. Te le porterò in camera. »

« Va bene » disse don Paolo. Rivolto a Cardile egli aggiunse: « Ordina da mangiare anche per me. Mi raccomando, niente spaghetti. Tornerò subito ».

Sul pianerottolo del primo piano egli ricevette da Bianchina una grossa busta gialla.

« Grazie » disse. « Ci vedremo piú tardi. » Egli entrò nella camera che gli era stata riservata e chiuse la porta. Aprendo la busta, le mani gli tremavano. Era il primo corriere del "Centro estero" che gli perveniva dopo il suo ritorno in Italia. La busta conteneva copie assai sbiadite di tre voluminose relazioni, accompagnate da un laconico biglietto in cui egli era invitato a esprimere immediatamente il suo pensiero su quei documenti. Egli si limitò a leggere i titoli delle relazioni: "La crisi nella direzione del partito comunista russo e i doveri dei partiti fratelli", "La complicità criminale degli oppositori di destra e di sinistra col fascismo imperialista", "La solidarietà di tutti i partiti dell'Internazionale con la maggioranza del partito comunista russo". Egli ripose quelle carte in una valigetta e scese nella sala da pranzo.

Durante tutto il pranzo non pronunziò che poche parole.
« Cattive notizie? » disse Cardile.

« Pessime » disse don Paolo. « Servizio speciale da Bisanzio » aggiunse dopo un po', con una smorfia.

« Non ho capito » disse Cardile.

« Neppure io » disse don Paolo. « Sono invece sorpreso di vedere che ti sei ordinato spaghetti. »

« A te proprio ti disgustano? » disse Cardile. « Non capisco perché. »

Il resto del pranzo trascorse in silenzio. Solo alla fine don Paolo disse:

« Forse domani torno a Roma. »

« Tutto sommato » disse Cardile « il tempo trascorso qui t'è servito a qualcosa. »

« Sí, mi pare d'aver raccolto un bel pugno di mosche » disse don Paolo. « Dove hai lasciato la biga? »

« Qui accanto » disse Cardile. « Purtroppo dovrò ripartire subito per non destare sospetti in famiglia. Quando ci rivedremo? »

Don Paolo l'accompagnò alla biga. Al momento di partire, Cardile l'abbracciò.

« Tu sai dove abito » gli disse. « Sai anche dove si trova il mio pagliaio. »

Davanti alla porta dell'albergo Girasole affluivano intanto i soliti fannulloni, essendo l'ora del caffè. Uomini maturi con la barba di una settimana, in maniche di camicia e pantofole, i pantaloni e i colletti sbottonati, e giovanottoni con capigliature copiose ben oleate. Alcuni di questi attorniavano un uomo anziano, che gesticolava, con un'espressività di maschera su una faccia di vecchio attore di provincia.

« Chi è quell'uomo? » chiese don Paolo a Berenice.

« È il nostro piú grande avvocato » disse Berenice. « Marco Tuglio Zabaglia, detto Zabaglione. »

Il nome non riescí nuovo al prete. Egli domandò:

« Non era una volta il capo dei socialisti di queste parti? »

« Proprio lui, però una brava persona. »

Zabaglione si avvide della presenza del prete sulla porta dell'albergo e si presentò:

154

« L'avvocato Zabaglia. Onoratissimo. La signora Berenice mi ha fatto il suo panegirico. So tutto di lei. Scusi, è forse anche della curia? »

« Quale curia? » disse don Paolo.

« Della curia vescovile. Sa, lo domando perché vorrei sapere se sono già stati fissati gli oratori sacri per la partenza dei richiamati e chi verrà qui da noi. »

« Saranno fissati tra giorni » disse don Paolo. « Chi saranno i designati? Vergine santa, i soliti. »

Don Paolo si trovava di fronte all'uomo di cui, da ragazzo, aveva sentito sempre parlare con odio da parte dei proprietari e amore dalla povera gente. La celebrità provinciale di Zabaglione veniva dalla sua eloquenza forense. Nei giorni di udienze penali al tribunale, se si sapeva che Zabaglione doveva parlare, le botteghe degli scarpari, dei sarti, dei falegnami, dei portieri, si vuotavano; quelli che potevano, andavano a udirlo. Molte sue celebri arringhe erano rimaste in proverbio. Nei primi anni della dittatura, anche Zabaglione, purtroppo, aveva dovuto darsi grosse pene per far dimenticare il suo passato tribunizio. La sua vecchia barbetta alla Mazzini, che aveva portato dagli anni giovanili, egli la trasformò in un pizzo alla Balbo, come pure sfoltì e accorciò la chioma; modificò il nodo della cravatta; e cercò anche, benché invano, di smagrire. Ma, se quelli erano stati i sacrifizi più visibili e quindi più penosi, ai quali il vecchio tribuno aveva dovuto sottoporsi, chi poteva enumerare le altre piccole mortificazioni quotidiane, come il rinunziare alle proprie idee, lo stare attento al modo di parlare sul governo, il rompere i rapporti con gli amici sospetti? Zabaglione ci aveva messo tutta la sua volontà, questo nessuno lo negava, tuttavia non era riuscito completamente a riabilitarsi. Egli era sempre tenuto ai margini delle nuove istituzioni.

Quello che negli ultimi anni l'aveva fatto maggiormente soffrire, era stato di dover star zitto, quando così spesso vi sarebbe stata occasione di parlare, commovendo gli animi della folla "per innalzarli, come lui diceva, all'altezza degli avvenimenti". Eventi storici erano andati in tal modo del tutto sciupati, ed è la maggiore sciagura che possa capitare ad un paese civile.

« Vuol farmi l'infinito onore di venire a prendere il caffè in casa mia? » disse Zabaglione al prete. « Alcuni miei amici sarebbero felici di conoscerla. »

« Grazie, non posso » disse don Paolo. Egli rientrò in albergo, ma bruscamente tornò sui suoi passi. « È meno tardi di quello che temevo » egli disse a Zabaglione. « La accompagno volentieri. »

XV

Per arrivare alla casa dell'avvocato Zabaglia si doveva anzitutto attraversare la parte vecchia del paese: vicoletti oscuri
e antichi, recanti nomi di santi e benefattori locali, piazzette
silenziose, chiuse da case di pietra, annerite dal tempo. Dopo
il paese vecchio s'incontrava il quartiere nuovo, costruito in
seguito al terremoto a imitazione di città-giardino. Le vie e i
viali erano troppo vasti per i bisogni locali. I nomi delle nuove vie glorificavano le recenti date del partito di governo.
Sulle facciate delle case, sulle fontane, sugli alberi, sulle cancellate dei giardini, si leggevano eroiche parole d'ordine, scritte col carbone, con la calce, col catrame, dipinte a vari colori,
e anche in rilievo, scolpite sul legno e su pietra e perfino fuse
in bronzo.

« Siamo arrivati » disse l'avvocato.

Davanti alla sua casa sostava un gruppo di muratori seduti
per terra, con la pagnotta, il coltello e peperoni rossi e verdi
come companatico. Essi salutarono cordialmente l'avvocato.
La casa stessa era protetta da un muro di cinta sormontato
da schegge di vetro. Nel giardino, ginocchioni sulla ghiaia,
un ometto faceva pulizia attorno a un'aiuola i cui fiori rappresentavano i tre colori della bandiera italiana. Sulla soglia della porta si fece avanti una signora fine, bellina e delicata, coi
capelli arricciati al ferro rovente, la moglie di Zabaglione.

« Bacia la mano al reverendo e preparaci il caffè » disse il
marito.

La signora baciò la mano e si ritirò in cucina. Nel vestibolo apparvero tre giovinette vestite di scuro, magrissime, pallide, come tre piante cresciute all'ombra. Erano le figlie.

« Baciate la mano al reverendo » disse il padre « e lasciateci soli. »

Le ragazze baciarono la mano, fecero una piccola genuflessione e sparirono anche loro.

« Le mie figlie » disse Zabaglione « ogni domenica le mando alla messa. Lo domandi pure, se non mi crede, al curato di Fossa, don Angelo. Dove andrebbe a finire la donna senza il freno della religione? Naturalmente la madre le accompagna. »

Nel salotto si respirava un acuto odore di orina di gatto. Tendaggi azzurri sdruciti pendevano dalle finestre; scaffali pieni di libri polverosi occultavano quasi interamente le pareti. Sulla scrivania troneggiava il busto in gesso d'uno sconosciuto, forse un antenato, attorniato da numerose fotografie giallastre.

« Si accomodi » disse cordialmente l'avvocato. « Io la conosco, perché, ripeto, ho udito raccontare su di lei un gran bene. »

Senza tanti preamboli il prete portò il discorso sul tema che gli stava a cuore.

« Una quindicina d'anni fa » egli disse « io mi occupavo dell'organizzazione dei contadini cattolici. In seguito, le nostre organizzazioni, come quelle socialiste, furono sciolte. Quindi la nostra situazione, per un certo lato, si assomiglia. Qual è da queste parti, attualmente, lo stato d'animo dei vecchi leghisti socialisti? »

Zabaglione diventò improvvisamente riservato e si mise a fare ordine tra le carte della scrivania. Il silenzio diventò penoso.

Per invogliare Zabaglione a parlare, don Paolo inventò qualche cosa sulla situazione della propria diocesi. Parlò di una difficile crisi vinicola e di una crescente irrequietezza popolare. Le corporazioni erano vuoti simulacri a cui nessuno piú credeva.

« E qui? » disse il prete. « Cosa ne pensano i vecchi leghisti rossi? Sono rimasti socialisti? »

« Non lo furono mai » disse l'avvocato.

« La maggior parte dei comunisti erano stati nondimeno conquistati dalle vostre leghe rosse » disse il prete. « Forse ricordo male? »

« La sua memoria è perfetta » disse l'avvocato. « Ma non si trattava di leghe politiche, questo è il punto. I contadini poveri, quelli che noi chiamiamo cafoni, entrarono nelle leghe per cercarvi un po' di compagnia e protezione. Il socialismo, nella loro mente, era stare assieme. Lavorare e mangiare finché lo stomaco lo richiede, quest'era l'idea dei piú audaci. Lavorare e dormire in pace, senza essere spaventati dall'indomani. Nella nostra lega di Fossa, accanto al ritratto barbuto di Carlo Marx, c'era un quadro di Cristo con la veste rossa, il Redentore dei poveri. Il sabato sera i cafoni venivano alla lega per cantare "Su fratelli, su compagni" e la domenica mattina andavano alla messa per rispondere "Amen". L'occupazione essenziale di un capo socialista era quella di scrivere lettere di raccomandazione. Adesso le raccomandazioni le scrivono altre persone; le mie raccomandazioni non valgono piú nulla, perciò i cafoni non si interessano piú di me. Il mutamento di regime per i cafoni consiste in questo. »

« Ma non c'erano anche dei socialisti? » voleva sapere il prete.

« L'unico socialista, in questa contrada, per cosí dire ero io » disse Zabaglione. « Tra i cafoni delle leghe c'era sí qualche gruppo un po' risentito, ma fu punito duramente. I sopravvissuti evitano d'incontrarsi, di trovarsi assieme. »

« Qui non avvennero però fatti gravi come altrove » disse don Paolo. « Perché tanto timore? »

Zabaglione tacque un po'.

« Anche qui » disse sottovoce « anche qui non mancarono ignominie. Il 19 gennaio 1923 (è una data che non mi esce dalla testa) una squadra di rinnovatori invasero la casa del capolega di Rivisondoli, e in ventidue violarono la moglie. Il lavoro durò dalle 11 alle 2 di notte. Un episodio. Qualcuno dei nostri cafoni si rifugiò in quel tempo in Francia o in America. I rimasti, come sa, non si chiamarono piú cafoni, ma rurali. »

« Però elementi di opposizione ne esistono ancora » disse don Paolo. « Qualcuno ricorderà con nostalgia quella possibilità di stare liberamente assieme. »

« Che resti qui fra noi » disse Zabaglione « ma, anche a me, il socialismo piaceva. Dato che lei è sacerdote, devo confessarle una mia debolezza? Ecco, le teorie del socialismo mi lasciavano indifferente, ma il suo movimento mi piaceva, come mi piacevano le donne. I piú bei discorsi della mia vita li ho fatti sul socialismo... »

Con grande rammarico del prete, nel momento in cui la conversazione si metteva piú confidenziale, arrivarono gli altri ospiti: don Genesio, che il prete già conosceva, il capoguardia municipale e il farmacista don Luigi. Il capoguardia aveva l'uniforme sontuosa d'un generale d'anteguerra.

« Quante guardie comanda lei? » gli chiese don Paolo.

« Per ora, una » egli rispose. « Capirà, il comune è povero e s'ingrandisce lentamente. »

Don Luigi era un bell'uomo, con i baffi e i capelli all'Umberto e una mosca sulla gota. Egli disse:

« Reverendo, le assicuro che mando mia moglie alla messa ogni domenica. Se lei non mi crede, può domandare al curato di qui. La religione, secondo me, è per le donne quello che il sale è per la carne di porco. Serve a mantenere la freschezza e il sapore. »

Don Genesio si era ripulito; anche lui appariva accuratamente chiomato e oleato. Come c'era da aspettarselo, pure lui mandava la moglie a messa ogni domenica.

« La notizia che la banca ha chiuso gli sportelli comincia ad arrivare ai depositanti delle valli » disse don Luigi. « Ho incontrato poco fa don Pasquale Colamartini di Pietrasecca che sembrava fuori di senno. Egli aveva nella banca quello che gli restava della dote della moglie scema, e ignorava che la banca navigasse tra le mine. »

Zabaglione sospirò.

« In altri tempi » disse « il fallimento di una banca avrebbe dato luogo a un bel processo. »

« Avete mai udito raccontare di un famigerato Pietro Spina? » domandò il capoguardia.

Don Paolo si mise a sfogliare un album di cartoline illustrate.

« Un ragazzo della famiglia Spina di Rocca dei Marsi » disse il capoguardia. « Un pazzoide rivoluzionario. Sembra che fosse emigrato e dall'estero sia rientrato in Italia per commettere attentati. La polizia lo ricercava da tre mesi. L'aveva segnalato anche nel nostro circondario perché sembrava volesse incendiare i covoni di grano sulle aie della trebbiatura. Oggi è arrivata la notizia del suo arresto a Roma. »

« Un altro bel processo che sfuma » disse Zabaglione.

« Come dici? » chiese il capoguardia.

« Un po' di reclusione » disse Zabaglione « gli farà del bene. »

« Hai detto Spina di Rocca dei Marsi? » domandò don Luigi « conosco quella famiglia. Ho fatto l'Università con don Ignazio Spina, il padre di quel ragazzo. Il padre era un brav'uomo, morí al terremoto. Un'altra vecchia famiglia che traligna. »

« Come si è risaputo che voleva bruciare i covoni di grano? » disse don Paolo. « È stato visto da queste parti ai tempi della mietitura? »

« Da queste parti non è stato mai visto, né ora, né negli anni passati » disse il capoguardia. « La sua propaganda egli l'ha svolta sempre in città. Ma per la prima volta, durante questa mietitura, si sono viste alcune scritte rosse sui muri: "Viva Pietro Spina". È segno che deve essere stato da queste parti. »

« Crede lei che sia venuto da queste parti per scrivere il proprio nome sui muri? » disse il prete.

« Non lui, ma i suoi » disse il capoguardia.

« Ah, i suoi » si lasciò sfuggire don Paolo. « Vi sono dei cafoni che si ribellano? »

Egli stava per dimenticare la prudenza.

Una delle figlie dell'avvocato serví il caffè.

« A me senza zucchero » disse don Paolo.

« Non tra i cafoni, ma tra i giovani c'è molto fermento » ammise il capoguardia. « Con la scusa del corporativismo si sentono discorsi in giro che fanno rizzare i capelli sulla testa. »

« La nuova generazione è la generazione pericolosa » disse don Luigi. « Come dire? La generazione che presenta i conti. La nuova generazione ha preso alla lettera che il corporativismo è la fine del capitalismo e vuole la distruzione del capitalismo. »

« Ecco la radice del male » disse Zabaglione. « Prendere le teorie alla lettera. Nessun regime deve essere preso alla lettera. Altrimenti dove si va a finire? Avete letto sui giornali di oggi? In Russia è stata ristabilita la pena di morte per gli adolescenti. Perché? Probabilmente perché ve ne sono che prendono alla lettera la costituzione sovietica. Bisognerebbe stabilire la regola che la costituzione di un paese è una faccenda che riguarda unicamente gli avvocati e le persone anziane piú fidate, e che dev'essere strettamente ignorata dai ragazzi. »

Il capoguardia assentí.

« Come sapete, io sono stato incaricato della sorveglianza della biblioteca comunale » egli disse. « Veramente che bisogno ci fosse qui di una biblioteca, non so. Chi vuol leggere i libri, dovrebbe comprarseli. Ma l'ordine era quello e la biblioteca fu aperta ugualmente. I libri arrivarono da Roma. Dunque, si poteva immaginare, convenientemente censurati. Invece, che succede? Vengono i ragazzi, domandano la raccolta dei primi scritti del capo del governo e si mettono a gridare: "Ecco, qui c'è scritto che bisogna distruggere la chiesa, la dinastia e il capitalismo". Ho cercato di spiegare loro che quei libri sono stati scritti per le persone adulte e non per i ragazzi, e che alla loro età essi dovrebbero leggere piuttosto delle fiabe. Non c'è stato verso di distrarli. Alla fine, col permesso delle superiori autorità, ho dovuto ritirare quei libri dalla biblioteca e nasconderli in un armadio chiuso a chiave. »

« Troppo tardi » disse don Luigi. « Ho saputo da mio figlio che circolano tra i giovanotti estratti di quei libri che qualcuno, per conto suo, ha già copiato. Alcuni giovani s'incontrano nella villa delle Stagioni, al di là del torrente, per leggerli e commentarli. "Verrà una seconda rivoluzione" dice

162

mio figlio "per realizzare quello che c'è scritto in questi libri..." »

« Sono giovani contadini? » disse don Paolo.

« Tre o quattro giovani studenti » disse il capoguardia. « Le autorità sanno tutto e al momento opportuno interromperanno il gioco. »

Zabaglione scosse la testa:

« Il peggiore dei mali » egli disse « è quando i ragazzi cominciano a prendere sul serio quello che leggono sui libri. »

Don Paolo e il farmacista lasciarono assieme la casa di Zabaglione.

« Lei ha detto di aver conosciuto il padre di Pietro Spina quando era ancora studente » disse il prete. « Era anche lui "pazzo" come suo figlio? »

« Ci conoscemmo a Napoli » disse don Luigi. « Come la maggior parte degli studenti di allora, eravamo repubblicani. Giuseppe Mazzini era il nostro Dio e Alberto Mario il suo profeta vivente. Poi tornammo alla Marsica. Egli prese moglie quasi subito. Mi venne a trovare qualche anno dopo, era già irriconoscibile. Non dimenticherò mai le sue parole. "È finita la poesia, è cominciata la prosa", mi disse. Sinceramente, adesso mi dispiace per suo figlio. »

« Aveva conosciuto anche la moglie di don Ignazio? » chiese il prete.

« L'incontrai un paio di volte col marito » disse don Luigi. « Un'ottima signora. »

« Di che cosa dunque si lagnava il suo amico? »

« Non certo della moglie » disse don Luigi « ma dell'insieme di meschine rivalità, gelosie, invidie, sordidi interessi della vita di provincia. »

« Mi pare » disse il prete ridendo « che lei stia giustificando la ribellione di quel ragazzo, come si chiama, voglio dire del giovane Spina. »

« No » disse don Luigi. « La sua rivolta è illusoria, quindi deprecabile. Quel povero giovane non può ispirarmi che della compassione. Adesso le autorità si lagnano con me perché mio figlio Pompeo aizza i suoi compagni e ciancia di una seconda rivoluzione. Non lo posso certo approvare, ma non vorrei neppure che fosse preso sul tragico e maltrattato. Ora egli è alla poesia, dico io, poi avrà una professione, prenderà moglie, e arriverà alla prosa. »

« Cosa succederebbe se gli uomini rimanessero fedeli agli ideali della loro gioventú? » disse don Paolo.

Don Luigi alzò le braccia al cielo, come per dire: "il finimondo".

« Arriva sempre un'età » egli disse « in cui i giovani trovano insipido il pane e il vino della propria casa. Essi cercano altrove il loro nutrimento. Il pane e il vino delle osterie che si trovano nei crocicchi delle grandi strade, possono solo calmare la loro fame e la loro sete. Ma l'uomo non può vivere tutta la sua vita nelle osterie. »

→ alla vecchiaia

Il prete vide da lontano un vecchio signore appoggiato a un lampione stradale, come se fosse preso da malore e riconobbe don Pasquale Colamartini. Subito egli si congedò dal farmacista e di corsa lo raggiunse. Il vecchio era come tramortito e stentò a riconoscere il prete, finché gli cadde tra le braccia.

« Coraggio » gli diceva don Paolo. « Coraggio. »

Il vecchio respirava affannosamente, il suo pallore era già cadaverico e non riusciva ad articolare parola. A fatica il prete poté accompagnarlo, passo a passo, fino alla biga. Piú difficile fu di sollevarlo a cassetta e d'assicurargli le redini tra le mani tremanti.

Il vecchio aveva gli occhi pieni di lagrime. A stento poté dire:

« È la fine. Proprio la fine. »

« Non c'è nessuno, qui, che potrebbe accompagnarla fino a Pietrasecca? » gli chiese don Paolo. « Non ha qui un amico che potrebbe salire sulla biga accanto a lei? »

Il vecchio scosse la testa.

« Nessuno, nessuno » disse piagnucolando.

Don Paolo seguí con lo sguardo la biga fino alla curva della strada. Davanti all'albergo Girasole egli trovò un crocchio di persone che commentavano il fallimento della banca.

« Per ciò che riguarda don Pasquale » diceva Berenice « è un meritato castigo di Dio. Si sposò in seconde nozze con una vecchia idiota per avere i suoi soldi senza averne figli.

Adesso i soldi li ha perduti, i figli della prima moglie lasciano la casa e la vecchia scimunita gli resta. »

Don Paolo stava per protestare, quando sentí afferrarsi per un braccio. Era Bianchina.

« Vieni » gli disse. « Non farti cattivo sangue. »

« Come può tua madre essere cosí cattiva? » disse il prete.

« Forse si sente in dovere di esserlo per causa mia » disse Bianchina « come una buona madre. Almeno la poveretta crede di essere tale. »

« Le buone madri, che istituzione funesta » disse il prete. Poi aggiunse: « Sono pentito di non essere salito sulla biga, accanto a don Pasquale. Ho un triste presentimento ».

« Povero vecchio » disse Bianchina. « Se il mio gesto non rischiasse di essere da lui stesso male interpretato, potrei cercare di raggiungerlo, di soccorrerlo, di aiutare Cristina. Ma qui non si può fare un sospiro che non sia subito male inteso. Senti, don Paolo, ascoltami, ti prego, portami via di qui; ti supplico, qui non ci posso piú vivere. »

« Ne riparleremo » disse don Paolo. « Conosci il figlio di don Luigi il farmacista? »

« Pompeo? » disse Bianchina. « È un mio amico. Mi fa piacere che egli ti interessa. Gli ho già parlato di te. Se mi accompagni alla villa delle Stagioni, te lo presento. »

La villa delle Stagioni era una vecchia residenza signorile, decaduta e trasformata in casa colonica. Una volta era la villeggiatura estiva di un barone, in seguito morto a Roma carico di debiti.

Strada facendo, Bianchina disse:

« Alla villa probabilmente conoscerai anche Alberto Colamartini, il fratello di Cristina. »

« A Pietrasecca ho udito qualche storia su voi due » disse don Paolo.

« Da Cristina? »

« No, tu conosci la sua riservatezza. »

« Avrei preferito che te ne avesse parlato Cristina » disse la ragazza. « Almeno lei non vi avrebbe ricamato sopra alcun pettegolezzo. »

« Però anche Cristina era contraria al vostro matrimonio » disse don Paolo.

« Anch'io » disse Bianchina. « Alberto ebbe il torto di parlarne col padre, a mia insaputa. Sai cosa scrissi a don Pasquale in quell'occasione? Non te l'hanno raccontato? Non ho alcuna inclinazione al matrimonio, gli scrissi, ma, se in un momento di stanchezza, mi ci rassegnassi, iscriverei vostro figlio Alberto ultimo nella graduatoria dei giovanotti da rendere infelici. »

« Lo ami tanto? » disse il prete.

« Non per questo » disse Bianchina. « Ma egli mi somiglia troppo. »

I due erano intanto arrivati al muro di cinta della villa. La grande porta cocchiera per la quale si entrava nel parco, aveva i battenti scardinati e appoggiati di sghimbescio contro il muro. Lungo il viale d'onore crescevano liberamente ortiche e papaveri. Un padiglione in stile rinascimentale, ricoperto di edera, era diventato un fienile, e la gabbia per i pavoni serviva da pollaio. L'edificio della villa era costruito da due fabbricati che s'incontravano ad angolo retto. Al pianterreno, in un braccio, c'era la stalla delle vacche e dei cavalli, nell'altro l'abitazione dei coloni. I piani superiori, avendo le finestre senza imposte, davano l'impressione d'essere abbandonati oppure adibiti a granai. Sulla facciata, tra un balcone e l'altro, vi erano quattro nicchie vuote. Grandi scritte di vernice rossa si leggevano sui muri screpolati e striati di umidità: "Viva le corporazioni senza i padroni", "Viva la seconda rivoluzione". In un angolo un giovane stava giocando da solo con un pallone di cuoio.

« Alberto » chiamò Bianchina. « Quest'è il famoso Alberto » ella disse al prete.

« Siete sceso oggi da Pietrasecca? » disse Alberto a don Paolo. « Come sta Cristina? »

Egli aveva la figura snella, lo sguardo e la voce immatura d'un ragazzo; il volto aperto e insieme protervo.

« Sono in pensiero per vostro padre » gli disse don Paolo con voce grave. « Sapete anche voi del fallimento della banca in cui aveva tutto il suo denaro? Questa notizia gli ha inferto un colpo che può essergli fatale. Poco fa l'ho dovuto aiutare a salire sulla biga. Ho un triste presentimento. »

« La persona che voi chiamate mio padre » disse Alberto « m'ha scacciato di casa. Egli non mi considera piú come figlio. »

« Se voi l'aveste visto poco fa » disse don Paolo « sono certo che avreste dimenticato i dissapori passati. Egli era un povero vecchio che non si reggeva in piedi, un povero vecchio colpito a morte. »

« Non pensi di andare subito a Pietrasecca? » gli chiese Bianchina. « Potrei procurarti un cavallo. »

« Se lo raggiungessi ancora vivo » disse Alberto « il mio solo arrivo potrebbe essergli fatale. Se arrivassi tardi, mia nonna mi scaccerebbe. Avete conosciuto quella terrificante megera? Mi dispiace solo per Cristina. »

Arrivò un altro giovane, press'a poco dell'età di Alberto, ma piú forte e aitante, con un maglione sportivo e calzoncini corti.

« Quest'è Pompeo » disse Bianchina.

« Bianchina ci ha parlato di voi » disse Pompeo.

« Mi pare » disse Bianchina « che voi siete fatti per intendervi. »

« È probabile » disse don Paolo « che sulle questioni essenziali siamo d'accordo. Non parlo tanto di teorie politiche, quanto dell'uso da fare della nostra esistenza. Ma è un accordo difficile a esprimersi. »

« Perché? » disse Pompeo.

« Ci dividono alcune cose superficiali » disse don Paolo. « Per intenderci non bisognerebbe aver paura di spogliarci dei luoghi comuni, dei simboli, delle etichette. »

« Noi non abbiamo paura » disse Pompeo.

« Siamo arrivati a un punto » disse don Paolo « in cui un fascista sincero non dovrebbe aver paura di parlare con un comunista o un anarchico; un intellettuale con un cafone. »

« Volete forse dire che tutte le divisioni tra gli uomini sono artificiali? » domandò Pompeo. « Che le lotte sono inutili? »

« Certamente no » disse don Paolo. « Ma ve ne sono di

artificiose, create a bella posta per nascondere le opposizioni essenziali. Vi sono forze divise che dovrebbero essere unite, ve ne sono altre, artificialmente unite, che dovrebbero essere spartite. Molte divisioni attuali sono malintesi verbali. Molte unioni non sono che accordi di parole. »

« Sediamoci » disse Bianchina. « Si pensa meglio. »

Da un locale del pianterreno furono prese due panche di legno e accostate al muro. In quel momento arrivò un giovane contadino che aprí le porte della stalla. Uscirono le vacche a due a due, a passi lenti, e andarono a bere a una vasca che era in un angolo del cortile. Erano vacche magre, da lavoro, bianche e nere, con grandi corna arcuate; esse bevevano lentamente, guardando di sbieco le persone sedute sulle panche. Il vaccaro chiuse la porta della stalla e venne a sedersi accanto agli altri.

Pompeo stava dicendo:

« C'era un uomo che aveva salvato il paese dalla rovina e indicato la via del rinnovamento. Le sue parole erano chiare e non lasciavano dubbi. Arrivato al governo, noi ci si meravigliava che i suoi atti fossero in contrasto con le sue parole. Ci domandavamo: "È possibile che egli abbia tradito?". È venuto qualcuno da queste parti, alcune settimane fa, e ci ha rivelato la verità. Egli è prigioniero della banca, ci ha detto. Nient'altro. Ma in che senso intendeva? È veramente in catene nel sotterraneo di una banca? Oppure era un modo di dire? »

« Che ne pensate voi? » domandò il vaccaro al prete.

« Che l'uomo di cui parlate, sia veramente detenuto in una banca, non saprei dire con certezza » disse don Paolo. « Alcuni lo credono. D'altronde non si tratta di un uomo solo. Quello che è certo e di cui ognuno può accertarsi purché abbia gli occhi aperti, è che l'intero paese è prigioniero della finanza. »

« Che bisogna fare dunque? » disse Bianchina.

« Anch'io sono convinto che bisogna preparare una seconda rivoluzione » disse don Paolo. « Bisogna liberare il nostro paese dalla prigionia della banca. È una impresa lunga, aspra e piena d'imboscate. Ma ne vale la pena. »

Don Paolo aveva parlato con calma e senza enfasi alcuna, ma anche con un accento di fermezza da non lasciare dubbi. Bianchina gli saltò al collo e l'abbracciò.

« Chi si sarebbe mai immaginato di avere un prete con noi, per la seconda rivoluzione? » disse Alberto ridendo.

« Don Paolo non è un prete, ma un santo » disse Bianchina. « Non ve l'avevo detto? »

« In tutte le rivoluzioni » disse Pompeo « vi sono stati dei preti che hanno abbracciato la causa del popolo. »

« Devo dirvi » dichiarò don Paolo « che io non ci tengo molto alla veste talare. »

« È piú prudente che lei resti prete » disse Pompeo.

« Rispettiamo la prudenza » concluse il prete ridendo.

« Ma che cosa c'è da fare subito, praticamente? » disse il vaccaro.

« Se permettete » disse don Paolo « di questo preferirei parlare anzitutto a quattr'occhi con Pompeo. »

Il prete e il figlio del farmacista perciò si allontanarono. Essi sorpassarono la cinta del parco, saltarono un ruscello e presero un sentiero fiancheggiato da alte siepi di biancospino.

« Noi apparteniamo a due generazioni differenti » disse don Paolo, « ma alla stessa specie di giovani. Essa si riconosce dal fatto che prende sul serio i princípi professati dai padri, o dai maestri, o dai preti. Questi princípi sono proclamati come i fondamenti della società ma è facile constatare che il funzionamento reale di questa li contraddice o li ignora. I piú, gli scettici, vi si adattano, gli altri diventano rivoluzionari. »

« Gli scettici » disse Pompeo « affermano che il divario fra dottrina e realtà è un fatto inevitabile. Come rispondere? »

« Forse; ma anche le rivoluzioni sono dei fatti » disse don Paolo. « Ognuno sceglie quello che preferisce. »

« Avete ragione » disse Pompeo. « Si tratta dell'uso che si vuole fare della propria esistenza. »

Il sentiero continuava affiancato da una fila di mandorli, tra campi di stoppie bruciate. Faceva molto caldo. Vi erano cespugli isolati di more mature e i due si fermarono a coglierne alcune. Piú in là il sentiero sboccava sulla strada nazionale, a quell'ora ingombra di asini, traini e cafoni che tornavano dalla campagna.

« Che fare? » disse Pompeo.

« Pensiamoci assieme » disse don Paolo. « Ne riparleremo dopo averci riflettuto. »

« Sono contento di avere incontrato un prete come voi » disse Pompeo. « In ognuno di questi villaggi ho qualche amico, ve li farò conoscere. »

« A me sembra » disse don Paolo « che solo ora acquisti un senso la noiosa malattia che mi costrinse ad allontanarmi dalla mia diocesi e a venire qui. »

Prima di rientrare a Fossa i due amici si separarono per non essere visti assieme.

La voce gutturale di un cinema sonoro aveva invaso la via principale di Fossa gremita di ragazzi e inseguí in prete fin nella sua camera. Don Paolo era stanco e contento. Prima di spogliarsi volle preparare la valigia per la partenza dell'indomani mattina. Senza esitare bruciò nel caminetto della camera le carte ricevute da Roma il giorno prima. Si era appena tolte le scarpe quando udí un fruscio fuori della porta.

« Si può entrare? »

Era Bianchina allegra e profumata.

« Sai che Pompeo è entusiasta di te? » ella disse.

« Spero molto che faremo amicizia » disse don Paolo sorridendo. « Ti sono grato di avermelo presentato. Per me è stato un avvenimento. »

« Addirittura? » disse Bianchina. « Un vero colpo di fulmine? »

Bianchina lo guardava sorridendo.

« Quanto piú ti osservo, tanto piú ti trovo simpatico e strano » ella disse.

« Non dovresti osservarmi troppo » disse don Paolo. « Mi intimidisce e potrebbe costringermi a fingere oltre il necessario. »

« Posso confessarti un dubbio? » disse Bianchina. « Non sono mica sicura che tu sia un vero prete. »

« Cosa intendi per vero prete? »

« Un individuo noioso, che al posto del cervello ha *Le*

Massime Eterne. Insomma un individuo come mio zio, il curato di Fossa, e come tanti altri. »

« Hai ragione, io sono diversissimo da quel genere di preti » disse don Paolo. « La maggior differenza tra noi consiste forse nel fatto che essi credono in un Dio domiciliato sopra le nuvole, seduto sopra una poltrona dorata, e vecchissimo; mentre io sono persuaso che Egli è un ragazzo, veramente in gamba e sempre in giro per il mondo. »

« Preferisco il tuo Dio » disse Bianchina ridendo. « Ma mi garantisci che il tuo, a sua volta, non invecchierà? »

« Stai fresca » egli disse. « Come garantirci contro una tale disgrazia? La tendenza d'ogni ragazzo è d'invecchiare. »

« Be', non rattristarti per questo » disse Bianchina. « C'è da sperare che la giovinezza degli dèi duri piú della nostra. A quando il mio prossimo viaggio a Roma? »

« Questa volta andrò io » disse don Paolo. « Partirò domani mattina col primo treno, ho già avvertito tua madre. »

« Mi abbandoni qui? » protestò Bianchina.

La ragazza aveva gli occhi pieni di lagrime.

« Resterai qui per aiutare Pompeo » disse don Paolo. « Bisogna subito riannodare le relazioni con i villaggi vicini. Forse il momento dell'azione si presenterà prima di quello che ora crediamo. Ti lascerò qualche soldo per le spese. »

« Tornerai presto? » disse Bianchina. « Non mi dimenticherai? »

« Smettila con queste domande oziose » disse don Paolo. « Sai bene che penso spesso a te. »

« Caricherò la sveglia per svegliarmi a tempo e accompagnarti alla stazione » disse Bianchina.

« Per carità, levatelo dalla testa » disse il prete.

« Ti vergogni di me? »

« Sono usanze coniugali che non si addicono a un sacerdote. »

XVII

In treno don Paolo sperimentò subito come fosse spiacevole viaggiare travestito, seduto di fronte e accanto a sconosciuti che avevano l'aria di scrutarlo e che coglievano ogni pretesto per attaccare discorso. Egli s'illuse di aver trovato un buon rifugio nel corridoio con la faccia contro il finestrino, ma se ne allontanò con precipitazione alla prima fermata del treno, vedendo sul marciapiede della stazione facce paesane conosciute. Egli finí col rannicchiarsi in un angolo dello scompartimento, abbassò il cappello fin sugli occhi e si mise a leggere il breviario, tenendolo molto vicino al viso come un miope. Leggeva alla rinfusa salmi litanie lezioni di martiri e di santi, controllando dopo ogni fermata di treno la situazione dello scompartimento. Fortunatamente il viaggio non era lungo.

La sua veste di prete gli permise di attraversare incolume la fitta sorveglianza poliziesca nella stazione Termini. Per maggiore precauzione si accodò a un gruppo di preti stranieri scesi da un altro treno. Appena sul piazzale esterno, egli si diresse verso uno stabilimento sotterraneo di bagni pubblici.

« Un bagno » disse alla cassiera.

La ragazza gli porse il resto senza fargli caso, essendo chiamata al telefono.

Il corridoio delle cabine era lungo, basso, umido. La vecchia inserviente che gli preparò la cabina, lo osservò con curiosità e disse qualcosa che don Paolo non capí. La mancia che ricevette fu cospicua. Don Paolo recava in una valigetta una giacca, un berretto e una cravatta, gli indumenti di cui aveva strettamente bisogno per trasformarsi in laico. Ma il bagno lo prese sul serio, ne aveva bisogno. Egli indugiò a lungo nell'acqua tiepida. Prima di uscire dalla cabina rimase qualche tempo in ascolto delle voci del corridoio. Appena ebbe la certezza che la vecchia inserviente stava pulendo l'interno di una cabina, uscí inosservato. Era di nuovo Pietro Spina. Tornò alla stazione per depositare la valigetta; ma che stranezza camminare per strada senza sottana. Era come se tutti gli guardassero le gambe. Si mise a camminare svelto, quasi a correre e un paio di volte controllò se i pantaloni fossero bene abbottonati. Finalmente saltò in un tram che lo condusse al quartiere del Laterano. La grande piazza assolata, tra la basilica di S. Giovanni e la Scala Santa era ingombra di baracconi da lunapark in demolizione. I baracconi erano stati già spogliati delle loro attrazioni notturne; i carpentieri abbattevano le travi dell'ossatura, mentre venivano affastellati sugli autocarri le tende i cartoni i lampadari i cavallucci di legno le spade di latta. Per terra giacevano i trofei di pipe di gesso, il battello fantasma dipinto sul mare in burrasca, la pelliccia della tigre del Bengala.

Pietro attraversò la piazza in disordine e si diresse verso la fresca penombra della chiesa della Scala Santa. Alcune donnette vestite di nero stavano salendo in ginocchio la grande scalinata in mezzo alla chiesa. Esse sostavano in ginocchio su ogni gradino, vi si accasciavano sopra, dolorosamente sospiravano e recitavano una quantità interminabile di preghiere. Pietro rimase accanto a un gruppo marmoreo che rappresentava Pilato mostrante al popolo Cristo flagellato. Sul piedestallo c'era scritto: *"Haec est hora vestra et potestas tenebrarum"*. L'attesa non fu lunga. Gli si avvicinò un uomo dall'aspetto di manovale disoccupato, che lo guardò con una speciale curiosità.

« Scusate » gli disse « siete voi il pellegrino di Assisi? »

« Sono io » disse Pietro. « E voi? »

« Un amico dell'autista. »

« Ho un saluto per lui » disse Pietro consegnandogli una lettera.

« Sapete dove andare per stasera? »

« Sí » disse Pietro. « Cercherò di arrangiarmi. »

Egli oltrepassò la Porta S. Giovanni e s'inoltrò per l'Appia Nuova. Prese una via laterale e attraversò un rione raggruppato attorno ad alcuni stabilimenti cinematografici e ad una nuova chiesa. Al di là si estendeva una vasta prateria, dominio di gatti, di cani randagi e di vagabondi. La prateria era solcata da fosse e trincee e serviva anche di deposito per mucchi di rottami travi laterizi tubi lame di ferro.

Alcuni mesi prima, dovendo sfuggire alla polizia, Pietro vi aveva già trovato un rifugio nella baracca di un suo vecchio paesano, detto Mannaggia Lamorra. Da ragazzo il Lamorra aveva fatto il servo in casa Spina a Orta, e poi era emigrato, anche lui in cerca di fortuna. Aveva fatto il venditore di gazzose a Buenos Aires nel barrio La Boca, il manovale in una fabbrica di laterizi a St. André, vicino a Marsiglia, e, dopo vari anni, era rimpatriato povero come prima, e perciò si era vergognato di riapparire nel villaggio. In quel tempo faceva lo sterratore in una cava di pozzolana, vicino a Roma. Pietro ritrovò facilmente la sua capanna di legno col tetto di lamiera, e Lamorra gli corse incontro, servizievole e festoso.

« Signor padrone, di nuovo da queste parti? » gli disse.

« Per un paio di giorni » disse Pietro. « Perché non sei allo sterro? »

« L'impresa è fallita » disse Lamorra. « Me ne dovrò cercare un'altra. »

« Bene, un paio di giorni lavorerai per me » gli disse Pietro. Gli diede un indirizzo e disse:

« Va' a informarti se a questo indirizzo abita ancora un muratore, un certo Romeo. Informati anche se lavora e dove lavora, ma con naturalezza, senza attirare sospetti. »

Lamorra si mise subito in moto e Spina entrò nella sua capanna calda come una stufa. Nell'attesa lo prese il sonno.

Lamorra tornò tardi, ubbriaco, ma con informazioni precise. Pietro aveva intanto preparato due giacigli nell'interno della capanna, ma l'altro non volle entrare e si allungò fuori, preso da un improvviso rispetto.

« La capanna è piccola » gli disse. « Come potrei dormire a fianco del mio padrone? »

« Non seccarmi » disse Pietro. « Qui il padrone sei tu, io sono il tuo ospite. »

« A maggior ragione » disse Lamorra. « Se il destino vuole che il mio padrone sia il mio ospite, come potrei dormire al suo fianco? »

Egli non aveva un pessimo ricordo di quell'epoca lontana.

« Tuo padre era un buon uomo » disse. « Quand'era di cattivo umore, mi batteva, ma era buono. Una volta, a Pasqua, mi regalò un capretto. »

Pietro si distese su una branda, nell'interno della capanna, e Lamorra restò per terra, vicino alla porta. Ma la branda formicolava di cimici e pulci. Pietro si girava e rigirava sulla branda, però non osava lagnarsi, per non offendere Lamorra. Quello tuttavia se ne accorse.

« Nella branda devono esserci degli insetti » disse. « Se fingi di non farci caso, ti lasceranno in pace. »

« Buona notte » disse Pietro.

Sotto gli effetti del vino risorgevano in Lamorra i ricordi piú belli della sua vita.

« Una volta » disse « tuo padre mi regalò un sigaro toscano. Che sigaro. Era un sabato sera e me lo fumai la domenica mattina, sulla piazzetta davanti alla chiesa, mentre le donne uscivano dalla messa cantata. Non si fabbricano piú sigari come quelli. »

Pietro prese sonno, mentre Lamorra continuava a rievocare le date fauste della sua lunga vita.

« A Buenos Aires c'è uno specchio d'acqua che si chiama Riachuelo. Attorno a esso abitano gli italiani, chiamati *gringos* e anche *tanos*. C'era lí, una volta, una mora bella e grassa... »

Al mattino seguente Pietro andò ad appostarsi ben presto a un lato della Porta S. Giovanni. Romeo non tardò ad apparire, ma, essendo con altri operai, Pietro non si avvicinò e lo seguí a una certa distanza. Gli operai arrivavano a frotte da tutti i lati. C'era nell'aria una bellezza che commuoveva Pietro, la bellezza di Roma, all'alba, quando le strade sono affollate di gente che va al lavoro, parla poco e cammina diritto e in fretta. Romeo prese la via delle Mura Aureliane, a Porta Metronia si separò dal suo gruppo e proseguí solo per la via della Ferratella. Pietro gli corse dietro e fischiettò una canzone che Romeo usava cantare nell'isola di Ustica, quando erano entrambi deportati. La canzone diceva:

Non c'è rosa senza spina
non c'è donna senza baci...

Romeo si girò, fece finta di non riconoscerlo e proseguí fino a un vicino cantiere in cui era capomastro e dove già l'attendevano manovali e muratori. L'edificio da costruire era appena agli inizi, il muro raggiungeva il petto dei muratori e per continuare bisognava elevare i ponti di servizio. Romeo diede le disposizioni ai manovali. Quando sopraggiunse Pietro, Romeo l'interpellò ad alta voce:

« Lei è il proprietario del terrazzo da riparare? »

« Per l'appunto » disse Pietro. « Vorrei regolarmi sulla spesa. »

Per discuterne i due si appartarono nella capanna degli attrezzi. Pietro disegnò sopra un foglio la pianta d'un terrazzo, poi disse:

« Nel pomeriggio incontrerò Battipaglia, gli ho già dato appuntamento. Ma per il lavoro pratico nella zona del Fucino ho bisogno di trovare, nei gruppi di Roma, qualche elemento fidato, possibilmente operaio, proveniente da quella contrada e ancora in rapporti col suo villaggio di origine. Egli dovrebbe tornare subito nel villaggio e lavorare in collegamento con me. Senza un elemento operaio mi è difficile costruire qualche cosa di durevole. »

« Domandi troppo » disse Romeo.

« Bisogna cercarlo » insisté Pietro. « Le possibilità di azione nel Fucino sono assai favorevoli. Ma i collaboratori di cui dispongo, sono giovani inesperti. Non posso far nulla senza qualche elemento piú fidato. Ma dev'essere oriundo della contrada. »

Il capomastro rifletté. « Domandi troppo » ripeté. Egli spiegò la situazione:

« La persecuzione contro i pugliesi, gli abruzzesi, i sardi che erano tra noi, è stata ferocissima. I poliziotti, come sai, vengono quasi tutti dalla campagna e non puoi farti un'idea della rabbia che li prende ogni volta che capita loro tra le mani un sovversivo che non sia uomo di città, ma paesano. Se un cittadino è per la libertà, certo, per essi è grave delitto; ma se un operaio ex cafone è contro il governo, è un vero sacrilegio. Egli viene quasi sempre massacrato. Se riesce a salvare la vita, quando esce di carcere è ridotto come uno straccio e gli stessi paesani lo sfuggono impauriti. »

« Dov'è andato a finire Chelucci? » chiese Pietro.

« L'hanno ripreso un mese fa, dopo la distribuzione di un manifestino contro la guerra, adesso è a Regina Coeli. È diventato quasi cieco. »

« Che fa Pozzi? »

« Contro di lui ci sono dei sospetti » disse Romeo. « Nessuno sa spiegare perché Chelucci sia stato arrestato e lui no, dato che la polizia li trovò assieme. Ma la polizia può averlo fatto apposta, per screditarlo e isolarlo. Come si fa a conoscere la verità? Vi sono vari casi che assomigliano al suo, sono i casi piú tristi. »

« Non vi sono altri abruzzesi nei gruppi? »

« Avevamo Diproia, prima che si sposasse. Appena sposato non ha voluto piú saperne. Adesso ogni domenica mattina va alla messa, con la signora. Avevamo anche un certo Luigi Murica, studente, ma è sparito senza lasciar tracce. L'ho fatto ricercare varie volte, perché era un bravo giovane; non sono riuscito a ritrovarlo. »

« Che fa Annina, la sarta? »

« Si era messa con Murica. »

« Lo sapevo, perciò te lo domando. »

« Forse è rimasta con lui. Potresti cercarla dove abitava una volta. Anche se ha traslocato, forse ti sapranno dare il nuovo indirizzo. Ma, a che ti serve? Non è abruzzese. »

« Per ripescare Murica. »

« Torna domani sera, qui, al momento dello stacco » disse Romeo. « Cercherò anch'io per mio conto. »

Pietro prese via della Navicella e via Claudia, nell'intenzione di spingersi verso il centro della città, per rivederla; ma la sua bellezza era già intorpidita. Per strada non s'incontravano che uomini in uniforme, impiegati dei ministeri, preti e suore. Era già un'altra città. Ma quando, tra le dieci e le undici, cominciarono ad apparire i grandi parassiti, i gerarchi, gl'impiegati superiori dei ministeri, i monsignori con le calze viola, allora Roma gli ridiventò nauseante. Voltò per via Labicana e se ne tornò fuori Porta, dopo aver comprato un barattolo di polvere insetticida.

« A che serve? » gli chiese Lamorra.

Pietro glielo spiegò.

« Ma se agli insetti gli dài tanta importanza » disse Lamorra « se ne insuperbiscono e non se ne andranno piú. »

« Saresti disposto a tornare a Orta? » gli domandò Pietro. « Ti darei un piccolo incarico segreto. »

« Ovunque, ma non a Orta » rispose Lamorra. « Vi sarei tornato se fossi diventato ricco e avessi potuto comprare casa e terra. Ma ormai... »

« Vedi, altrove non sei adatto » gli spiegò Pietro. « Naturalmente, se tu andassi a Orta, la spesa sarebbe a mio carico. Riflettici. »

« A Orta non ci torno » disse Lamorra seccamente.

Il pomeriggio Pietro doveva incontrare Battipaglia, il segretario interregionale del partito. L'appuntamento era in una piccola chiesa sull'Aventino.

Quando Pietro vi arrivò, il suo compagno era già sul posto e fingeva di leggere un avviso sacro affisso sul muro accanto alla porta. Pietro non l'aveva piú rivisto da molti anni. Si era un po' incurvato e aveva i capelli grigi. Il carcere l'aveva invecchiato. Pietro si fermò un istante accanto a lui, avvicinandosi al muro per leggere l'avviso, come se fosse miope, per farsi notare, quindi entrò in chiesa. Il tempio gli era sconosciuto. Una doppia fila di archi divideva l'aula in tre parti. Gli archi poggiavano su tronchi di colonne antiche di diversa misura, sorgenti dal pavimento senza basi e con rozzi capitelli diversamente ornati. Il pavimento di pietra era quasi interamente ricoperto di lapidi mortuarie. In fondo alla chiesa l'altare maggiore aveva l'aspetto di una semplice tomba di pietra, con un crocifisso di legno dipinto in nero e quattro candelieri. La chiesa era semibuia e deserta. Non vi erano che due donne inginocchiate davanti all'altare del Sacramento, sotto la lampada accesa. Pietro rimase in piedi vicino alla porta, accanto alla pila dell'acqua santa. Quando Battipaglia sopraggiunse fece lentamente il giro della chiesa. Finalmente si avvicinò a Pietro.

« Da un mese ho del denaro a tua disposizione » gli disse Battipaglia sottovoce. « Ho anche un passaporto nuovo per l'estero. Come va la salute? »

« Il passaporto per ora non mi serve » disse Pietro. « All'estero non ci torno. »

« È affar tuo » disse Battipaglia. « Non dipendi da me, come sai, ma direttamente dal Centro estero. Ti manderò il passaporto per mezzo del Fenicottero. Ne farai quel che ti pare. Chi è la persona che hai mandato ultimamente da Fossa con le tue notizie? »

« Si chiama Bianchina, è la figlia di una locandiera. »

« Una compagna? Da quando è nel movimento? »

« Non è una compagna, ma merita ugualmente fiducia. Ella ignora la mia vera identità, come pure lo scopo dei suoi viaggi. »

« Non è un rischio? »

« Anche se scoprisse la mia identità, non mi tradirebbe. »

« Affare tuo, non spetta a me farti la lezione. È la tua amante? »

« No. »

« Affare tuo, non dipendi da me, come sai. Quella ragazza ha parlato d'un prete rivoluzionario che sarebbe sulle tue montagne, un certo don Paolo, lo conosci? »

« No » disse Pietro.

« Dovresti agganciarlo. Ci potrebbe essere utile. Il tuo rapporto è stato inoltrato al Centro estero. »

Un sacrestano era entrato dalla porticina della sacrestia e aveva acceso due candele sull'altare maggiore. Annunziato dal suono di una campanella, apparve dalla sacrestia un sacerdote coi paramenti sacri. Egli sostò in preghiera davanti al primo scalino dell'altare. Uno scalpiccio di piedi fuori della porta della chiesa precedette l'arrivo d'altri fedeli. Erano alcune suore. Esse immersero la punta delle dita nell'acquasanta, si fecero il segno della croce e avanzarono frettolose verso l'altare.

« Hai potuto lavorare? » disse Battipaglia.

« Tra i cafoni è difficile » disse Pietro. « Essi sono più aperti a Gioacchino da Fiore che a Gramsci. Il meridionalismo è un'utopia borghese. Ma di questo ho parlato nel mio rapporto. »

« Data la mancanza di un corriere diretto con te » disse Battipaglia sottovoce « il Centro estero mi ha invitato a chiederti una risposta urgente sull'ultima risoluzione politica. Più che altro, come sai, è una formalità. »

« Non ho la testa per le formalità » disse Pietro. « Puoi capirlo. »

« S'intende che nessuno ti attribuisce la minima incertezza nel dichiarare la tua solidarietà con la maggioranza del partito comunista russo » disse Battipaglia. « Sei un vecchio compagno, un po' strano, ma tutti ti stimiamo. »

« A dire la verità » disse Pietro « non conosco la questione. Se faccio tanta fatica a capire, non dico la mia regione, ma il mio villaggio, come vuoi che io giudichi la politica agraria russa, riprovi certe opinioni, ne approvi delle altre? Non sarebbe serio, puoi capirlo. »

« Bianchina t'ha portato le tre relazioni? »

« Sí, ma non le ho ancora lette. »

« Quando le leggerai? Il Centro estero insiste per avere una tua risposta al più presto. »

« Non so quando potrò leggere tutte quelle scartoffie » disse Pietro. « Non so neppure se sono in grado di capirle e farmene un'opinione sincera. Ho altro per la testa che mi preoccupa, la situazione di qui. »

Poi aggiunse, facendo uno sforzo:

« Non voglio fingere, ti dico la verità, quelle carte le ho bruciate. A portarle con me, correvo un rischio inutile. E poi francamente esse non mi interessavano. »

« Quello che hai fatto è grave » disse Battipaglia. « Te ne rendi conto? »

« Insomma » disse Pietro « non me la sento di giudicare le questioni che sfuggono alla mia esperienza. Non posso piegarmi ad alcun conformismo, approvare, condannare a occhi chiusi. »

« Come osi qualificare di conformismo la nostra condanna di Bucarin e degli altri traditori? Non sei mica pazzo? »

« È conformismo dichiararsi sempre con la maggioranza » disse Pietro. « Non ti pare? Siete stati con Bucarin, finché egli era con la maggioranza; sareste ancora con lui se egli avesse con sé la maggioranza. Ma, come potremo distruggere il servilismo fascista, se rinunziamo allo spirito critico? Cerca un po' di rispondermi. »

« Pretendi che Bucarin non sia un traditore? »

« Sinceramente non lo so » disse Pietro. « So soltanto che egli, ora, è in minoranza. So anche che, unicamente per questo, voi osate mettervi contro di lui. Rispondi se puoi a questa mia domanda: sareste forse contro di lui se egli avesse con sé la maggioranza? »

« Il tuo cinismo comincia a sorpassare i limiti » disse Battipaglia frenando a stento la sua indignazione.

« Non hai risposto alla mia domanda. Se puoi, rispondimi con sincerità. »

« Se dipendesse da me, ti espellerei subito dal partito. »

Battipaglia tremava per l'emozione. Il luogo dell'incontro gli poneva un freno. Dopo un lungo silenzio egli andò via senza salutare. Pietro rimase immobile al suo posto, appoggiato con la schiena alla pila dell'acqua santa. La funzione sacra continuava. La scarsa luce dei ceri faceva sfavillare l'oro dell'ostensorio nel mezzo dell'altare e creava una corona luminosa attorno alla testa bianca del sacerdote. La cerimonia arrivò al suo termine; i pochi fedeli si avviarono verso l'uscita. Nel momento di attingere l'acqua santa per il segno della croce, una delle suore restò colpita dall'aspetto di Pietro. Si fermò accanto a lui e indugiò a osservarlo.

« Non disperatevi » gli mormorò sorridendo.

« Cosa volete? » disse Pietro.

« Coraggio » ripeté la suora. « Resistete alla disperazione. »

« Chi siete? » disse Pietro. « Cosa volete da me? »

« Fatevi coraggio » disse la suora. « Nessuno è provato dal Signore al di là delle sue forze. Non sapete pregare? »

« No. »

« Pregherò io per voi. Credete in Dio? »

« No. »

« Lo pregherò io per voi. Egli è il Padre di tutti, anche di quelli che non credono in Lui. »

La suora si affrettò a raggiungere le sue compagne. Dopo un po' anche Pietro uscí di chiesa.

Si era fatto sera. Egli aveva progettato di andare al cinema, ma vi rinunciò. Il suo paesano Lamorra l'attendeva davanti alla baracca, dove gli aveva preparato qualcosa da mangiare. L'aspetto di Pietro lo impensierí.

« Cosa ti è successo? » gli chiese. « Una disgrazia? »

« Sí » disse Pietro con una voce che lo scoraggiava dal porre altre domande.

« Non mangi? »

« No. »

Durante la notte Pietro non chiuse occhio e Lamorra se ne avvide.

« Si può sapere che cosa ti è successo? » gli domandò. « Un dispiacere amoroso? »

« Sí » disse Pietro. « Lasciami in pace. »

« Una donna ti ha tradito? »

« Sí. »

« Non bisogna amare troppo » disse Lamorra. « Anche tuo padre era uomo di passione. »

L'indomani Pietro arrivò in ritardo all'appuntamento con Romeo. Aveva una faccia da vecchio e occhi gonfi. Il cantiere era già deserto. Il capomastro l'aspettava con un ragazzo dietro la capanna degli attrezzi. Evidentemente egli non sapeva nulla dell'urto del giorno prima con Battipaglia.

« Questo qui è il Fenicottero » disse Romeo.

« Da un mese » disse il ragazzo a Pietro « è arrivato dal

183

Centro estero del denaro e un passaporto cecoslovacco per te. »

« Come fai a sapere che è cecoslovacco? »

« Ho aperto la busta. »

« Hai fatto male » disse Pietro.

« Ieri abbiamo distribuito a S. Lorenzo il manifestino contro la guerra » aggiunse il ragazzo per cambiare discorso.

« Cosa dice il manifestino? »

« Non ho avuto tempo di leggerlo » disse il ragazzo.

« Anche tu hai distribuito i volantini? » chiese Romeo.

« Anch'io. Siamo rimasti in pochi, ognuno deve fare un po' di tutto. »

Romeo fu preso da un accesso d'ira.

« Come? » disse. « Tu sei incaricato del collegamento e fai anche propaganda? Non sai che ogni volta che si sono confuse le due cose, tutto è andato per aria? »

Il ragazzo rimase imbarazzato e confuso.

« Che mestiere hai imparato? » gli chiese Romeo.

« Un po' di tutto » disse il ragazzo. « Non ho un vero mestiere. »

« Quest'è il male » disse il capomastro. « Non può capire il lavoro cospirativo chi non conosce bene un mestiere. Un muratore che costruisce un'impalcatura, pianta anzitutto le antenne, poi collega le antenne con le travi orizzontali, e le appoggia ai muri per mezzo delle travi cosciali. Un muratore sa che un'antenna non può servire da traversa. Cosí in ogni arte. Anche l'arte cospirativa ha le sue regole. Se non si conoscono e non si rispettano, si scontano con anni di carcere, talvolta con la vita. »

L'indignazione di Romeo non era finita. Anche lui era parte in causa.

« Non ho nessuna voglia di tornare in carcere per colpa tua » egli riprese a dire al ragazzo. « Da oggi tu non servirai piú da collegamento. Hai capito? Non ti farai piú vedere in queste vicinanze. Se c'incontreremo, farai finta di non conoscermi. »

Il ragazzo partí assai mortificato.

Romeo diede a Pietro gli indirizzi di alcuni abruzzesi che da alcuni anni si erano allontanati dai gruppi.

« Tu saresti la persona piú indicata per cercare di riattirarli nel movimento » disse. « Ma è prudente? Giudica tu stesso. »

« La difficoltà è un'altra » disse Pietro. Stava per aggiungere qualcosa; poi vi rinunziò. « Forse ne riparleremo » disse.

XVIII

Pietro seguí le indicazioni di Romeo e riuscí a rintracciare l'abitazione di un suo vecchio amico, il violinista Uliva. Da vari anni, da quando si incontravano nel gruppo degli studenti comunisti, non si erano piú visti. Pietro sapeva soltanto che Uliva aveva dovuto anche lui scontare diversi mesi di carcere. Dopo di allora, come tanti altri, si era appartato. Abitava con la moglie al quarto piano di una casa in via Panisperna, nel quartiere del Viminale.

Una giovane donna, in stato ben riconoscibile di avanzata gravidanza, introdusse Pietro nella stanza di lui. La donna aveva gli occhi gonfi e rossi come se avesse pianto tutta la mattinata. Uliva accolse il suo vecchio amico con indifferenza, senza piacere, né sorpresa. Egli era un gobbetto mingherlino, magrissimo, occhialuto, con un vestito nero sudicio che gli dava un aspetto melanconico e trasandato. Anche dopo l'arrivo di Pietro, egli rimase disteso su di un divano, fumava e sputava per terra. Lo sputo era lanciato nella direzione di un lavandino, ma il piú spesso doveva fallire l'obiettivo, perché si vedevano macchie gialle un po' dappertutto, sulle frange della coperta, sulla scrivania, sui muri. La stanza era semibuia, in disordine e maleodorante.

« Da molto tempo non ci siamo visti » disse Pietro. « Non credevo che ti fossi ridotto cosí. »

Uliva gli rispose con una breve risata ironica.

« Credevi » disse « di ritrovarmi impiegato dello Stato? Ufficiale della milizia? Commendatore? »

« Non c'è altro scampo? »

« Non mi pare. »

« Basta guardarsi attorno » disse Pietro. « Forse tu vivi troppo isolato. Vi è chi resiste, chi lotta. »

« Illusione » disse Uliva. « Ti ricordi del nostro gruppo studentesco? Quelli che non sono morti di fame o in carcere, stanno peggio. »

« Il peggio è la capitolazione. Si può accettare la sfida, resistere, lottare contro. »

« Per quanto tempo? »

« Per dieci anni, per venti, per duecento, per l'eternità. Non c'è vita senza lotta. »

« Credi che il ventriloquio sia una lotta? » disse Uliva. « Ma perché ti gonfi di frasi? Ascoltami, a me questo gusto è passato. Dopo aver sofferto dieci mesi in carcere per aver gridato "viva la libertà" a piazza Venezia, ho dormito per qualche tempo, d'inverno, nei dormitori pubblici e d'estate sotto i ponti del Tevere, o sotto i portici dell'Esedra, o sulle scalinate delle chiese, con la giacca in funzione di cuscino sotto la testa. Ogni tanto c'era la noia della ronda che interrogava: "Chi sei? Che mestiere fai? Di che vivi?". Avresti dovuto vedere che matte risate quando, in mancanza d'altro, per legittimarmi, mostravo i miei certificati scolastici, il mio diploma di Santa Cecilia. Ho fatto anche un tentativo di stabilirmi nel mio villaggio nativo, in provincia di Chieti. Me ne sono dovuto scappare di notte. I parenti mi intimarono il bando. "Sei la nostra rovina" mi rimproveravano. "Sei il nostro disonore." »

« Non bisogna tuttavia capitolare » disse Pietro. « Dobbiamo mantenerci uniti ai gruppi operai. »

« Non parlarmene » disse Uliva. « Conoscevo alcuni tipografi. Si sono tutti arrangiati. La massa operaia si è anch'essa statizzata, oppure avvilita. La stessa fame è stata burocratizzata. La fame ufficiale dà il diritto al sussidio e alla minestra statale; la fame privata dà solo diritto a gettarsi nel Tevere. »

« Non lasciarti ingannare dall'apparenza » disse Pietro. « La forza della dittatura è nei muscoli, non nel cuore. »

« Su questo punto hai ragione » disse Uliva. « Essa è

qualcosa di cadaverico. Da molto tempo essa non è piú un movimento, neppure un movimento vandeano, ma solo una burocrazia. Ma, contro di essa, cos'è l'opposizione? Cosa siete voi? Una burocrazia nascente. In nome di idee diverse, il che vuol dire semplicemente, in nome di diverse parole, e per conto di altri interessi, anche voi aspirate al potere totalitario. Se voi vincerete, e probabilmente vi accadrà questa disgrazia, noi sudditi passeremo da una tirannia all'altra. »

« Tu vivi di allucinazioni » disse Pietro. « Come puoi condannare l'avvenire? »

« L'avvenire nostro è il passato d'altre contrade » disse Uliva. « Va bene, non lo nego, avremo dei mutamenti tecnici ed economici. Come ora abbiamo le ferrovie dello Stato, il chinino i sali i fiammiferi i tabacchi dello Stato, cosí avremo il pane dello Stato, le scarpe le camicie le mutande dello Stato, le patate i piselli freschi dello Stato. Sarà un progresso tecnico? Ammettiamolo, ma questo progresso tecnico servirà di punto d'appoggio a una dottrina ufficiale obbligatoria, a una ortodossia totalitaria che si servirà di tutti i mezzi, dal cinema al terrore, per distruggere ogni eresia e tirannizzare il pensiero individuale. All'attuale inquisizione nera succederà un'inquisizione rossa. All'attuale censura, una censura rossa. Alle attuali deportazioni, le deportazioni rosse, di cui saranno vittime predilette i rivoluzionari dissidenti. Allo stesso modo dell'attuale burocrazia che si identifica con la patria e stermina ogni avversario, denunziandolo come venduto allo straniero, la vostra futura burocrazia identificherà se stessa col Lavoro e il Socialismo, e perseguiterà chiunque continuerà a pensare con la propria testa come un agente prezzolato degli industriali e degli agrari. »

« Uliva, tu vaneggi » gridò Pietro. « Tu sei stato tra noi, ci conosci, sai che non è questo il nostro ideale. »

« Non il vostro ideale » disse Uliva « ma il vostro destino. Non avete scampo. »

« Il destino è un'invenzione della gente fiacca e rassegnata » disse Pietro.

Uliva fece un gesto come per dire che non valeva la pena di continuare a discutere. Tuttavia aggiunse:

« Tu sei intelligente, ma vile. Non capisci perché non vuoi capire. La verità ti fa paura. »

Pietro si alzò per andarsene. Dalla porta egli disse a Uliva, rimasto impassibile sul divano:

« Non c'è nulla nella mia vita che ti autorizzi a ingiuriarmi. »

« Vattene e non tornare » disse Uliva. « A un impiegato di partito non ho nulla da dire. »

Pietro stava per andarsene, aveva già aperto la porta; però la richiuse e andò a sedersi ai piedi del divano sul quale Uliva era disteso.

« Non me ne andrò prima di aver capito com'è che sei diventato cosí » disse. « Cosa ti è accaduto per trasformarti fino a questo punto? Il carcere, la disoccupazione, la fame? »

« Nelle privazioni ho cercato, con lo studio, almeno una promessa di liberazione » disse Uliva. « Non l'ho trovata. Per molto tempo sono stato angosciato da questo fatto: perché tutte le rivoluzioni, tutte, senza eccezione alcuna, sono cominciate come movimenti di liberazione e finite come tirannie? Perché nessuna rivoluzione è sfuggita a questa condanna? »

« Se anche fosse vero » disse Pietro « bisognerebbe arrivare a una conclusione diversa dalla tua. "Tutte le rivoluzioni sono tralignate, bisognerebbe dire, ma noi vogliamo farne una che rimarrà fedele a se stessa." »

« Illusioni, illusioni » disse Uliva. « Voi non avete ancora vinto, siete ancora un movimento cospirativo e già siete marci. La passione rinnovatrice che ci animava quando eravamo nel gruppo studentesco, è già diventata anch'essa una ideologia, un tessuto di idee fatte, una ragnatela. Ecco la prova che non c'è scampo nemmeno per voi. E badate, non siete che all'inizio della parabola discendente.

« Forse non è colpa vostra » soggiunse Uliva « ma dell'ingranaggio che vi travolge. Ogni idea nuova per propagarsi, si cristallizza in formule; per conservarsi si affida a un corpo di interpreti, prudentemente reclutato, talvolta anche appositamente stipendiato, e, a ogni buon conto, sottoposto a un'autorità superiore, incaricata di sciogliere i dubbi e di reprimere le deviazioni. Cosí ogni nuova idea finisce sempre col diventare una idea fissa, immobile, sorpassata. Quando questa idea diventa dottrina ufficiale dello Stato, allora non c'è piú scampo. Un falegname e uno zappaterra possono, forse, anche in regime di ortodossia totalitaria, sistemarsi, mangiare, digerire, procreare in pace, farsi i fatti loro; ma specialmente per un intellettuale non c'è scampo. Egli deve piegarsi, entrare nel clero dominante, oppure rassegnarsi a essere affamato, e alla prima occasione, eliminato. »

Pietro ebbe uno scatto d'ira, prese Uliva per il bavero della giacca e gli gridò in faccia:

« Ma perché deve essere questo il nostro destino? Perché non deve esserci scampo? Siamo noi galline rinchiuse in un pollaio? Perché dovrebbe essere già condannato un regime che ancora non esiste e che noi vogliamo creare a immagine dell'uomo? »

« Non gridare » gli rispose Uliva pacatamente. « Non fare il propagandista anche qui, da me. Tu hai capito benissimo quello che ho detto; ma fingi di non capire, perché le conseguenze ti fanno paura. »

« Sciocchezze » disse Pietro.

« Sai, quando eravamo assieme nel gruppo ti ho molto osservato » disse Uliva. « Allora scoprii che tu eri rivoluzionario per paura. Ti sforzavi di credere nel progresso, ti sforzavi di essere ottimista, ti davi pena per credere nel libero arbitrio, solo perché il contrario ti sgomentava. Sei rimasto tale. »

Pietro fece una piccola concessione a Uliva.

« È vero » disse « se non credessi nella libertà dell'uomo, o almeno nella possibilità della libertà dell'uomo, la vita mi farebbe paura. »

« Io ho cessato di credere al progresso e la vita non mi fa paura » disse Uliva.

« Come hai potuto rassegnarti? È spaventoso » disse Pietro.

« Non sono affatto rassegnato » disse Uliva. « La vita non mi fa paura, ma ancor meno la morte. Contro questa pseudo-

190

vita soffocata da leggi spietate, l'unica arma lasciata all'arbitrio dell'uomo è l'anti-vita, la distruzione della vita stessa. »

« Temo di aver capito » disse Pietro.

Egli aveva capito. Sul suo volto si stese un velo di grande tristezza. Non aveva senso continuare a discutere.

La giovane donna che aveva aperto la porta a Pietro entrò nella stanza per prendere alcuni oggetti. Uliva aspettò che uscisse, per aggiungere:

« Malgrado tutto, ho una certa stima di te. Da molti anni ti vedo impegnato in una specie di vertenza cavalleresca con la vita, o, se preferisci, col creatore: la lotta della creatura per superare i suoi limiti. Tutto questo, lo dico senza ironia, è nobile; ma richiede un'ingenuità che a me manca. »

« L'uomo non esiste veramente che nella lotta contro i propri limiti » disse Pietro.

« Mi parlasti una volta di un tuo sogno segreto » disse Uliva. « Lo esprimesti in termini paesani: fare della conca del Fucino un Soviet e nominare Gesú presidente del Soviet. L'idea, certo, non sarebbe malvagia, se il figlio del falegname di Nazareth vivesse ancora realmente su questa terra e potesse esercitare personalmente quella funzione. Ma, avvenuta la nomina e constatata la sua assenza, non saresti costretto a nominargli un sostituto? Ora, come comincino e come finiscano i rappresentanti di Gesú, noi, in questo paese, lo sappiamo. Eh, altroché se lo sappiamo. Non lo sanno ancora i poveri negri e gli indiani neo-convertiti delle missioni, ma noi lo sappiamo e non possiamo mica far finta d'ignorarlo. Dov'è finito, Pietro, il tuo storicismo? »

« Tra le ortiche » disse Spina. « Se Gesú fu mai vivo, egli lo è ancora. »

Uliva sorrise.

« Sei inguaribile » disse. « Hai una capacità portentosa di illuderti. A me non riesce. »

Poi aggiunse:

« Stammi a sentire. Mio padre morí a Pescara all'età di quarant'anni, alcolizzato. Egli non mi lasciò che debiti da pagare. Alcune settimane prima di morire, una sera mi chiamò, mi raccontò la storia della sua vita, la storia del suo fallimento. Egli cominciò col parlarmi della morte di suo padre, cioè, di mio nonno. "Muoio povero e disilluso" gli aveva detto suo padre, "ma ripongo tutte le mie speranze in te; che tu possa avere dalla vita quello che mi è mancato." Sentendo approssimarsi la propria fine, mio padre mi confidò che non aveva che da ripetermi le parole del nonno. "Anch'io, caro figlio, muoio povero e disilluso, ma spero per te che sei un artista e ti auguro che tu possa avere dalla vita quello che io ho bramato invano." Cosí di generazione in generazione, assieme ai debiti si tramandano le illusioni. Adesso io ho trentacinque anni e mi trovo già allo stesso punto di mio nonno e di mio padre. Sono già un fallito consapevole e mia moglie aspetta un bambino. A me manca però l'imbecillità di credere che il nascituro riceverà dalla vita quello che io non ho avuto. Egli morirà di fame, oppure, quel ch'è peggio, servo. »

Pietro si alzò per partire.

« Non so se tornerò » disse. « Ma, se tu o tua moglie avete bisogno di me... »

« Non val la pena » disse Uliva. « Non avremo bisogno di nessuno. »

Via Panisperna era messa a rumore da una cinquantina di giovani col berretto goliardico, i quali traevano un bandierone tricolore e una tabella in cui era scritto: "Viva la guerra". I giovani erano fiancheggiati da alcuni poliziotti, gridavano, urlavano, interpellavano i passanti e cantavano una nuova canzone che diceva: "Con la barba del Negus ci faremo spazzolini". Sulla porta dei negozi e dalle finestre la gente guardava incuriosita, senza far commenti. In via dei Serpenti, Pietro incontrò un altro gruppo di studenti con un'eguale bandiera, un'eguale tabella, e che cantavano la stessa canzone da lustrascarpe, con la stessa scorta di poliziotti. Tra la folla affaccendata, tra quelli che andavano diritto ai loro affari e alle loro case, Pietro riconosceva i passi incerti dei disoccupati, i passi di quelli che non avevano meta e che finivano col mettersi al seguito degli studenti.

Vicino al Colosseo Pietro sostò a osservare un'esercitazione di ragazzi avanguardisti mitraglieri e cannonieri. Adolescenti dai quindici ai diciassette anni imparavano la combinazione dei pezzi, l'operazione di montaggio e smontaggio, il passaggio dalla posizione di marcia a quella di azione. Erano seri e attentissimi, come degli ometti, ed eseguivano gli esercizi con grande rapidità. L'aspetto di Pietro attirò l'attenzione di una vecchia donna.

« Perché piangete? » gli disse. « State male? » Pietro fece segno di sí e fuggí via. Durante tutto il pomeriggio vagò senza meta. Si vedeva ch'era un'anima in pena.

L'appuntamento con Romeo era in un'osteria del quartiere Tiburtino, a via degli Ernici, a fianco del viadotto dell'Acqua Marcia e della ferrovia. La ruggine dei raccordi ferroviari e il fumo delle locomotive davano il colore alla strada. L'odore del carbone e dell'olio pesante era impregnato nei muri. All'arrivo di Pietro l'osteria era quasi deserta. In un angolo un carabiniere mangiava spaghetti al sugo con aria lugubre e feroce, come se si trattasse degli intestini di un anarchico. Sul pavimento era sparsa fitta segatura, per raccogliere gli sputi. L'unico quadro appeso alla parete rappresentava un grandioso transatlantico, di notte, con le cabine illuminate, su un oceano rischiarato dalla luna piena. Piú tardi arrivarono facchini e manovali, comandarono mezzo litro, bevvero guardando il transatlantico di sbieco, affinché il carabiniere non se ne avvedesse e silenziosamente s'imbarcarono per l'America. Poi pagarono il vino, sbarcarono, sputarono per terra e tornarono a casa di malumore.

Romeo arrivò con ritardo, bevve al banco un quarto di vino, tossí e ripartí senza avvicinarsi a Pietro. Questi uscí dietro di lui e lo seguí a una certa distanza con qualche difficoltà, perché Romeo cambiava via a ogni angolo, evidentemente per accertarsi di non essere pedinato. Al vicolo della Ranocchia finalmente rallentò il passo e si fece raggiungere.

« Sai dello scoppio di via Panisperna? » disse Romeo.

Pietro non ne sapeva nulla.

« L'appartamento di Uliva è saltato per aria, seppellendo lui con la moglie e gli inquilini del piano inferiore. La stampa ha ricevuto l'ordine di tacere la notizia, ma lo scoppio è avvenuto nel centro della città e si è divulgato in un attimo.

Sembra che Uliva preparasse un grande attentato per far saltare la chiesa di S. Maria degli Angeli in occasione di una prossima cerimonia alla quale sarebbe stato presente tutto il governo. Un nostro amico pompiere che ha partecipato allo sgombero delle macerie, ci ha riferito che è stata ritrovata tra le carte di Uliva una pianta della chiesa con molte annotazioni tecniche. »

« L'ho visitato stamane » disse Pietro. « Anch'io ho avuto l'impressione che preparasse un grande funerale. »

« Se il portiere della casa ti ha visto entrare, certamente si ricorderà di te » disse Romeo. « Hai una fisionomia che non si dimentica facilmente. Quest'è un'altra ragione perché tu parta. »

Al piazzale Tiburtino c'era molta folla tra gruppi di soldati, di militi e carabinieri.

« Che cosa succede? » domandò qua e là Pietro.

Qualcuno gli rispose:

« Domani ci sarà la mobilitazione. Domani comincerà la nuova guerra d'Africa. »

Domani? Se ne parlava da tempo; ma appunto perché se ne parlava, la guerra era divenuta qualche cosa d'inverosimile e strana. Invece l'inverosimile stava per attuarsi, anzi era già lí, dietro le quinte, e l'indomani sarebbe entrato in scena.

« Dimenticavo di dirti che il ragazzo del collegamento è stato arrestato » disse Romeo. « Certamente lo batteranno per strappargli delle rivelazioni. In questi casi la prudenza consiglia di contare col peggio. Dunque, sta' in guardia. Qui c'è il denaro, arrivato per te un mese fa, e c'è il passaporto. Per qualche settimana dobbiamo evitare di vederci. »

« Io non ho piú tempo da perdere » disse Pietro con decisione. « Da sei mesi sono rientrato in Italia e non ho ancora fatto nulla. Ormai sono stufo di aspettare. Per l'azione della Marsica ho bisogno di qualche collaboratore fidato. »

« Un'organizzazione illegale è una tela che si fa e disfa continuamente » disse Romeo. « Lo sai meglio di me. Una tela che costa sangue e pazienza. L'organizzazione dei gruppi di Roma è stata distrutta varie volte e da capo ricostruita.

194

Quanto bisogna faticare per ritrovare dei collegamenti e, spesso, quanto poco durano. Ho visto molti amici andare in carcere. Altri sono spariti senza lasciar traccia. Certuni li dobbiamo allontanare perché sospetti. Eppure, bisogna tener duro. »

« Va bene » disse Pietro. « Mi arrangerò da solo. »

« C'è altro » disse Romeo con evidente imbarazzo.

« Cosa c'è? »

« Ho visto Battipaglia, l'interregionale. »

« Cosa ti ha detto? »

« Mi ha avvertito che forse sarai espulso dal partito. »

« Non dipende da lui. »

« Se questo accadesse, mi dispiacerebbe assai » disse Romeo. « Fa' del tutto per evitarlo. Non essere testardo. »

« Mi lascino in pace » disse Pietro. « Non pretendano da me l'impossibile. Non posso mica sacrificare al partito i motivi per cui vi ho aderito. »

Romeo insistette.

« Rompere col partito » disse « significa abbandonare l'idea. »

« È un ragionamento sbagliato » disse Pietro. « Sarebbe come mettere la Chiesa prima di Cristo. »

« Va bene » disse Romeo. « Conosco il tuo modo di pensare ma non essere testardo. »

I due si strinsero forte la mano e si allontanarono in due direzioni opposte.

XIX

Prima di ripartire per la Marsica, Pietro volle fare ancora qualche tentativo di trovare almeno un compagno sperimentato da portare con sé come aiutante. Egli voleva premunirsi contro il pericolo che la sua eventuale cattura lasciasse i giovani amici di Pompeo in balía di loro stessi. Disse perciò a Lamorra che sarebbe rimasto nella sua baracca ancora un paio di giorni. Il vecchio paesano ne approfittò per esporgli una sua proposta.

« A Orta non posso tornarci » disse. « Ti ho già spiegato la ragione. È l'unico luogo del mondo in cui mi rifiuto di mettere piede. D'altronde, neppure tu vai a Orta. Perché non mi porti con te? Sono stufo di scavare pozzolana. »

« Cosa faresti con me? » gli domandò Pietro.

« Ogni servizio, anche il piú umile » disse Lamorra. « Ti porterei le valigie. La barba te la fai da te? Porterei le lettere alla fidanzata. Bada che ti costerei poco. Mangerei i tuoi resti. »

« Sei pazzo » disse Pietro. « Detesto i servi. »

Lamorra ne fu rattristato.

« Non credere che avrei potuto fare questo discorso a un'altra persona » disse. « Ma tu sei il figlio del mio padrone. E, non per criticarti, mi pare tu sia rimasto un bambino. »

« Cerca piuttosto di ritrovare la persona che sai » disse Pietro. « Non perdere il tempo in chiacchiere. »

Lamorra non ritrovò Murica, ma Annina, la sua amica. Si era trasferita in via della Lungaretta, in Trastevere, in un ampio casamento popolare che trasudava miseria e sudiciume. Pietro vi si recò immediatamente.

In una stanzetta in disordine, che era nello stesso tempo camera da letto e laboratorio, egli trovò una ragazza curva sulla macchina da cucire.

« Romeo vi avrà parlato di me » disse Pietro. « Sono venuto per avere notizie di Murica. »

La ragazza accolse l'importuno con vivo disappunto. Ella era ancora molto giovane, e aveva un viso affilato, fine e regolare, con due occhi veramente belli, anche se ostili. Pietro restò impacciato vicino alla porta, finché la ragazza non gli porse una sedia. Quando le fu vicino, Annina lo guardò con un sorriso velato di tristezza.

« Sapete che somigliate stranamente a colui che cercate? » disse. « Anche la vostra maniera prepotente di far visita somiglia alla sua. D'altronde, egli è nato a Rocca dei Marsi, credo a non grande distanza dal vostro paese. Me ne parlò una volta. »

« A una decina di chilometri » disse Pietro. « Dove si trova lui adesso? Avrei bisogno urgente di vederlo. »

« Egli mi parlava spesso di voi » disse Annina. « Si rammaricava di non conoscervi personalmente. Ma la vita dei gruppi era molto isolata, era difficile conoscerci tra compagni. »

« Da quanto tempo non l'avete piú visto? »

« Presto farà un anno. Vari sono venuti a domandare di lui. »

« Potrebbe essere in carcere? »

« No » disse la ragazza con sicurezza. « L'anno scorso egli fu preso assieme ad altri nella razzia del primo maggio, e rimase in carcere un paio di mesi. Quando uscì, mi giurò che si sarebbe ucciso, piuttosto che tornarvi. »

Dalle scale arrivò un rumore di passi. Una bambina aprí la porta, consegnò un vestito da riparare e andò via.

« Lo conoscevate da molto tempo? » domandò Pietro.

« Perché riaprire le vecchie ferite? » rispose Annina.

« Scusatemi » disse Pietro. « Non è per curiosità che lo

197

chiedo. Se mi conosceste meglio, sapreste che merito la vostra fiducia. »

« Lo so » disse Annina.

Ella fece un po' d'ordine sul tavolo e sulla macchina da cucire.

« C'incontrammo nel gruppo circa tre anni fa e ci volemmo subito molto bene » disse la ragazza arrossendo. « Veramente non era un flirt, ma una passione. Abitavo in quel tempo ancora in famiglia e mia madre mi sgridava continuamente, perché dimenticavo ogni altro dovere e non mi occupavo che di lui. Egli fu il mio primo amico, ed era, per me, figlio, fratello, amante, nello stesso tempo. Anche lui mi voleva molto bene. »

La ragazza si alzò, voltò le spalle all'ospite per nascondere le lagrime. Quando tornò a sedersi aveva gli occhi rossi.

« Non vorrei » disse Pietro « risuscitare tristi ricordi. »

« Purtroppo non si tratta di cose dimenticate » disse Annina. « È una realtà dolorosa che ho sempre qui davanti agli occhi. Essa è diventata la padrona della mia vita. »

« La vita cospirativa è dura » disse Pietro. « Per resistere e non lasciarci annientare dovremmo essere senza cuore. »

« Ma la nostra amicizia non aveva affatto diminuito la nostra partecipazione al lavoro del gruppo » disse la ragazza. « Al contrario, eravamo piú attivi. Organizzavamo gite, serate di lettura, cercavamo i romanzi sociali da discutere e commentare. Rinunziammo anche a sposarci, a mettere su casa, ad avere figli, per dar maggior tempo al partito. »

« Come si spense l'idillio? » disse Pietro. « Scusate, ma quello che soprattutto mi stupisce è che la rottura sia stata totale, personale e politica.

« Avevo tanto sentito parlare di voi » continuò Pietro. « Se mi permettete di confessarlo, aggiungerò che avevo sempre desiderato di conoscervi. Ma le regole della vita cospirativa non lo consentivano. Si parlava di voi con assoluta fiducia e perfino con ammirazione. È una vera compagna, si diceva. E ora? Non avete nostalgia della lotta? Non vi capisco. Come potete rassegnarvi alla vita banale? »

Annina taceva. Finalmente parve decidersi.

« È difficile raccontare certe cose » ella disse. « Ma forse ho il dovere di farlo e voi siete la persona piú degna di ascoltarlo. Voi siete della sua stessa terra, voi gli somigliate, probabilmente voi pensate come lui, forse avete i suoi stessi difetti. E poi voi rappresentate il Partito. »

La ragazza ebbe una nuova crisi di pianto e dopo, a stento, cominciò il suo racconto.

« Quando egli fu arrestato l'anno scorso » disse « fu molto battuto; ma, piú delle percosse, poterono su di lui i maltrattamenti morali, gli schiaffi, gli sputi. Egli uscí da Regina Coeli sconvolto e depresso. Io l'attribuii alla sua debolezza fisica, ma nemmeno col passare delle settimane diminuí in lui l'incubo della polizia e di un eventuale nuovo arresto. "Piuttosto di tornare in carcere, mi uccido" egli mi ripeteva. La polizia lo aveva ammonito a interrompere le sue vecchie relazioni e a non piú vedermi, essendo anch'io politicamente sospetta. Quand'era con me, egli era dunque sempre inquieto. Il rumore di un autocarro lo faceva impallidire. Non sapevamo piú dove incontrarci. Egli continuava ad amarmi, voleva stare spesso con me, era gelosissimo se non mi vedeva tutti i giorni; ma, stando con me, si sentiva in pericolo e perciò quasi mi odiava. L'antica spensieratezza era finita. Ogni incontro diventava una tortura. "La polizia può sorprendermi da un momento all'altro" diceva. Anche il suo fisico era affetto da ogni sorta di malesseri: il suo cuore funzionava male, la digestione era irregolare, aveva attacchi di asma. Un poliziotto veniva spesso da me per cercarlo. Era un pugliese, con i capelli rossi, particolarmente odioso. Egli veniva nelle ore piú inverosimili, di preferenza di notte, quando ero a letto. Presto capii che cercava me, piú che Luigi. Varie volte dovetti difendermi con la forza; finalmente, per essere piú sicura, invitai a dormire con me una mia cugina.

« Il giorno di Natale dell'anno scorso » riprese Annina « pranzai con Luigi, in un ristorante fuori Porta S. Paolo. Quel giorno egli era insolitamente calmo, di buon umore, quasi spensierato, come una volta. Da molto tempo non eravamo stati un po' soli, perciò l'invitai a venire da me, in un piccolo appartamento che allora avevo a via del Governo Vecchio, per passare assieme il pomeriggio. Per strada comprammo dei fiori, delle frutta, dei dolci, una bottiglia di Marsala. Egli mi stava aiutando a disporre i fiori in un vaso, quando fu bussato alla porta, che avevamo chiuso a chiave. "Chi è?" domandai. Fu risposto: "La polizia". Subito Luigi cominciò a tremare. Per non cadere si sedette su di una sedia; mi fece cenno di non aprire. Ma i colpi alla porta divennero sempre piú violenti. "In carcere non ci torno" egli mormorava. "Mi butto dalla finestra, ma in carcere non ci torno." Sotto le spinte dei poliziotti, intanto la porta crollava. Ora dovete sapere che in quell'appartamento io disponevo di un piccolo terrazzo, e dal terrazzo era facile arrampicarsi sul tetto. Feci cenno dunque a Luigi di rifugiarsi sul tetto. Appena egli sparí, aprii la porta. Entrarono due poliziotti, il pugliese e un altro piú giovane, che non conoscevo. Non serví a nulla che negassi. Essi sapevano che il mio amico era da me perché ci avevano visti tornare a casa assieme. Cercarono sotto il letto e nell'armadio. Il pugliese disse: "Se non è in camera deve essere sul tetto". Io sbarrai la via del balcone. "Voi non l'arresterete" dissi. "Arrestate me, ma non lui." I poliziotti cercarono di allontanarmi con la forza, ma io resistevo con i pugni i calci i morsi. "Voi non l'arresterete" ripetevo. "D'accordo, ma a una condizione" mi rispose il poliziotto pugliese. "A qualunque condizione" dissi. Avrei dato con piacere anche la vita per salvare il mio amico dal carcere; ma i poliziotti pretesero da me qualcosa di piú. Non so quanto tempo essi restassero. Ricordo solo, molto piú tardi, la voce di Luigi dietro le imposte semichiuse del balcone. "Sono partiti?" mi domandava. Egli entrò nella camera. "Che fai, dormi?" mi domandò. Si avvicinò alla finestra e si sporse per vedere se la casa fosse piantonata. "Per strada non c'è nessuno" disse soddisfatto. Prese un biscotto dal tavolo e lo mangiò. Andò alla porta a origliare se qualcuno fosse per le scale. Poi venne verso di me. "Che fai, dormi?" mi domandò ancora. Io ero coperta da un lenzuolo, ed egli mi scoprí. Mi vide nuda; sulle lenzuola vide le tracce dei due uomini. Fece una smorfia di schifo. "Puttana" mi gridò; sputò sul letto; buttò a terra tutto quello che avevamo comprato assieme per festeggiare il Natale; rovesciò la macchina da cucire; scagliò la bottiglia di Marsala contro il grande specchio che andò in frantumi. E partí sbattendo la porta. Io non feci alcun gesto, non dissi una parola. Quello che era successo, era successo. »

La donna tacque. Il racconto era finito. Si sentí un passo d'uomo fuori la porta.

Pietro si alzò di scatto.

« Se è lo sbirro pugliese » disse « questa volta sarai tu che ti nasconderai e lui farà i conti con me. »

Arrivò invece un fattorino che consegnò un pacco e ripartí subito.

« Il pugliese » disse Annina « ha avuto la prudenza di non farsi piú vedere, né il suo collega. Un paio di volte mi è sembrato di vederli da lontano, per strada, ma hanno scantonato subito. »

« Dove credi che sia andato a finire Murica? » domandò Pietro.

« È probabile che sia tornato dai suoi, a Rocca dei Marsi » disse Annina.

« Non hai mai pensato di parlargli? »

« A che scopo? Quello che è successo, è successo. »

« Andrò io a parlargli » disse Pietro.

« Non potrei piú vivere con lui » disse Annina risoluta. « Né con altri. Tutto mi fa schifo ormai. »

« Annina, ti ringrazio della fiducia che mi hai dimostrato » disse Pietro. « Forse non sarà stata inutile. Spero di rivederti. »

XX

Nella carrozza stipata di giovani richiamati alle armi, due signori col distintivo del partito parlavano della guerra. Gli altri viaggiatori tacevano e ascoltavano.

« Con l'invenzione di cui dispone il nostro esercito, vedrai che la nuova guerra d'Africa finirà in pochi giorni » diceva uno. « Il "raggio della morte" carbonizzerà il nemico. »

Egli si soffiò a piene gote sulla palma di una mano come per disperdere della polvere, intendendo: sarà disperso cosí.

« Hai letto che i richiamati di Avezzano saranno oggi benedetti dal vescovo? » disse l'altro. « Capirai, il "raggio della morte" aprirà la via anche ai missionari. »

Tra i giovani richiamati viaggiava un vecchio contadino con l'organetto. Suo figlio teneva appoggiata la testa alla sua spalla e dormiva. "Suona qualche cosa" gli dicevano i vicini. Ma il vecchio faceva cenno di no. Forse non voleva perdere la conversazione dei due signori che parlavano della guerra che stava per cominciare e del misterioso "raggio della morte". I due signori erano armati di fucili da caccia, alla cintura avevano la cartucciera piena e andavano al Fucino per le quaglie di passo.

« Le quaglie quest'anno sono arrivate in ritardo » diceva uno. « Però sono piú grasse dell'anno scorso. »

« C'è sempre un compenso » disse l'altro e rise.

Con un po' di ritardo, anche i vicini, non volendo sembrare stupidi, si misero a ridere.

A ogni stazione salivano altri richiamati. Quasi tutti puzzavano di grappa e di stalla. Quelli che non trovavano posto sui sedili, si accucciavano sui loro involti. Alcuni estraevano subito dalle bisacce tozzi di pane di granturco e mangiavano. Il vecchio con l'organetto fece passare un fiasco di vino. "Suona qualche cosa" gli ripetevano i vicini. Ma egli scuoteva la testa, faceva cenno di no, non ne aveva voglia.

Don Paolo se ne stava rannicchiato in un angolo. Il suo cappelluccio spelato e sformato, la zimarra vecchia, sdrucita, stropicciata, gli davano l'aspetto di un povero parroco di montagna. Egli riconosceva da molti piccoli segni gli abitanti dei villaggi, quelli delle valli, quelli della montagna, quelli che scendevano dagli stazzi dei pastori; povera gente la cui capacità di sofferenza e di rassegnazione non aveva veramente limiti, abituati a vivere isolatamente, nell'ignoranza, nella diffidenza, nell'odio sterile delle famiglie.

Ogni volta che don Paolo credeva di riconoscere tra i viaggiatori qualcuno di Orta, si copriva la faccia col breviario e abbassava il cappello sugli occhi. Anche il paesaggio aveva messo l'uniforme. Sul treno, nelle stazioni, sui pali del telegrafo, sui muri, sugli alberi, sulle latrine, sui campanili, lungo le cancellate dei giardini, lungo i parapetti dei ponti, si leggevano iscrizioni inneggianti alla guerra.

Egli arrivò a Fossa senza alcun incidente. Il borgo pareva irriconoscibile sotto una decorazione multicolore di ordini di adunata, di festoni, di bandiere, di iscrizioni sui muri, con la biacca, la vernice, il gesso, il bitume, il carbone. L'albergo Girasole pareva diventato un centro di mobilitazione.

Berenice correva di qua e di là, in grande agitazione, scapigliata e discinta. Ebbe tuttavia il tempo di baciare e ribaciare le mani di don Paolo e dargli il benvenuto:

« In questo glorioso giorno, che fortuna che anche lei sia qui, che fortuna. »

« Dov'è Bianchina? » chiese il prete. « Dove potrei trovare Pompeo, il figlio del farmacista? »

Ma Berenice era già lontana.

Nella sala da pranzo e per le scale era un viavai di uomini e giovanotti. Un gruppo di uomini col distintivo, già rauchi per il troppo parlare, discutevano attorno a un tavolo sui particolari della dimostrazione spontanea che doveva aver luogo nel pomeriggio. Vi si doveva assicurare, con precauzioni rigide e severe, la partecipazione entusiastica di tutta la popolazione di Fossa e dei dintorni. Fossa non doveva sfigurare, a nessun costo.

« Bisogna mandare degli autocarri fino a Pietrasecca? » domandò uno.

« Certo, ovunque » rispose un altro. « Ma con gli autocarri devono andare anche dei carabinieri, in modo che la popolazione capisca che deve venire giú spontaneamente. »

Attorno a un tavolo alcuni proprietari e commercianti, uomini forti, lardati, insugnati, improsciuttiti, sotto la direzione dell'avvocato Zabaglia, discutevano accanitamente, da ore, sulla lista delle vivande per il banchetto della sera. Zabaglione era talmente infervorato che non si accorse dell'arrivo di don Paolo. Vi era un dissenso grave di principio, di cui Zabaglione, impulsivamente, finí col fare, come al solito, una questione di prestigio personale: quale vino si doveva servire per primo, il bianco o il rosso?

Al primo piano, nella camera da letto di Berenice, era riunito il comitato per la raccolta degli arruolamenti volontari. Quelli che non avevano trovato posto sulle sedie, stavano seduti o sdraiati sul letto della padrona. Sui cuscini del letto era graziosamente ricamato un dolce augurio: *Felicissimi sogni.* A capo del letto c'era un quadro in cromolitografia che rappresentava l'Angelo Custode accarezzante una colomba. Il merciaio che aveva la bottega sulla piazzetta del municipio, di fronte all'albergo Girasole, e che aveva dovuto chiudere per fallimento, quella mattina aveva riaperto. Al banco sedeva sua moglie Gelsomina e sulla porta stava incollata una tabella con la scritta: "I creditori sono avvertiti che il proprietario di questo negozio si è arruolato volontario". L'impiegato dell'ufficio del registro, don Genesio, dopo aver scorso le liste delle domande di arruolamento volontario, aveva esclamato:

« Questa sarà la guerra dei protestati. »

La definizione fece fortuna e fu ripetuta a tutti quelli che sopravvenivano. Don Luigi il farmacista cercava dappertutto suo figlio e non lo trovava. Era disperato. I figli degli altri partivano volontari e il suo restava? Anche lui era in commercio e aveva cambiali in scadenza.

« Avete visto Pompeo? » egli domandava affannosamente a chiunque incontrava. « Se lo trovo e non si arruola spontaneamente, com'è vero Iddio, gli sparo. »

Con ansia diversa, ma non minore, anche don Paolo cercava Pompeo. Senza dir nulla al padre, egli andò a cercarlo nella villa delle Stagioni. La villa era silenziosa e deserta. Vicino alla vacca il prete trovò Bianchina, sola, che canticchiava e giuocava con una palla di gomma. La ragazza gli saltò al collo piena di allegrezza.

« Dov'è Pompeo? » egli domandò.

« È andato a Roma » disse Bianchina. « Ha ricevuto una chiamata. »

« Una chiamata da chi? »

La ragazza non sapeva con certezza.

« Dev'essere per la seconda rivoluzione » ella disse.

« Dov'è Alberto? »

« A Pietrasecca, è tornato all'ovile. Suo padre è morto. Mi ha lasciato perché era geloso di Pompeo, di te, di tutti. »

« Cosa fa il vaccaro? »

« Non so, si è fidanzato, vuole sposarsi. »

« Ho un favore urgente da chiederti » disse don Paolo. Bianchina fece una riverenza e rispose:

« *Ecce ancilla Domini.* »

« Dovresti andare a Rocca dei Marsi per ricercare un certo Luigi Murica. Devi dirgli solo questo: un suo conoscente di Roma vorrebbe andarlo a trovare, può venire? Anche se lui insiste, non devi dirgli altro. »

« Andrò in bicicletta » disse la ragazza.

La bicicletta era in un locale della villa riservato agli attrezzi sportivi. Don Paolo la vide partire in direzione di Rocca ed egli se ne tornò all'albergo.

A mano a mano che si avvicinava l'ora in cui sarebbe stato trasmesso dalla radio il proclama della guerra, la folla che già gremiva le strade, si faceva piú fitta. Da tutte le parti arrivavano motociclette automobili autocarri carichi di poliziotti, di carabinieri, di militi, di funzionari del partito e delle corporazioni. Dalla strada delle valli arrivavano gli asini i traini le biciclette gli autocarri che trasportavano i cafoni. Due bande musicali compivano per le vie del borgo volteggi, suonando e risuonando lo stesso inno fino alla noia, all'ossessione. I bandisti traevano monture da domatori di circhi e da portieri di grandi alberghi, con alamari sontuosi e bottoni metallici in doppia fila sul petto. Di fronte alla bottega d'un barbiere era stato esposto un cartellone che rappresentava alcune donne abissine con lunghe mammelle, pendenti fin quasi sulle ginocchia. Un folto gruppo di giovanotti si era fermato davanti al cartellone, ridevano e guardavano con occhi avidi.

In fondo alla piazzetta, tra la sede del partito e la loggia municipale, era stato issato un apparecchio radio, incoronato da un trofeo di bandiere. Da lí sarebbe uscita la voce di guerra. Sotto quel piccolo oggetto, dal quale dipendeva il destino collettivo, veniva ammucchiata la povera gente a mano a mano che affluiva. Le donne si accoccolavano per terra, come in chiesa e al mercato, gli uomini si sedevano sulle bisacce o sui basti degli asini. Essi sapevano solo vagamente perché si trovassero lí raccolti e guardavano di sbieco la cassetta metallica della radio. A trovarsi lí tutti insieme, restavano disorientati, tristi, diffidenti.

La piazzetta e le vie adiacenti erano già gremite di gente, tuttavia l'afflusso dei dintorni continuava ininterrotto. Arrivavano gli sciancati dalle cave di pietra, gli orbi dalle fornaci, gli zappaterra sfiancati e curvi, i vignaroli delle colline, con le mani rose dallo zolfo e dalla calce, gli abitanti della montagna con le gambe arcuate dall'opera del falciare. Poiché il vicino era disposto a venire, ognuno aveva voluto venire. Se la guerra porterà sventura, sarà una sventura per tutti, cioè mezza sventura; ma se porterà fortuna, bisognerà cercare di averne una parte. Cosí tutti si erano mossi. Avevano lasciato la pigiatura dell'uva, la ripulitura delle botti, la preparazione della semina, ed erano accorsi al capoluogo di mandamento. Arrivarono infine anche gli abitanti di Pietrasecca e vennero ammucchiati a fianco dell'albergo Girasole. "Non muovetevi di qui" raccomandava ai nuovi venuti la guardia comunale.

La maestrina Patrignani di Pietrasecca spiegava e ripeteva al suo gruppo come bisognava comportarsi, quando gridare e quando cantare; ma la sua voce si perdeva nel trambusto generale. Grascia s'incollerí.

« Lasciateci in pace » gridò. « Non siamo dei bambini. » Don Paolo confabulava con Magascià e col vecchio Gerametta, sui fatti successi a Pietrasecca dopo la sua partenza. Magascià gli raccontò la triste morte di don Pasquale Colamartini.

« Quel giorno in cui egli scese a Fossa con voi » disse « la sera tornò a casa morto. La cavalla riportò il cadavere sulla biga fin sulla soglia di casa. Varie persone l'incontrarono e lo salutarono durante quel viaggio di ritorno, ma nessuno si accorse ch'egli fosse già spirato o agonizzante. Egli aveva il corpo un po' obliquo sul sedile e la testa reclinata sul petto, come uno che dormisse, ma con i pugni teneva saldamente strette le redini.

« Donna Cristina mi ha chiesto varie volte di voi » aggiunse Magascià. « Voleva sapere quando tornate. C'è lassú Alberto, ma non è d'alcun aiuto. »

I cafoni di Pietrasecca aspettavano in silenzio che la cerimonia cominciasse, mentre le donne erano piú curiose e impazienti. La Cesira propose alle donne di andare in chiesa "prima che la macchina si metta a parlare", mentre Filomena e Teresa erano contro, "per non perdere il posto". Ma, siccome le altre andarono, anch'esse si mossero. Gli uomini si passavano intanto un fiasco di vino e bevevano a garganella.

« A che ora parlerà? » domandò Giacinto a don Paolo accennando all'apparecchio magico.

« Credo da un momento all'altro » disse il prete.

Quella notizia passò da uomo a uomo e ravvivò l'ansia.

"Può parlare da un momento all'altro" la gente si ripeteva.

Solo Cassarola la fattucchiera non aveva voluto scendere dal traino di Magascià. Tornarono le donne dalla chiesa e cercarono di tirarla giú.

207

« Vieni con noi » le dissero. « Vieni a sederti vicino a noi. »

La fattucchiera non rispondeva.

« Cosa vedi? » una le domandò.

La vecchia le guardò diffidente.

« C'è una cometa gialla nell'aria » finalmente disse. « Verrà la guerra e poi verrà la peste. »

Le altre donne di Pietrasecca non vedevano la cometa gialla, tuttavia si fecero la croce.

« Quale santo dobbiamo pregare? » domandò Cesira.

« La preghiera non serve » disse la fattucchiera. « Dio regna sulla terra, sull'acqua e sul cielo, ma la cometa gialla viene dal di là del cielo. »

Sciatàp le porse il fiasco del vino perché bevesse. Essa beve e sputò per terra. Magascià salí sul traino e le mormorò all'orecchio:

« Dimmi la verità, cosa vedi realmente? »

« Una cometa gialla » rispose. « Con una lunga coda gialla. »

« Per te vedo qualcosa in piú » essa disse a don Paolo.

« Che vedi? » domandò il prete incuriosito.

Essa aspettò che nessun altro ascoltasse per rispondere sottovoce: « Sopra la montagna ci sta una bianca agnella e un lupo nero la guarda ».

In mezzo alla folla sottomessa e ansiosa circolavano intanto pallide signorine con panieri di coccarde tricolori. Don Paolo riconobbe le figlie di Zabaglione. Esse accorsero verso di lui e gli appuntarono una coccarda sul petto. Erano straordinariamente eccitate, ansimanti, sconvolte.

« Oh, reverendo » dissero « che bella giornata. Che giornata indimenticabile. »

Il prete restituí la coccarda.

« Mi dispiace » disse. « Non posso. »

Un rigurgito di folla, spinta dai nuovi arrivi che volevano farsi un posto in vista della radio, separò e portò via le ragazze.

Un fragore di motocicletta dominò il brusio generale; era don Concettino Ragú, in uniforme di ufficiale della milizia.

Per evitare d'incontrarlo, don Paolo si rifugiò nella sua camera. Egli si appostò dietro le persiane della sua finestra, al secondo piano dell'albergo. Dal suo posto d'osservazione, l'assembramento della folla attorno all'apparecchio radio sembrava una raccolta di pellegrini nella prossimità di un idolo. Al di sopra dei tetti delle case, egli poteva anche vedere due o tre campanili, pieni, nelle loro sommità, di ragazzi, come piccionaie gremite di colombi. D'un tratto le campane cominciarono a suonare a distesa. La folla fu solcata dai notabili del partito i quali andavano a porre, attorno al fatale apparecchio, i feticci patriottici, le bandiere tricolori, i gagliardetti e un'immagine del capo, con l'esagerata sporgenza della mascella inferiore. Grida di "Eja, Eja", altre grida incomprensibili erano lanciate dal gruppo dei notabili, mentre la massa faceva ala silenziosa.

Al posto d'onore, sotto l'apparecchio vennero accompagnate le "madri dei caduti". Esse non potevano mancare. Erano delle povere donnette, da una quindicina d'anni vestite a lutto, da una quindicina d'anni decorate di medaglie e condannate, in cambio di un piccolo sussidio, a tenersi a disposizione del maresciallo dei carabinieri tutte le volte che le cerimonie pubbliche le richiedessero. Vicino alle "madri" e attorno al curato di Fossa, don Angelo Girasole, si raggrupparono i parroci dei paesi vicini: vecchi preti bonari e timidi, preti cupi, preti atletici e imponenti e un canonico bianco e roseo come una balia ben nutrita.

« Che bella festa » diceva il canonico « com'è ben riuscita questa festa. »

Sotto la loggia del municipio stavano schierati alcuni grassi proprietari, barboni selvosi, trucemente sopraccigliati, vestiti di velluto da cacciatore. Le campane continuavano a suonare a distesa, con i ragazzi che si davano il cambio alle corde. A un certo momento dal gruppo dei notabili, in piazza, vennero fatti dei segni ai ragazzi perché interrompessero lo scampanare, essendo imminente la trasmissione della radio; ma quelli non capivano o fingevano di non capire. Erano in tutto una diecina di campane, suonate a distesa che rovesciavano sulle strade un frastuono assordante. Dei militi apparvero in cima al campanile piú vicino e imposero ai ragazzi di abbandonare le corde delle campane. Ma il suono delle altre continuò, per cui i primi borbottii rauchi dell'apparecchio passarono inavvertiti. Un grido altissimo si levò dai gruppi dei notabili e dei militi, un grido ritmico, un'invocazione appassionata al capo: "CE DU, CE DU, CE DU, CE DU".

L'invocazione si propagò lentamente, fu ripresa dalle donne, dai ragazzi, accolta e ripetuta da tutta la massa, anche dai piú lontani, anche dalle persone alle finestre, in un ritmo accorato e religioso. "CE DU, CE DU, CE DU, CE DU, CE DU, CE DU, CE DU, CE DU." Dai pressi della radio si faceva cenno alla folla di tacere perché si potesse ascoltare il discorso, ma la folla ammassata nelle vie adiacenti continuava a scandire l'invocazione salvatrice, continuava a chiamare il capo, il mago, lo stregone, che disponeva del sangue e dell'avvenire comune. Il grido della folla, confuso al persistente scampanio, rese incomprensibile ai piú il discorso della radio. Le due stesse sillabe finirono col perdere ogni significato, erano scandite come una formula di esorcismo, confondendosi nell'aria col suono sacro delle campane.

A un certo momento i piú vicini alla radio fecero segno che la trasmissione era terminata.

« La guerra è dichiarata » gridò Zabaglione.

Egli fece cenno di voler parlare, ma anche la sua voce naufragò nel clamore della folla che continuava a invocare la salvezza, la grazia. Solo un nutrito rumore di motori interruppe l'incanto. Le automobili e le motociclette delle autorità si fecero largo nella ressa e ripartirono in tutte le direzioni. Appena don Paolo vide sparire don Concettino, abbandonò il suo rifugio e scese per strada. Zabaglione l'accolse a braccia aperte.

« Ha visto le mie figlie? » disse con orgoglio. « Le ha viste nella distribuzione di coccarde? Il sentimento della patria le aveva completamente trasfigurate. »

« Erano belle come angeli » disse don Paolo.

A questo complimento Zabaglione si commosse. Don Paolo aggiunse:

« Ho parlato di lei al vescovo. Spero di averle giovato. »
Zabaglione volle baciarlo. Benché il prete si schermisse,
gli riuscí effettivamente di baciarlo.

« Caro, caro » gli disse. « Ho già sentito parlare di lei
come di un santo; ma non sapevo che la chiesa contasse
santi cosí benevoli. »

L'avvocato prese il prete sottobraccio e lo condusse a casa
sua, per le vie imbandierate. « Viva, viva » egli gridava a
ogni gruppo che incontrava. Aprí la porta la moglie, pallida
e tremante.

« Bacia la mano al reverendo e lasciaci soli » disse Zabaglione.

La signora s'inchinò e baciò la mano, ma prima di ritirarsi disse al marito: « Le bambine non sono ancora rien-
trate ».

L'uomo aggrottò le sopracciglia.

« Manda subito la serva alla loro ricerca » ordinò.

Nella sala da pranzo Zabaglione offrí da bere.

« Il Signore ha voluto punirmi » egli disse. « Perché mi
ha dato delle figlie e non dei figli? A quest'ora essi sarebbero già in Africa. In mancanza di figli, ho fatto però arruolare i miei clienti in attesa di processo. La maggior parte
non saranno accettati, ma il gesto resta. »

Il prete lo guardava bonariamente, come per dire: tra
amici ci si potrebbe esprimere in maggiore confidenza; perché ti ho accompagnato a casa?

« La guerra sarà dura » cominciò a dire don Paolo.

« Non fa niente » disse l'avvocato. « Nella peggiore delle
ipotesi guadagneremo sempre qualche cosa. Lei non è d'accordo? Dopo ogni guerra, specialmente dopo ogni sconfitta,
il nostro paese si è ingrandito. »

« Alla fine della trasmissione della radio lei voleva tenere
un discorso » disse il prete.

« Era in programma, ma l'entusiasmo della folla non l'ha
permesso » disse l'avvocato. « D'altronde, io avrei dovuto
solo presentare l'oratore ufficiale, un certo Concettino Ragú,
che doveva parlare sul tema: "Le masse rurali risorte e la
tradizione romana". »

« La romanità, cioè, una buffonata » disse il prete con insolita franchezza. « Se i cafoni si lasciano mobilitare per la guerra, non è certo in omaggio a una tradizione romana che essi ignorano. »

L'irritazione di non essere stato scelto come oratore ufficiale amareggiava ancora l'avvocato, perciò fu contento di avere qualcuno col quale sfogarsi.

« Ha ragione » egli disse. « Parlare oggi di tradizione romana è un nonsenso. La nostra tradizione non va piú in là dei Borboni e degli spagnuoli, su uno sfondo di leggende cristiane. D'altronde neppure ai tempi di Roma esisteva qui un'influenza romana. La religione la lingua l'alfabeto i costumi la razza erano diversi dai latini. »

« Crede lei » disse don Paolo « che tra i cafoni vi siano elementi avversi alla guerra? »

« I cafoni non han da mangiare, come vuole che si occupino di politica? » disse Zabaglione. « La politica è un lusso riservato alle persone ben nutrite. Però tra i giovani vi sono elementi infidi. »

Don Paolo si congedò in fretta e tornò alla villa delle Stagioni. Dopo aver oltrepassato la cinta del parco, gli sembrò di vedere una ragazza distesa sulla paglia, dietro la gabbia dei pavoni. Lentamente vi si avvicinò. Troppo tardi si accorse che non era Bianchina, ma una delle figlie di Zabaglione, assieme a un soldato. Fatto piú attento dall'esperienza, don Paolo non ebbe bisogno di accostarsi per riconoscere che si trattava delle altre due figlie dell'avvocato, quando vide ai lati opposti del tempietto di Venere due ragazze in tenera conversazione con altri soldati. La villa delle Stagioni invece era deserta. Nell'ampio cortile vuoto s'incrociavano le rondini con voli radenti. Anche le rondini erano in procinto di partire per l'Africa, a passarvi l'inverno.

Sconsolato e spazientato don Paolo tornò al paese. Per le vie di Fossa c'era grande animazione, soprattutto attorno alle osterie.

Berenice aveva messo in vendita davanti all'albergo una porchetta arrostita al forno. La porchetta era distesa su un tavolo, retta da un palo che l'attraversava dalla coda al collo.

Lungo lo squarcio del ventre mostrava il ripieno di rosmarino, di finocchio, di timo, di salvia. Una piccola folla faceva ressa attorno al tavolo, ma erano pochi quelli che compravano, a parte i militi, che avevano già ricevuto la prima paga di mobilitazione. Alcuni giovani cafoni guardavano fissi la porchetta e mostravano denti aguzzi da lupi affamati. Un graduato della milizia aveva sul pane bianco un bel pezzo di porchetta e lo sminuzzava con un coltello nuovo, uno di quegli strumenti con lama, punteruolo, cavatappi e forbicina, richiamando l'ammirazione di un'intera folla.

Sotto la loggia municipale era stato eretto un baraccone con delle vedute ingrandite e a colori dell'Abissinia. Per vedere si pagavano dieci centesimi. Chi non può pagare dieci centesimi? Anche don Paolo pagò, si mise in fila con gli altri spettatori e passò davanti a una serie di fori muniti di lente di ingrandimento. Avvicinando un occhio alle lenti, si vedevano donne abissine, con le gambe nude e pelose e i seni protuberanti. L'ultima immagine rappresentava l'imperatrice. Lo scorrimento della fila degli spettatori era assai piú lento di quello che don Paolo gradisse; ma la grande ressa gli impediva di evaderne. Alcuni di quelli che lo precedevano, restavano davanti a ogni immagine lungamente assorti. Un suo timido invito a sbrigarsi, gli attirò le proteste e i lazzi di tutta la fila. Quando poté allontanarsi dalle visioni artistiche, la sua pazienza era agli sgoccioli. Andò di qua e di là, stanco e avvilito. Per due volte tornò ancora alla villa delle Stagioni. Ambo le volte scorse tra la paglia e l'erba la candida biancheria delle figlie di Zabaglione, ma nessuna traccia del vaccaro o di altri giovani. Sarebbe stata anche ora che Bianchina tornasse dalla ricerca di Murica.

Cosí passò il pomeriggio. La buona società si riuniva all'albergo di Berenice per il banchetto; mentre gli artigiani, i piccoli borghesi, i cafoni di Fossa, assieme ai ritardatari dei villaggi vicini, si accamparono nel prato accanto alla cantina del Buonumore, sul ciglio del torrente. Per l'occasione l'oste aveva messo fuori, all'aperto, molti banchi, e smerciava vino nero di Puglia a prezzo ridotto. Sotto un pioppo, vicino al sentiero che costeggiava il torrente, troneggia-

213

va una grande botte dalla quale il cantiniere spillava il vino, riempiendone le mezze bottiglie che un gruppo di servicciole portavano sui tavoli improvvisati. Tra gli altri don Paolo ritrovò un gruppo di gente di Pietrasecca, Magascià, Sciatàp, altri, già in buona parte ubbriachi.

« Avete capito qualcosa di quello che succede? » domandò il prete a quei suoi conoscenti.

« Non ci mancherebbe altro » disse Sciatàp. « Nessuno ci ha detto che sia obbligatorio capire. »

« Le cose vanno per conto loro » disse Magascià. « Come l'acqua del fiume. A che serve capire? »

« Se tu cadi nel fiume, ti lasci travolgere dall'acqua? » disse il prete.

Magascià alzò le spalle. Un certo Pasquandrea pretendeva che presto si sarebbe potuto nuovamente emigrare, e questo era l'importante. Un altro, un certo Campobasso, aggiunse che certamente vi sarebbero state requisizioni di cavalli e di muli, "ma chi ha solo un asino non ha da aver paura", quindi lui era al sicuro. Sciatàp voleva sapere dal prete se "il raggio della morte" potesse distruggere anche le sementi sotto terra. Gli altri ascoltavano e bevevano, stupiti, storditi, silenziosi. Magascià disse al prete:

« Faresti meglio di bere e di non perdere tempo a domandarci cose che non capiamo. Vedi, a Pietrasecca uno scherzo o gioco di parole durano molti anni, passano dai padri ai figli, si sentono ripetere infinite volte, sempre allo stesso modo. Ma, qui, in un solo giorno si sentono tante novità che uno finisce con l'avere il mal di testa. Che c'è da capire? »

« Le cose vanno per conto loro » disse Sciatàp. « Se capisci e se non capisci. »

Dal sentiero che costeggiava il torrente don Paolo vide arrivare Zabaglione. Egli prese da parte don Paolo e gli domandò pallido e accorato:

« Ha visto per caso le mie bambine? Temo una sciagura. »

L'avvocato fu subito riconosciuto da molti bevitori che l'attorniarono, gli offrirono da bere e cominciarono a gridare:

« Parla, parla, vogliamo un discorso. »

La folla domandava un discorso come avrebbe chiesto

della musica, una romanza, o una mazurca, secondo l'estro del suonatore. Zabaglione si oppose, resisté ma finí per cedere. Alcuni giovanotti lo issarono quasi di forza sopra un tavolino, a fianco della botte. Egli si lisciò e rizzò i baffi, si ravviò i capelli, diede uno sguardo circolare alla folla e sorrise. Il suo viso era trasfigurato. Alzò le braccia verso il cielo stellato e cominciò con la sua calda voce di baritono:

« Discendenti di Roma eterna, o tu popolo mio. »

L'oratore salutò gli artigiani e i cafoni ubbriachi come una assemblea di re in esilio. Nei fumi del vino egli creava i ricordi di antiche glorie.

« Ditemi, chi portò la civiltà e la cultura nel Mediterraneo e in Africa? »

« Noi » risposero alcune voci.

« Ma i frutti sono stati colti da altri » gridò l'oratore.

« Ditemi ancora, chi portò la civiltà in tutta l'Europa, fin sulle spiagge nebbiose dell'Inghilterra e costruí paesi e città là dove, assieme a cinghiali e cervi, pascolavano uomini primitivi? »

« Noi » risposero alcune voci.

« Ma i frutti sono stati colti da altri. Ditemi ancora, chi scoprí l'America? »

Questa volta tutti s'alzarono in piedi e gridarono:

« Noi, noi, noi. »

« Ma gli altri se la godono. Ditemi ancora, chi ha inventato l'elettricità, il telegrafo senza fili, tutte le altre meraviglie della civiltà moderna? »

« Noi » risposero alcune voci.

« Ma gli altri se le godono. Ditemi infine, chi è emigrato in tutti i paesi del mondo per scavare miniere, costruire ponti, tracciare strade, prosciugare paludi? »

Anche questa volta tutti si alzarono in piedi e urlarono:

« Noi, noi, noi. »

« Ora ecco spiegate le origini della nostra nobile povertà. Ma, dopo secoli d'umiliazioni e di ingiustizie, la Divina Provvidenza ha inviato al nostro paese l'Uomo che dovrà recuperarci tutto quello che ci spetta e che gli altri hanno usurpato. »

« A Tunisi, a Malta, a Nizza » gridarono alcune voci.

« A Nuova York, in America, in California » gridarono altre voci.

« A San Paolo, all'Avenida Paulista, all'Avenida Angelica » gridava un vecchio.

« A Buenos Aires » gridavano altri.

Vicino a don Paolo, Sciatàp fu preso da una viva eccitazione, e benché si reggesse appena in piedi per il vino bevuto, volle salire sopra un tavolino. Impose silenzio ai vicini e cominciò a gridare:

« A Nuova York, alla 42ma Strada, alla 42ma Strada, seguite il mio consiglio, vi prego, ve ne supplico. »

La gente si era assiepata attorno a Zabaglione per costringerlo a continuare; ma egli aveva visto da lontano, lungo il sentiero che costeggiava il torrente, tre ragazze sottobraccio a dei militari. Saltò giú dal tavolo, si fece largo con la forza e rincorse le figlie. Partito l'oratore, fu come quando una gradevole musica tace e ognuno ripete per conto suo il motivo che gli è piú piaciuto.

« A Nuova York » diceva Sciatàp ai vicini « alla Mulberry Street, c'è uno svergognato che si fa chiamare Mister Charles Little-Bell, Ice and Coal. A lui bisogna dare la prima punizione. La mia idea sarebbe (naturalmente ognuno può proporre un'idea migliore) la mia idea sarebbe... »

Campobasso lo tirò da una parte e gli domandò:

« Cosa c'è alla 42ma Strada? »

« Il divertimento » disse Sciatàp. « Il divertimento della gente ricca. Belle femmine vi camminano, femmine profumate. »

Egli socchiuse gli occhi e annusò nell'aria quel lontano odore di donne. Non aggiunse altro perché arrivò il figlio, vestito goffamente da soldato, con le maniche rimboccate sui polsi e i pantaloni che gli scendevano sui ginocchi.

« Bevi » gli disse il padre. Il figlio bevve. « Ribevi » gli comandò il padre. Il figlio ribevve. « Adesso fa' attenzione. Non dimenticare quello che ti dico, qui, davanti a tutti » gli raccomandò il padre. « Se il governo decide di mandare i soldati col "raggio della morte" anche a Nuova York, fa'

216

subito un passo avanti e fatti accettare. Di' al governo che tuo padre è stato laggiú e che ti ha spiegato i posti. Dunque appena sbarchi alla piazza della Batteria, va' a mano destra... »

Il figlio rideva a bocca aperta, guardava il padre con riconoscenza e faceva cenno di sí con la testa, a ogni sua frase.

Attorno alla botte di vino si era formato un gruppo di cafoni ubbriachi che intonarono una vecchia canzone di emigranti:

> Trenta giorni di barca a vapore
> E nella Merica siamo rivati..

Successe un trambusto perché alcuni militari si allontanarono dalla cantina senza pagare. Le donnette di servizio strillavano e il cantiniere li minacciò con un coltellaccio di cucina.

« Vatti a far pagare dal governo » gli gridarono i militari da lontano.

Attorno alla botte già quasi vuota una diecina di cafoni continuarono a cantare la canzone degli emigranti. Alcuni si erano arrampicati sulla botte, vi si tenevano stretti come un battello agitato dalle onde, e sulle onde cantavano:

> Non abbiamo trovato né paglia né fieno
> Abbiam dormito sul nudo terreno
> Come le bestie che va a riposà.

Le voci erano stonate, stridule, avvinazzate, le cadenze prolungate fino a perdita di fiato e accompagnate da gesti grotteschi di viaggiatori che s'imbarcavano e partivano.

XXI

Magascià fu l'unico ad accorgersi che don Paolo piangeva.

Il prete fece fatica ad alzarsi e a passi lenti rientrò nel borgo. Si era già fatto buio. Voleva tornare in albergo, salire in camera, stendersi sul letto. Ma sulla porta dell'albergo vi era un gruppo di persone che ridevano e sghignazzavano. Rimase un po' da un lato, confuso e indeciso, finché non attirò l'attenzione di qualcuno che chiamò Berenice.

« Venite anche voi al banchetto, entrate » quella gli disse. « Vari signori desiderano fare la vostra conoscenza. »

« Grazie, ho già mangiato » disse don Paolo. « È in casa Bianchina? »

« Non è ancora tornata » rispose Berenice. « Non so dove sia. »

Don Paolo si allontanò senza sapere dove andare, poi prese di nuovo la stradetta che portava alla villa delle Stagioni. Appena fuori dell'abitato l'oscurità era completa. Egli sostava e camminava, non sapeva che fare. Oltrepassò il ponte sul torrente e s'inoltrò in un viottolo fiancheggiato da orti. Qualche strofa della canzone degli emigranti arrivava fin laggiú.

> E la Merica l'è lunga l'è larga
> Circondata da fiumi e montagne

Presso il muro di cinta della villa don Paolo fu assalito da un grosso cane che sbucò da una siepe. Per fortuna intervenne in suo soccorso un contadino. Era il vaccaro, l'amico di Pompeo.

« Cosa fate da queste parti, a quest'ora? » gli ¹ ʳmandò sorpreso.

« Cerco Pompeo » disse don Paolo.

« È stato chiamato a Roma » disse il vaccaro. « Non è ancora tornato. »

« E Bianchina? » domandò don Paolo.

« Non l'ho vista » rispose il vaccaro. « Buona sera, devo andare. »

« Non avete un momento di tempo per me? » disse don Paolo. « Mi piacerebbe di discorrere un po' con voi. »

« Mi dispiace » si scusò il vaccaro. « M'aspetta la fidanzata. »

A passi lenti e svogliati il prete tornò verso l'albergo. Le vie di Fossa erano quasi deserte e scarsamente illuminate. Le bandiere i trofei gli archi gli striscioni davano al borgo l'aspetto di una sera di carnevale. Don Paolo non ce la faceva piú di camminare, strisciava i piedi per terra, la sottana era sporca e impolverata. Ma all'entrata dell'albergo ancora una volta egli restò titubante. Dalla sala da pranzo arrivavano ancora rumori di voci e di canti. Erano gli ultimi commensali del banchetto patriottico. Egli non poteva salire nella propria camera senza attraversare la sala da pranzo. Per evitare di essere salutato e interpellato da quella gente odiosa, il prete fece il giro dell'albergo e cercò la porta della cucina. La trovò in fondo a un cortiletto ingombro di cesti, di cataste di sarmenti, di mucchi di carbone. Dalla cucina arrivavano rumori di lavatura di piatti.

Il carbone incuriosí il prete. Era carbone tenero di legna. Egli ne prese alcuni pezzi e se ne riempí una tasca. In punta di piedi tornò indietro, dimenticò la stanchezza e iniziò una piccola passeggiata di perlustrazione per le vie vicine. La via della stazione era deserta, la stazione silenziosa, nella sala d'aspetto dormiva un mendicante con un cane. L'ultimo treno era già passato. Sopra lo sportello del biglietttaio don Paolo scrisse col carbone: "Abbasso la guerra" "Viva la libertà". Egli attraversò la piazzetta della stazione e s'inoltrò nella parte vecchia del paese, per un vicolo oscuro e tortuoso che lo condusse davanti alla chiesa di S. Giuseppe. I muri della chiesa erano screpolati e inadatti a ricevere epigrafi di carbone. I tre ampi scalini che conducevano al portale, erano invece lisci e levigati. « Benissimo » disse don Paolo. Era come se generazioni di cristiani, durante vari secoli, giorno per giorno, li avessero puliti apposta, in attesa di lui, col suo pezzo di carbone. Don Paolo scrisse con delle lettere in stampatello: "Viva la libertà" "Viva la pace". Quando ebbe finito, si allontanò e si girò due o tre volte a rimirare le sue iscrizioni. Era soddisfatto. Ai piedi della chiesa esse facevano veramente bella figura. Nella lunetta del portale vi era affrescata un'immagine di S. Giuseppe col bastone fiorito. Don Paolo gli sorrise, gli fece una scappellata e continuò il suo cammino. Alla svolta di un vicolo egli si scontrò con un uomo ubbriaco che procedeva a zig-zag. L'ubbriaco restò perplesso all'apparizione del prete, poi si mise a ridere in un modo scemo e cominciò a camminargli dietro, bisbigliando:

« Comare, oh comarella, fermati un momento. »

Il prete affrettò il passo, ma siccome l'ubbriaco insisteva, sotto un lampione si lasciò raggiungere pronto a dargli due ceffoni. L'ubbriaco si avvide a tempo dell'errore, fece un comico gesto di sorpresa e balbettò qualche scusa:

« Oh, che confusione » disse « che sacrilegio stavo per commettere. »

Don Paolo proseguí la sua passeggiata e arrivò davanti all'ufficio delle Imposte. L'ufficio aveva uno stemma governativo sulla porta e solide inferriate alle finestre. Ornamenti costosi e veramente inutili. Ma la sua facciata era stata imbiancata di recente. Sapevano gli imbianchini quello che facevano? Ad ogni modo sulla candida parete don Paolo scrisse accuratamente con grandi caratteri: "Viva l'indipendenza dei popoli dell'Africa" "Viva l'Internazionale".

Dai vicoli vicini gli arrivarono altre voci di ubbriachi. Per evitare nuovi incontri, egli se ne tornò all'albergo, accedendovi per la porta della cucina in quel momento deserta. Nella propria camera egli ebbe la sorpresa di trovare Pompeo che l'aspettava seduto su una sedia.

« Sono tornato da Roma stasera, con l'ultimo treno » disse. « Appena ho saputo che eri qui, sono venuto a trovarti, ti ho aspettato perché devo parlarti. »

« Anch'io ti ho cercato e aspettato durante tutto il giorno » disse don Paolo. E aggiunse: « Pompeo, l'infame guerra è cominciata, la guerra della banca contro la povera gente, e noi che facciamo? ».

Pompeo impallidí.

« No, ti sbagli, don Paolo » egli disse « questa è una guerra per il popolo e il socialismo. »

« Sei pazzo? Come fai a crederlo? »

Pompeo raccontò le peripezie del suo viaggio a Roma, assieme a un suo amico, anch'egli fautore della seconda rivoluzione. La sera essi l'avevano trascorsa in casa d'amici, gente ricca, e naturalmente si era discusso della guerra. Pompeo era rimasto vivamente sorpreso di udire, da un banchiere lí presente, avanzare delle riserve sull'utilità della nuova guerra d'Africa, da lui considerata, piuttosto, come un'impresa politica costosa. Vari presenti si dichiararono della stessa opinione. Perché dunque si fa questa guerra? avevano domandato i due giovani. Le prime risposte erano state incerte e vaghe. Nessuno osava pronunziare il nome di Lui, ancor meno di criticarlo. Ma per finire, il banchiere con molte caute perifrasi, aveva esposto francamente il suo pensiero. Nei tempi moderni, ogni guerra, egli aveva detto, conduce fatalmente al socialismo di Stato e distrugge la proprietà privata. Questo argomento mi basta, gli aveva risposto Pompeo. Se è cosí, andrò volontario per l'Impero sociale.

Don Paolo stava per rispondere qualche cosa, ma esitò. Egli teneva in una tasca la mano ancora sporca di carbone.

« La guerra servirà a procurare fertili terre ai nostri disoccupati » insisteva a dire Pompeo. « Essi ne saranno i liberi proprietari. »

Egli estrasse dal portafoglio un pezzo di carta e lo mostrò al prete.

« Oggi stesso » disse « mi sono arruolato volontario. »

Con un filo di voce don Paolo gli disse:

« In questo caso non abbiamo piú nulla da raccontarci. »

Ma Pompeo, dopo qualche incertezza, aveva ancora una preghiera importante da rivolgergli.

«.Promettimi » gli disse « che non farai nulla di quelle cose stabilite tra noi. »

Don Paolo non rispose subito. Forse non voleva mentire.

« Promettimi » insisté Pompeo.

« Te lo prometto » disse don Paolo. E aggiunse: « Buon viaggio. Ti auguro sinceramente di tornare sano dalla guerra. Allora ne riparleremo ».

Pompeo abbracciò affettuosamente il prete.

« Ti scriverò dall'Africa » gli disse, e partí.

Don Paolo si lavò la mano sporca di carbone. Il lavandino puzzava di orina in modo disgustevole. Egli si guardò nello specchio appannato e sporco. Quel giorno era invecchiato di molti anni. La veste nera gli dava un aspetto tetro. Mentre si svestiva, fu preso da un attacco di tosse stizzosa. Improvvisamente una leggera spuma rossiccia gli apparve tra le labbra. Sputò nel lavandino. Non c'era dubbio, era sangue. Lentamente si distese sul letto.

Egli era coricato vestito e ancora sveglio, quando udí qualcuno avvicinarsi in punta di piedi alla porta della camera e rimanere a origliare. « Avanti » disse. Entrò Bianchina.

« Ho visto la luce » disse la ragazza « perciò eccomi qui. »

La ragazza era molto imbellettata e sentiva la grappa.

« Anche a Rocca c'era una festicciuola per celebrare l'inizio della guerra » raccontò ridendo. « Naturalmente alcuni amici del luogo sono stati felici di trattenermi. Quel tuo Murica è invece uno stupido. Dopo aver molto girato, l'ho finalmente trovato in un orto, mentre coltivava non so che. Gli ho recitato la lezione. Un vostro amico di Roma, gli ho detto, mi ha mandato qui apposta per farvi sapere che vorrebbe parlarvi; egli verrà qui, se voi lo gradite. Non mi ha nemmeno ringraziato, non mi ha neppure offerto un bicchiere d'acqua. Ha risposto seccamente che non vuol vedere nessuno. »

Don Paolo respirava a fatica e temeva nuovi colpi di tosse.

« Perché non dici nulla? » gli domandò Bianchina. « Come va che non sei ancora a letto? Non ti sei neanche tolto le scarpe. Che hai? Sei triste? »

Il prete fece cenno di sí con la testa.

« Perché sei triste? Hai dei debiti? Sei innamorato? »

La tosse tornò a scuoterlo. Egli reclinò la testa su una spalla e un tenue filo di sangue caldo gli colò da un lato della bocca, sul mento. Egli vide Bianchina impallidire e sul punto di correre per chiedere aiuto, ma fece a tempo ad afferrarle una mano, sorrise e mormorò:

« Non aver paura » le disse. « È niente. Non è la prima volta. Passa da sé. »

Bianchina bagnò dei fazzoletti nell'acqua fredda e glieli pose sulla fronte e sul petto.

« L'importante è che tu resti calmo » gli ripeteva.

Si tolse dalla cintura un velo turchino e l'avvolse intorno alla lampadina elettrica, in modo da attenuare la luce. Ogni tanto rinnovava le compresse d'acqua fredda.

« Ho assistito una zia che aveva questo male » disse Bianchina. « So quello che bisogna fare. L'importante è che non ti spaventi. Lascia fare a me. »

Lentamente, senza che lui dovesse scuotersi o sforzarsi, lo spogliò, gli tirò sopra un lenzuolo e lo ricoprí per bene. Delicatamente gli lavò poi le tracce di sangue sulla bocca e sul mento.

« Caro, caro » gli ripeteva sottovoce « vedrai che non sarà nulla di grave. »

Bianchina proibí al malato di parlare. Gli diede un foglio di carta con una matita per il caso che avesse qualche cosa da chiedere.

« Adesso è ora di dormire » disse infine la ragazza. « Buona notte. »

Bianchina si allungò sopra un'imbottita distesa per terra, accanto al letto. Ma nessuno dei due riusciva a dormire.

A un certo momento il malato le domandò:

« Anche tu hai fatto festa perché è incominciata la guerra? »

« Anch'io. »

« Perché? »

« Ho fatto come gli altri. Ti dispiace? »

« Sí. »

« Dormi, non pensarci » disse Bianchina.

Al mattino la ragazza informò la madre dell'indisposizione di don Paolo; ma tornò subito da lui per informarlo di un grande fermento scoppiato nel paese a causa di certe infami scritte contro la guerra su vari edifizi pubblici. Le iscrizioni erano state eseguite col carbone, durante la notte. Mentre Bianchina faceva pulizia nella camera, scoprí sull'asciugamano larghe macchie nere, come se un carbonaio vi si fosse pulite le mani.

« Cos'è questo? » domandò al malato.

Ma invece di aspettare una risposta, si affrettò a lavare l'asciugamano.

Poi andò verso don Paolo e gli disse in tono di rimprovero:

« Sei un vero bambino. Un bambino incorreggibile e temerario. »

Ma lo sguardo di don Paolo la commosse. Perciò subito aggiunse:

« Tuttavia una cara persona. »

« Bianchina » disse don Paolo « quale fortuna che al mondo, accanto a questi porci calcolatori di uomini, vi siano anche le donne. »

Bianchina rifletté.

« Forse dici questo per puro calcolo. »

« Naturalmente. »

« E chi ti dice che anch'io non agisca per interesse? »

Don Paolo guardava la ragazza mentre lavava il pavimento. Le caviglie erano perfette. Il suo petto somigliava a un panierino ben fornito. Quando l'aveva vista la prima volta, sembravano limoni acerbi, adesso belle mele mature.

XXII

« Appena sarò in condizioni di viaggiare, me ne andrò all'estero » don Paolo disse a Bianchina. « Non posso piú vivere in questo odioso paese. »

« Cercami un posto e verrò anch'io » disse la ragazza.

L'idea di ritrovarsi con Bianchina all'estero divertiva don Paolo.

« Se verrai all'estero » disse « ti racconterò un segreto che ti farà ridere. »

« Non potresti raccontarmelo subito? »

Ma don Paolo non si lasciò convincere.

Berenice curava il prete secondo le prescrizioni del medico condotto di Fossa. Egli aveva raccomandato in modo particolare di distrarre il malato dai pensieri melanconici. E di questo si era coscienziosamente incaricata Bianchina. Si capiva che, trattandosi di un malato, la ragazza si trovava un po' impacciata nella scelta dei mezzi. A tutta una serie di giocherelli e scherzi che avrebbero divertito di sicuro don Paolo ma a scapito della sua salute, ella dovette rinunziare. Essendo però una ragazza piena di risorse, ella riesumò dai ricordi di collegio passatempi innocui che lo distraevano dal suo umore nero, come, ad esempio, la corsa delle mosche. In collegio la corsa delle mosche era praticata soprattutto nelle ore di scuola. La bravura consisteva nel prenderle a volo, senza ferirle e senza che la suora se ne accorgesse. Alle mosche catturate veniva infilato, dalla parte di dietro, uno spillo o un pennino. Poscia, deposte e allineate sul banco, erano incitate a una corsa "a piedi", chiamata la "corsa del rimorchio". In questo sport Bianchina si era fatta un discreto nome. Ora però, nel prendere le mosche a volo, le succedeva talvolta di ferirle.

« Mi manca l'esercizio » ella ripeteva per scusarsi. « Nelle scuole delle monache s'imparano tante cose, ma quando, più tardi, nella vita, farebbero bisogno, purtroppo sono andate dimenticate. »

La "corsa col rimorchio" si svolgeva sul letto di don Paolo. La copertina di cuoio nero del breviario funzionava da pista. Alcune mosche partivano subito e andavano diritto al traguardo, mentre altre procedevano di sbieco, uscivano di pista, oppure, dopo i primi passi, si fermavano.

« Quelle che non vogliono camminare, sono le mogli » spiegava Bianchina. « Rallentano per far vincere il marito. Che stupide. »

Salvo le dimensioni, don Paolo scoprí che una corsa di mosche, guardata da vicino, era piena di sorprese e di distrazioni come una ordinaria corsa di cavalli e di auto. Malgrado le preoccupazioni di Bianchina, frequenti echi del subbuglio provocato nel paese dalle scritte di carbone contro la guerra, arrivavano fino al malato.

« Non si erano mai visti tanti poliziotti a Fossa » raccontò Berenice. « Come se fossimo un comune di malviventi. »

Bianchina taceva, o cercava di cambiare discorso.

Gelsomina, la merciaia, che aveva preso il posto del marito arruolatosi volontario, stava sulla soglia del negozio e fermava i passanti.

« Avete udito qualche cosa di nuovo? » domandava. « Certamente sarà stato un forestiero. »

Davanti alla porta dell'albergo sostava in permanenza un crocchio di persone che non parlavano d'altro. Le parole dei notabili venivano ripetute di casa in casa e commentate.

« Era stata una cosí bella festa, tutti contenti, tutti d'accordo » diceva Berenice. « Chi ha potuto avere l'idea di scrivere quelle stupidaggini sui muri? »

« Insomma, anche da noi l'invidia non manca » disse il farmacista don Luigi. « Qualcuno che non ha potuto arruolarsi e magari non ha figli da fare arruolare, si è sfogato in quella maniera. »

« Non c'è mortorio senza scherzi, né matrimonio senza pianti » disse Zabaglione. « Via, via, non esageriamo. »

« Uccello di notte, uccello di malaugurio » sentenziò don Genesio. « Non bisogna fidarsi delle apparenze. »

« Proprio cosí » disse Berenice. « Tra i cafoni cova il fuoco. State attenti, il fuoco di giorno non si vede, ma la notte luccica. »

« Ma che cafoni » disse il farmacista. « I cafoni non sanno né leggere né scrivere. E le scritte contro la guerra erano in stampatello. Altro che cafoni. »

« Bisogna riconoscere che vi sono dei ragazzi che hanno perduto la testa » disse Zabaglione. « Naturalmente non voglio alludere a nessuno. »

Ma don Luigi capí l'insinuazione e gli rispose inviperito:

« Per norma tua mio figlio si è arruolato volontario. L'onore di un volontario è al di sopra di tutto. Oltre a ciò, giacché ci siamo, né io né mio figlio siamo mai stati socialisti... »

Zabaglione era toccato, era il suo tallone d'Achille.

« È una ritorsione che non mi punge » egli disse pallido di rabbia. « Tutti sanno che ho sacrificato le mie idee da molto tempo. Chi non è stato una volta socialista? Anche il capo del governo lo è stato. »

« Ma perché tante chiacchiere? » diceva Bianchina. « Per un po' di carbone sul muro? Che esagerazione. »

In quel caso l'ingenuità della ragazza era autentica.

« Veramente non capisco » disse Bianchina anche a don Paolo « perché si facciano tante discussioni per alcune scrittarelle di carbone sul muro. »

Don Paolo pareva invece soddisfatto e cercò di spiegarle la vera causa di quella emozione che non accennava a spegnersi.

« La dittatura si regge sull'unanimità » disse. « Basta che uno dica NO e l'incanto è spezzato. »

« Anche se si tratta di un poverino, solo e malato? » domandò la ragazza.

« Certamente. »

« Anche se si tratta di un uomo pacifico, che la pensa a modo suo, ma, a parte ciò, non fa nulla di male? »

« Certamente. »

Quelle riflessioni rattristavano la ragazza, ma erano invece di conforto per don Paolo.

« In ogni dittatura » disse a Bianchina « un solo uomo, anche un piccolo uomo qualsiasi, il quale continui a pensare con la propria testa, mette in pericolo l'ordine pubblico. Tonnellate di carta stampata propagano le parole d'ordine del regime; migliaia di altoparlanti, centinaia di migliaia di manifesti e di fogli volanti distribuiti gratuitamente, schiere di oratori su tutte le piazze e i crocicchi, migliaia di preti dal pergamo ripetono fino all'ossessione, fino all'istupidimento collettivo, quelle parole d'ordine. Ma basta che un piccolo uomo, un solo piccolo uomo, dica NO, e quel formidabile ordine granitico è in pericolo. »

La ragazza era impaurita, mentre il prete era nuovamente di buon umore.

« E se lo prendono e l'ammazzano? » disse la ragazza.

« Ammazzare un uomo che dice di NO è un'impresa arrischiata » disse il prete. « Anche il cadavere può continuare a ripetere sottovoce NO, NO, NO, NO, con la tenacia e la caparbietà di certi cadaveri. Come si fa a far tacere un cadavere? Forse hai udito raccontare di Giacomo Matteotti. »

« Non ricordo » disse Bianchina. « Chi è? »

« Un cadavere che nessuno riesce a far tacere » disse don Paolo.

Nella camera irruppe Berenice tutta eccitata.

« Finalmente, finalmente » gridava.

« Hai vinto alla lotteria? » disse Bianchina.

« Pompeo sa chi ha fatto le scritte col carbone » disse Berenice. « Ora egli va ad Avezzano per rivelarlo alle autorità superiori. »

« Come fa a saperlo? » disse il prete.

« Egli stesso l'ha detto poco fa alla merciaia. »

Bianchina cercò un cappellino nella sua camera e corse alla stazione.

« Non immischiarti nei fatti che non ti riguardano » le

gridò la madre per le scale. « Non continuare a essere la nostra rovina. »

Ma Bianchina era già lontana.

Don Paolo saltò fuori dal letto per fare le valigie e prendere la fuga. Da alcuni giorni non aveva piú febbre, anche la tosse era diminuita. Ma appena si reggeva sulle ginocchia. E poi, dove andare? C'era una sola linea ferroviaria: se saliva in treno sarebbe stato facilmente arrestato. Prendere la via della montagna e passare alcuni giorni alla macchia? Nelle sue condizioni sarebbe stata follia. Perciò egli disfece la valigia e tornò a letto. Tutto considerato, un arresto a Fossa, in un paese già in subbuglio, poteva essere "piú utile" di un arresto alla stazione di Roma. Orta, il suo paese nativo, era a pochi chilometri. A pochi chilometri era don Benedetto. In ognuno dei paesi vicini viveva qualche suo compagno di scuola. La notizia del suo arresto sarebbe arrivata ai cafoni. Nelle lunghe serate d'inverno, vicino al focolare, la povera gente affamata avrebbe ripensato al suo gesto.

Ancora una volta l'attesa del ritorno di Bianchina andò per le lunghe.

Dopo la prima sommaria epurazione, dal suo bagaglio e dai libri, di ogni traccia che potesse compromettere altri, don Paolo ebbe il tempo di ripetere il controllo varie volte. A ogni rumore di carrozza egli correva alla finestra, ma la sua ansietà restava inappagata. Un tale ritardo era incomprensibile. Avezzano distava appena un'ora di treno. Perché la polizia era cosí lenta?

Bianchina e Pompeo non tornarono che la sera tardi. Don Paolo era sfinito per l'interminabile attesa.

« Abbiamo mangiato e bevuto » gli disse Bianchina ridendo. « Quando volevamo tornare, siamo passati davanti a un cinematografo. Nel programma c'era Michey Mouse e siamo subito entrati. »

« Nient'altro? »

« No. »

« Pompeo non voleva andare ad Avezzano per fare una certa denunzia? » disse il prete.

Bianchina sorrise.

229

« Che memoria formidabile hai tu » disse la ragazza. « Io l'avevo già dimenticato. »

« Dunque? »

« Al momento di salire sul treno » ella disse « Pompeo mi aveva assicurato di sapere con certezza chi fosse stato l'autore delle scritte. In treno ne abbiamo discusso, ci siamo quasi accapigliati. Alla stazione di Avezzano, alla discesa del treno, c'era il capo della polizia che aspettava la denunzia; ma Pompeo, nel frattempo, aveva cambiato idea. »

« Chi è stato denunziato, per finire? »

« Un uomo in bicicletta, proveniente dalla via di Orta » disse Bianchina. « Pompeo, ha assicurato di averlo visto da lontano e di non essere stato in grado di riconoscerlo. Per conto mio ho confermato la sua denunzia. Anch'io vidi quella notte, coi miei occhi, un uomo in bicicletta proveniente dalla via di Orta. »

Lo stesso racconto Bianchina, arrivando, aveva dovuto fare alla madre.

« Da Orta? » esclamò Berenice. « Aveva dunque ragione Gelsomina, era un forestiero. »

Berenice corse in casa della merciaia.

« Gelsomí » gridò. « Avevamo ragione noi. È proprio come noi dicevamo. Un forestiero, un uomo di Orta, ha voluto compromettere la gente di Fossa. »

In un baleno la voce si sparse per botteghe e cantine. E naturalmente molte altre persone avevano incontrato quella notte l'uomo in bicicletta proveniente da Orta. Ma non era uno di quelli che di solito vengono al mercato; era uno sconosciuto.

« Il solito sconosciuto » esclamò il maresciallo dei carabinieri con rabbia.

Scampato il pericolo, don Paolo tornò allegro. Il suo spirito di avventura si era ravvivato.

« Ti porterò con me all'estero » egli disse a Bianchina « e ti racconterò delle fiabe. »

« All'estero, dove? » voleva sapere la ragazza. « In missione, tra i miscredenti delle colonie? »

« Sí, tra i miscredenti, ma a Parigi o a Zurigo » disse don Paolo.

XXIII

Il giorno dopo il curato di Fossa, don Angelo Girasole, si presentò all'albergo della sorella per rinnovare a don Paolo il suo invito a visitare la chiesa parrocchiale. Il prete forestiero non poté piú sottrarsi a un dovere di cortesia che fino allora, con vari pretesti, aveva ritardato.

Don Angelo era appena sulla sessantina, ma sembrava assai piú vecchio: i suoi capelli erano interamente bianchi, la faccia era scarna e giallastra e camminava curvo. Strada facendo egli raccontò a don Paolo di essere stato primogenito di dieci fratelli, dei quali, assieme a lui, non sopravviveva che Berenice. Il ministero religioso gli dava da fare ininterrottamente, dall'alba alla sera tardi. Era solo e la parrocchia era numerosa. Oltre alla messa, alle confessioni, ai funerali, alle novene, ai tridui, ai rosari, alle devozioni d'ogni sorta, a cui doveva presiedere o assistere, vi erano le nuove incombenze di stato civile, i battesimi, i matrimoni, vi erano le madri analfabete che andavano da lui a farsi leggere la lettera ricevuta dall'America, le Figlie di Maria, il circolo giovanile di San Luigi, l'insegnamento del catechismo nelle scuole elementari, i ragazzi da preparare alla cresima, quelli da preparare alla prima comunione, la Congregazione di Carità, la Confraternita, i terziari di S. Francesco.

« Devo approfittare dei piccoli ritagli di tempo » disse « se voglio recitare il breviario e raccogliermi un po' in me stesso e prepararmi alla morte che sento vicina, e che tuttavia avanza sí lentamente. »

Ogni sera egli si sentiva stanco da non reggersi in piedi; eppure, quante volte, anche nella stagione piú cruda, gli succedeva di essere svegliato nel cuore della notte e di doversi alzare per andare ad assistere un moribondo. Con ciò egli non si lamentava, anzi.

« L'uomo di Dio dev'essere sempre stanco » egli disse. « Nell'ozio vengono i pensieri inutili, e dietro di essi, il Maligno sempre in agguato. »

Nella piazzetta davanti alla chiesa una frotta di ragazzi si allenavano al giuoco del calcio. Essi sospesero la partita per lasciar passare i due preti.

« Tra un quarto d'ora comincia il catechismo » ricordò ad essi il curato.

Sui gradini della chiesa don Angelo sostò un momento per riprendere fiato.

« Probabilmente avrà sentito parlare anche lei della profanazione qui avvenuta » egli disse a don Paolo « Una notte, un forestiero, con una maschera sul volto, è venuto qui, sulla soglia della chiesa, per scrivere delle insanie. »

« A proposito » disse don Paolo « che ne pensa lei della nuova guerra? »

Una donna aspettava il curato sulla porta della chiesa per fissare la data di un battesimo.

« Un povero curato di campagna » disse don Angelo « ha molto da fare e poco da pensare. Per il resto » egli aggiunse con un sorriso « c'è l'Antico e il Nuovo Testamento, e il Pastore della Chiesa che ci guida. »

« Mi ero espresso male » disse don Paolo.

L'interno della chiesa sembrava buio a chi entrava, ma gli occhi vi si abituavano presto. Il pavimento avvallato e sconnesso, era in parte celato da donne vestite di nero, che pregavano e bisbigliavano tra loro, accosciate alla maniera orientale in segno di umiltà e familiarità con la casa di Dio. Una vecchia strisciava ginocchioni verso la cappella del Sacramento, con la faccia per terra, toccando con la lingua il pavimento e lasciando dietro di sé, sulle vecchie pietre, un'irregolare fettuccia di bava, come la traccia argentea di una lumaca. Un giovane, vestito da soldato, le camminava a fianco, in piedi, a piccoli passi, vergognoso e goffo.

Don Angelo si inginocchiò un momento davanti al Tabernacolo, e don Paolo l'imitò. Sull'altare c'era la figura cadaverica di Cristo sulle ginocchia della Madre vestita a lutto. Cristo sembrava un cafone ammazzato in una rissa e già in disfacimento; le ferite della mano, dei piedi, l'apertura profonda del costato apparivano in istato di avanzata cancrena; la parrucca rossiccia dei capelli forse era piena di polvere e d'insetti. Ma la Madre pareva la vedova di un ricco commerciante perseguitata dalle disgrazie; due lagrime di paraffina le brillavano sulle belle gote pallide; i suoi occhi neri guardavano in alto, come per non vedere quel figlio sul quale aveva riposto tante speranze e che peggio non poteva finire; un velo finemente ricamato le copriva i capelli ondulati e le scendeva fino a mezza fronte; un elegante fazzoletto di pizzo era legato al dito mignolo della sua mano destra, sul piedistallo, ai suoi piedi, erano scolpite in lettere d'oro queste parole lamentose:

Videte si dolor vester est sicut dolor meus

Il vicino altare di S. Rocco era adorno della solita varietà di ex voto policromi, appesi dai fedeli miracolati, secondo la grazia ricevuta, mani piedi nasi orecchie mammelle altre parti del corpo, alcune in grandezza naturale.

« Vedi un po' » disse a don Angelo la madre del soldato che aveva finito lo *strascino* « vedi se questo sussidio si può aver subito; altrimenti come si fa a vivere? »

« Che sussidio? »

« Quattro lire al giorno » disse il soldato « spettano alla madre di ogni richiamato. C'è scritto sul giornale di oggi. »

« A chi bisogna andare per questo sussidio? » venne a domandare un'altra donna al curato. « Alla posta? Al Municipio? Ai carabinieri? »

In sacrestia aspettava un'altra donna che aveva il figlio malato di resipola. Voleva il permesso di bagnare un pezzettino di stoffa nell'olio della lampada che ardeva a fianco del Tabernacolo, per metterlo sul cuore del bambino morente. Don Angelo diede il permesso.

« Vede? Sulla guerra un curato di campagna ha poco da riflettere » egli disse a don Paolo. « Adesso cominciamo le pratiche per i sussidi, poi vi saranno le pratiche per la ricerca dei prigionieri e dei dispersi, poi quelle per le licenze agricole, per le pensioni, per gli orfani. »

« Non vi sono gli uffici governativi? »

« Sí, ma la povera gente ne diffida e in genere vi è male accolta. Perciò viene a piangere in sagrestia. »

« Molti anni fa a Roma, in occasione di un giubileo » disse don Paolo « ho conosciuto un certo don Benedetto de Merulis di queste parti. Credo, se non mi sbaglio, che in quell'epoca egli fosse professore di greco e di latino in un collegio diocesano. Vive ancora? Lo vede lei qualche volta? »

« Venga » disse don Angelo.

Egli voleva mostrare a don Paolo il tesoro della parrocchia. Si avvicinò a un armadio che ricopriva l'intera parete e a fatica spalancò due enormi battenti di legno coperti d'intarsi. In alto egli indicò le oreficerie e gli smalti; nel centro, in un'apposita nicchia, un busto in argento di un santo martire; in basso, sospese come in un guardaroba, un gran numero di pianete, dalmatiche e stole, riccamente ricamate.

Entrò il sacrestano e serví due bicchieri di vino.

« Mi chiedeva di Benedetto? » disse il curato. « Sí, vive ancora. Egli è un sant'uomo temerario. Ha vissuto a lungo in modo esemplare, essendo per noi tutti maestro di cultura e di virtú. Ora però, sulla soglia dell'eternità, il suo disprezzo dell'opinione degli uomini e la sua eccessiva fiducia in Dio gli consigliano spropositi che sfiorano l'eresia. »

« Un rischio che i santi hanno spesso accettato » disse don Paolo.

« Non spetta a me discriminare la virtú dall'indisciplina » disse don Angelo. « Non le so dire quanto soffra per lui. Egli fu consacrato mentre io ero ancora chierico, ed ero pieno d'ammirazione per la sua calma dignitosa e sobria, per la purezza senza macchia della sua vita privata. Egli volle dire la sua prima messa nella cappella delle carceri e la seconda in un ospedale. Può bene immaginarsi lo scandalo dei parenti, i quali, di solito, considerano la prima messa come una festa mondana. »

« Spero che lei non condivida il punto di vista dei parenti » disse don Paolo.

« No » disse don Angelo « ma quella sua maniera brusca di contraddire all'opinione pubblica, preoccupava i suoi superiori, fin da allora. Per questo essi vollero evitare di affidargli una parrocchia e lo chiamarono all'insegnamento. Sembrò infatti che lo studio dei classici e la società dei giovani allievi addolcissero il suo carattere, ma i rapporti con i superiori e le autorità non migliorarono. Egli era del tutto privo del senso delle convenienze sociali. »

« Non so a quale comandamento di Dio lei ora si riferisca » interruppe don Paolo. Don Angelo fece finta di non capire.

« Infine » proseguí « egli fu allontanato dall'insegnamento. Nella solitudine, mi son sempre sforzato di conservargli la mia amicizia; ma ora, veramente, non mi è piú lecito. »

« È talmente pericoloso? » domandò don Paolo.

« Giudichi un po' lei » disse don Angelo. « Le racconterò l'episodio piú recente. Un uomo di Fossa, un mio parrocchiano che ha lavorato alcuni giorni nel suo orto, m'ha riferito d'avergli udito affermare che l'attuale Pontefice si chiama in realtà Ponzio XI. A Rocca dei Marsi, dove don Benedetto ora abita, questa notizia è corsa di bocca in bocca. Nella loro ingenua ignoranza e per il rispetto che hanno verso di lui, molti l'hanno presa alla lettera e l'hanno creduta. Quel mio parrocchiano, preso dal dubbio, è venuto qui, in sacrestia, per domandarmi se fosse proprio vero che la Chiesa ora è caduta nelle mani di un discendente di Ponzio Pilato, quello che aveva l'abitudine di lavarsene le mani. »

« E lei che cosa gli ha risposto? » disse don Paolo. « M'interessa. »

Il curato guardò sorpreso il suo ospite.

« Scusi » disse don Paolo. « Mi sono espresso male. Lei naturalmente ritiene che la Chiesa non se ne lavi le mani. »

Il sacrestano venne ad avvertire che in chiesa le donne

aspettavano per il rosario e stavano già arrivando i ragazzi della prima classe del catechismo.

« Contro don Benedetto adesso è in corso un'istruttoria presso la commissione provinciale per il confino » disse don Angelo. « A tal punto egli si è ridotto. Un suo ex allievo, abbastanza influente nel partito governativo, ed io, ci siamo intromessi per salvarlo. Siamo andati perciò a visitarlo. Avremmo voluto proporgli di firmare una breve dichiarazione di sottomissione all'attuale governo e all'attuale politica della Chiesa. Sarebbe bastato. Egli ci ha ricevuto gentilmente, ma appena ho cominciato a spiegargli che, per evitare guai peggiori, la Chiesa deve spesso fare buon viso a cattivo giuoco, egli mi ha interrotto. "La teoria del minor male" mi ha detto seccamente "può valere per un partito o un governo, ma non per una Chiesa." Io ho cercato di non discutere in astratto, perché in astratto le peggiori eresie si presentano sempre con un viso seducente. Gli ho perciò replicato: "Ma ti immagini che succederebbe se la Chiesa condannasse apertamente l'attuale guerra? Quante persecuzioni le si rovescerebbero addosso? Quali danni materiali e morali ne nascerebbero?". Lei non ha un'idea di quello che don Benedetto ha osato rispondermi. "Mio caro don Angelo" mi ha risposto, "t'immagini tu il Battista offrire un concordato a Erode per sfuggire alla decapitazione? Ti immagini Gesú offrire un concordato a Ponzio Pilato, per evitare la crocefissione?" »

« Non mi pare che fosse una risposta anticristiana » disse don Paolo.

« Ma la Chiesa non è una società astratta » disse don Angelo alzando la voce. « Essa è quello che è. Essa ha quasi duemila anni di vita. Essa non è una signorina che possa permettersi ragazzate e colpi di testa; è una vecchia, vecchissima signora, piena di dignità, di riguardi, di tradizioni, di diritti legati a doveri. C'è stato naturalmente Gesú crocifisso che l'ha fondata; ma, dopo di lui, vi sono stati gli Apostoli e generazioni e generazioni di santi e di pontefici. La Chiesa non è piú una setta clandestina nelle catacombe, essa ha al suo seguito milioni e milioni di esseri che hanno bisogno della sua protezione. »

236

« Bel modo di proteggerli, in verità, mandandoli in guerra » gridò don Paolo.

Per qualche istante egli parve dimenticare ogni prudenza.

« Anche la vecchia Sinagoga dei tempi di Gesú » proseguí
« era una vecchia, vecchissima signora, con una grande tradizione di profeti, di re, di legislatori, di sacerdoti e gran
seguito di turbe da proteggere. Tuttavia, da Gesú, non le
furono usati molti riguardi. »

Don Angelo era seduto davanti al suo bicchiere di vino
ancora intatto. Egli chiuse gli occhi, come preso da una subi-
tanea vertigine, e rimase a occhi chiusi alcuni istanti. Nelle
occhiaie profonde le palpebre avevano una trasparenza tur-
china e un leggero tremito nervoso. « Dio mio, Dio mio »
egli mormorò « perché vuoi farmi paura? »

Il sacrestano tornò ad avvertire che le donne aspettavano
per il rosario e che i ragazzi del catechismo facevano un chiasso del diavolo. Il curato si alzò.

« Con permesso » disse e seguí il sacrestano.

Don Paolo tornò in albergo.

Davanti al municipio egli si scontrò con un rumoroso assembramento di persone. Due cafoni, venuti per una causa
alla pretura, erano stati riconosciuti come nativi di Orta e ag-
grediti da una folla accorsa da tutti i lati con le armi piú
inverosimìli. I due malcapitati capri espiatori, ignari dell'origine di quell'odio, erano stati a fatica sottratti al linciaggio da
un gruppo di carabinieri e rinchiusi nella pretura. Ma dalla
folla le minacce piú violente continuavano a essere profferite
contro di essi. Invano l'avvocato Zabaglia, esortato dai carabinieri, si sbracciava a invocare un po' di calma. Solo quando venne annunziato che i due sfortunati cafoni di Orta sarebbero stati dichiarati in arresto e trasferiti nelle carceri come presunti complici delle scritte sediziose sui muri di Fossa,
l'agitazione si placò.

« Perché solo complici e non autori? » protestò qualcuno.

« Sono entrambi analfabeti » disse il maresciallo dei carabinieri. « Faccio appello al vostro buon senso. »

L'invito al buon senso, a onor del vero, non mancò il suo
effetto. La folla si acquetò e divise in crocchi. Per rientrare

nell'albergo don Paolo dovette aprirsi un varco in un gruppo di uomini e di giovani madri col bambino in braccio che discutevano con Berenice.

« Partirò domani » disse don Paolo a Berenice. « Dov'è sua figlia? Dovrebbe farmi un favore. »

Pietro spedí subito Bianchina a Rocca dei Marsi, da don Benedetto, con una letterina firmata con le proprie iniziali, in cui egli chiedeva il permesso di visitarlo.

« Questa volta » disse il prete alla ragazza « ti prego di non farmi aspettare la risposta ventiquattr'ore. »

« Che età ha quel tuo don Benedetto? »

« Settantacinque anni. »

« Tornerò immediatamente, non preoccuparti » disse Bianchina ridendo.

Ella inforcò la bicicletta e partí come per una gara di velocità.

Non era passata un'ora e la ragazza era già di ritorno con un biglietto in cui c'era scritto, in caratteri piccoli, chiari, un po' tremanti:

> ...tibi
> *non ante verso lene merum cado*
> *jamdudum apud me est; eripe te morae.*[1]

Dai lontani anni del collegio, era la prima volta che don Paolo rivedeva la scrittura del suo professore. Pareva di nuovo un compito di scuola, ma la versione era facile e l'invito cordiale.

[1] Trad.: Già da tempo c'è per te, presso di me, del vino vecchio in una botte non ancora capovolta; togliti dall'indugio. (Orazio, libro III, ode 29ª, a Mecenate.)

XXIV

« Forse verrà sul tardi » disse don Benedetto a sua sorella. « Quando farà buio. »

« Non pensi che sia pericoloso riceverlo qui? » disse Marta. Ma il fratello la guardò in modo che lei all'istante si corresse.

« Volevo dire che potrebbe essere imprudente per lui. »

« In queste complicazioni, ormai, egli sarà abbastanza esperto » disse don Benedetto. « Da tanti anni non fa che nascondersi e scappare. Ad ogni modo, tu ci lascerai soli » egli aggiunse. « Potrebbe sentire il bisogno di farmi delle confidenze per le quali è preferibile non essere piú di due. »

« Non vi disturberò » disse Marta. « Ma, volevo dire, egli non potrà restare uccel di bosco tutta la vita. Non pensi che dovremmo avvertire sua nonna? La nonna, gli zii sono ricchi, potrebbero mettergli a disposizione un avvocato, ottenergli il perdono del governo. »

« Non credo che Pietro gradirebbe di essere perdonato. »

« Perché rifiuterebbe il perdono? Non v'è vergogna. »

« Non credo che egli si senta colpevole, quest'è il punto. Si perdona solo ai pentiti. »

« Ma egli non potrà vivere alla macchia il resto della vita » ripeté Marta. « Deve essere ancora giovane. Quanti anni ha? »

« L'età di Nunzio, trentaquattro o trentacinque anni. »

« Non è giusto, non è onesto rovinarsi l'intera esistenza per un'opinione politica. Tu sei stato suo professore, glielo devi dire. »

« Non credo che egli lo faccia per la sola politica » disse don Benedetto. « Fin da ragazzo egli mi pareva scelto per un duro destino. »

« Ma se è perseguitato, lo è appunto per le sue opinioni politiche. »

« Ti ricordi quando egli venne qui da noi dopo i suoi esami di licenza ginnasiale? Era l'estate dopo il terremoto. »

« Era vestito a lutto, era rimasto orfano, sí lo ricordo. »

« Ebbene quell'incontro mi è tornato in mente poco fa » disse don Benedetto. « Egli mi confidò allora qualche cosa che dovette avere molta importanza nel suo sviluppo futuro. La morte dei genitori, com'era naturale, l'aveva profondamente colpito; ma altri fatti, accaduti nei terribili giorni dopo il terremoto, quando noi tutti vivevamo randagi tra le macerie e nei rifugi provvisori, l'avevano addirittura sconvolto. Credo di non avertene mai parlato, poiché lo stesso Pietro mi aveva supplicato di non farne parola ad altri. Ma ora è passato tanto tempo.

« Dunque » proseguí don Benedetto « egli aveva avuto la disgrazia d'assistere, senza essere visto, a un episodio di autentica bestialità che l'aveva riempito di spavento. Egli ne era stato il solo testimone e ne aveva conservato il segreto. Neanche a me specificò di chi si trattasse. Ma era nella logica del racconto di Pietro che dovesse essere un suo parente o una persona del suo ambiente familiare. »

« Delitti ne sono sempre accaduti » disse Marta.

« Nel caso raccontatomi da Pietro » disse don Benedetto « si trattava di una persona stimata da tutti, la quale, dopo il misfatto rimasto segreto, aveva continuato a vivere come prima, per cosí dire, onestamente e nel rispetto generale. In questo particolare era la mostruosità. »

« Non puoi spiegarmi di quale genere di nefandezza quella persona si era macchiata? » disse Marta.

« Fu una rapina a danno di un ferito o di un moribondo, ancora mezzo sepolto dalle macerie » disse don Benedetto. « Il criminale non era persona bisognosa. Il misfatto avvenne di notte, e Pietro, ripeto, vi assistette per caso. Egli aveva allora quindici anni. Il terrore gli fece, sul posto, perdere i sensi. Dopo vari mesi, quando me ne parlò, tremava ancora. L'omicida viveva nel suo stesso ambiente. Egli aveva agito nella certezza dell'immunità. Era come si dice una persona per bene. A ripensarci temo che la fuga di Pietro cominciasse da allora. In un primo tempo mi pareva che finisse in un convento. »

« Non hai udito un rumore? » disse Marta. « Qualcuno bussa. »

Marta si ritirò in fretta nella sua stanza. Sulla soglia della porta apparve l'ospite atteso. Egli era in vestito civile e a capo scoperto, ma un indumento nero che portava sul braccio, come un mantello, poteva essere la sottana di cui si era liberato qualche momento prima. Pietro e don Benedetto si salutarono e si strinsero la mano assai impacciati dall'emozione.

« Sei arrivato a piedi? » domandò don Benedetto.

« Ho lasciato la carrozzella giú nel paese » disse Pietro.

Don Benedetto gl'indicò una grande sedia a bracciuoli e si sedette accanto a lui su uno sgabello un po' piú basso. Poiché la vecchiaia lo aveva incurvato, egli sembrava piú piccolo del suo antico allievo. Pietro cercò di reagire al patetico, di apparire disinvolto; disse ridendo:

« Ecco l'agnello smarrito che spontaneamente si ripresenta al pastore. »

Don Benedetto che guardava meravigliato il viso precocemente invecchiato del giovane, non capí l'intenzione scherzosa e scosse la testa.

« Non è facile distinguere chi sia, qui, tra noi, l'agnello smarrito » egli disse con tristezza.

« In questi villaggi molti parlano di lei » disse Pietro. « Quello che è arrivato fino alle mie orecchie, mi è bastato per convincermi che in questa contrada non c'è che lei a salvare l'onore cristiano. »

« Non è affatto la mia opinione » disse don Benedetto con tono d'amarezza. « E t'assicuro che non è falsa modestia. In verità, io so di non servire a nulla. Ho perduto l'insegnamento; non ho cura d'anime; godo sí, di quella fama che tu dici, ma se qualcuno viene qui a denunziarmi un'ingiustizia sofferta, non so cosa rispondergli. È proprio cosí, non servo a nulla. È triste, amico mio, fare certe scoperte alla mia età. »

Pietro aveva gli occhi pieni di lagrime. Egli si voltò da una parte per nascondere a don Benedetto la propria commozione. Quel povero caro vecchio, il cui solo ricordo bastava a infondergli serenità nelle ore sfiduciate del confino e dell'esilio, era lui stesso a tal punto angosciato. Ma che cosa dirgli che non gli apparisse ispirato da compassione?

« Per il resto » aggiunse don Benedetto « non sono quelli che dicono messa e si professano ministri di Dio, coloro che Gli sono piú vicini nell'intimità dello spirito. »

A udire il vecchio parlare di Dio, come una volta, Pietro ebbe il sospetto che un grave equivoco sussistesse nella sua mente, il quale avrebbe potuto falsare tutto l'incontro.

« Da molti anni ho perduto la fede » egli disse con voce sommessa ma chiara.

Il vecchio sorrise e scosse la testa.

« Nei casi simili al tuo, è solo un banale malinteso » egli disse. « Non sarebbe la prima volta che il Padre Eterno è costretto a nascondersi e assumere pseudonimi. Egli non ha mai tenuto eccessivamente, tu lo sai, al nome e cognome che gli uomini gli hanno affibbiato; anzi, in cima ai suoi comandamenti, ha posto l'avvertenza di non nominarlo invano. E poi la Storia Sacra è zeppa di esempi di vita clandestina. Hai mai approfondito il significato della fuga in Egitto? E anche piú tardi, in età adulta, Gesú non fu costretto varie volte a nascondersi per sfuggire ai farisei? »

Quell'apologia religiosa della vita cospirativa rasserenò il volto di Pietro e l'illuminò di un'allegrezza infantile.

« Avevo sempre sentito la mancanza di questo capitolo nell'Imitazione di Nostro Signore » egli disse ridendo.

Don Benedetto riprese il discorso sul tono triste in cui l'aveva cominciato.

« Vivo qui con mia sorella, tra l'orto e i libri » egli disse. « Da qualche tempo la posta mi viene visibilmente manomessa, i giornali, i libri mi arrivano con ritardo, o si perdono per strada. Non faccio visite e ne ricevo poche; la maggior parte sgradevoli. Tuttavia sono al corrente di molte cose ed esse sono demoralizzanti. Insomma si dà a Cesare quello che spetterebbe a Dio e a Dio quello che converrebbe abbandonare a Cesare. Proprio a una simile genía diceva il Battista: "Razza di vipere, chi vi ha insegnato a fuggire la collera che si avvicina?". »

Marta entrò nella stanza per dare la buona sera al giovane. Lo fece con un filo di voce e un sorriso impaurito che sembrava essere stato preparato dietro la porta e tenuto fisso con degli spilli. Ella depose sul tavolo due bicchieri e un boccale di vino rosso, poi in fretta tornò nella sua camera.

Il vecchio continuò:

« Ogni volta che si mette in questione la fede in Dio, non bisogna dimenticare una vecchia storia. Forse anche tu ricordi che in qualche posto sta scritto, come, in un momento di grande sconforto, Elia chiedesse all'Eterno di morire e l'Eterno lo convocasse su una montagna. Elia si recò all'appuntamento, ma l'avrebbe riconosciuto? Si levò dunque un grande e impetuosissimo vento che spaccava le montagne e spezzava le rocce, però non era esso l'Eterno. Dopo il vento la terra fu scossa dal terremoto, ma non era l'Eterno. Dopo il terremoto, si levò un grande incendio, ma non era esso l'Eterno. Dopo, nel silenzio, egli sentí un sommesso e lieve suono, come un fruscío di frasche mosse dalla brezza della sera. Quel fruscío, sta scritto, era l'Eterno. »

Nell'orto si era levato un venticello. Gli alberi presero a stormire. L'uscio che dall'orto conduceva nella stanza di soggiorno cigolò e si aprí.

« Che succede? » disse Marta dalla stanza accanto. Pietro rabbrividí. Il vecchio gli pose una mano sulla spalla e disse ridendo:

« Non temere, non hai nulla da temere. »

Egli si alzò e chiuse l'uscio aperto dalla brezza della sera. Dopo un po' egli riprese a dire:

« Anch'io, nella feccia delle mie afflizioni, mi domandavo: Dov'è dunque l'Eterno e perché Egli ci ha abbandonato? Non erano certo voce di Dio gli altoparlanti e le campane che hanno annunziato in tutto il paese l'inizio della nuova carneficina. Né lo sono i colpi di cannone, gli scoppi di bombe sui villaggi etiopici, di cui ogni giorno ci raccontano le gazzette. Ma se un pover'uomo, solo, in un villaggio ostile, si alza di notte e scrive, sui muri del villaggio, con un pezzo di carbone o di vernice, abbasso la guerra, dietro quell'uomo inerme c'è indubbiamente la presenza di Dio. Come non riconoscere che nel suo disprezzo del pericolo, nel suo amore per i cosiddetti nemici, vi sia un diretto riflesso di luce divina? Cosí, se dei semplici operai sono condannati per gli stessi motivi da un tribunale speciale, non c'è veramente da esitare per sapere da quale parte stia Dio. »

Don Benedetto versò un po' di vino in un bicchiere, lo levò, in alto, contro luce, per verificarne la limpidezza, poiché era di una botte nuova, quindi l'accostò alle labbra e ne lambí un sorso; poscia riempí i due bicchieri.

« Non so se tu puoi immaginare » egli riprese a dire « che cosa significhi arrivare a certe conclusioni alla mia età, sull'orlo della tomba. A settantacinque anni si possono magari cambiare le idee, ma non i costumi. La vita ritirata è la sola che si confà al mio carattere. Anche da giovane vivevo appartato. Mi son sempre tenuto lontano dalla vita pubblica per ripugnanza verso la volgarità. D'altronde ora l'inerzia mi pesa. Mi guardo attorno e non vedo cosa io possa fare. Tra i parroci? Nulla. Quelli di essi che mi conoscono personalmente, ora mi schivano, hanno paura d'incontrarmi. Nella diocesi dei Marsi i pochi casi di preti usciti dalla Chiesa negli ultimi cinquant'anni, sono stati tutti per infrazioni scandalose contro il celibato. Questo basta per darti un'idea delle condizioni spirituali del nostro clero. Se nella diocesi dovesse spargersi la voce che un altro prete ha gettato la veste, la prima spiegazione che verrebbe in mente ai fedeli, in modo del tutto naturale, sarebbe questa: "Un altro prete è scappato con la serva'. »

« Ho dovuto visitare questo pomeriggio don Angelo Girasole » disse Pietro. « Mi ha fatto l'impressione di un onestissimo uomo, di un buon impiegato d'amministrazione. »

« La tua definizione è esatta » disse don Benedetto. « Ma la cristianità non è un'amministrazione. »

« Gli altri, quelli che pensano di avere una visione storica, sono peggiori » disse Pietro. « Essi credono, o fingono di credere, nell'Uomo della Provvidenza. »

« Se essi s'ingannano, è colpa loro » interruppe don Benedetto animandosi. « Essi sono stati avvertiti da circa duemila anni. A essi fu detto che molti verranno in nome della Provvidenza e sedurranno i popoli. Si sentirà parlare di guerra o di minacce di guerra. Bisogna che tutto ciò accada, ma non sarà la fine. Una nazione si ergerà contro un'altra e un regno contro un altro. Si avranno la fame la peste il terremoto in diverse regioni. Ma tutto ciò non sarà la fine, solo un principio. I cristiani sono stati avvertiti. Molti si scandalizzeranno, molti tradiranno. Allora se qualcuno, chicchessia, dirà: "Qui è un inviato della Provvidenza. Là è un inviato della Provvidenza" non dobbiamo crederlo. Siamo stati avvertiti. Falsi salvatori e falsi profeti si presenteranno, faranno grandi segni e prodigi, sedurranno molta gente. Non potevano domandare un avvertimento piú chiaro. Se molti l'hanno dimenticato, questo non cambierà quello che deve avvenire. Il destino del loro "Uomo della Provvidenza" è stato già scritto: *"Intrabit ut vulpis, regnabit ut leo, morietur ut cani"*. »[1]

« Che bella lingua il latino » disse Pietro. « E che differenza tra questo vecchio onesto latino della Chiesa e quello moderno sibillino delle encicliche. »

« Ciò che manca al nostro paese, come anche tu sai » disse don Benedetto « non è lo spirito critico. Quello che manca è la fede. I critici sono degli insoddisfatti, dei borbottoni, dei violenti, in determinate circostanze anche degli eroi; ma non dei credenti. A che servirebbe insegnare a un popolo di scettici nuovi modi di parlare o di gesticolare? Forse le terribili sofferenze che si preparano renderanno gli italiani piú seri. Intanto, quando mi sento piú avvilito, io mi ripeto: tu non servi a nulla, tu sei un fallito, ma c'è Pietro, vi sono i suoi amici, vi sono gli sconosciuti dei gruppi clandestini. Te lo confesso: non ho altra consolazione. »

[1] "Entrerà come una volpe, regnerà come un leone, morrà come un cane."

Pietro era rimasto scosso dal tono di sgomento che era nella voce del suo vecchio maestro.

« Caro don Benedetto » gli disse, « non ci siamo piú visti da quindici anni e forse, dopo quest'incontro, non ci rivedremo piú. Lei è vecchio, la mia salute è incerta, i tempi sono difficili. Mi sembrerebbe di sciupare questi pochi istanti della mia visita, scambiandoci dei complimenti. La fiducia che lei ripone in me, mi atterrisce. Veda, io sono sinceramente convinto di non essere nato migliore dei miei ex compagni di scuola. Il mio destino è stato piú fortunato del loro perché a tempo giusto e aiutato da una serie di disgrazie, ho tagliato la corda. Per il resto, mi scusi, se non condivido l'ottimismo di quell'unica sua consolazione. »

« Non c'è altra salvezza che andare allo sbaraglio » disse don Benedetto. « Ma non è da molti. Dopo il primo incontro con te, ad Acquafredda, quella povera anima in pena di Nunzio venne qui a raccontarmi tutto. Egli mi riparlò del suo caso che già conoscevo. Come si fa, egli mi chiese, in regime di dittatura, a esercitare una professione con la quale si dipende dagli uffici pubblici, e rimanere libero? È una fortuna, mi disse, che almeno Pietro si sia salvato. »

« Salvato? » disse Pietro. « Esiste un participio passato di salvarsi? Purtroppo, io ho avuto spesso motivo di riflettere, in questi ultimi tempi, a un aspetto della decadenza che certamente è il piú triste, perché concerne il domani. Caro don Benedetto, forse il domani somiglierà all'oggi. Si direbbe che noi seminiamo una semente contaminata. »

Don Benedetto gli fece cenno di tacere.

« Qualcuno è dietro la porta » gli disse sottovoce. « Andiamo di là. »

Essi s'alzarono e andarono nella stanza di Marta. Nello stesso tempo fu bussato alla porta.

« Vai a vedere chi bussa » disse don Benedetto alla sorella. « Ti prego di non lasciare entrare nessuno. Chiunque sia, gli dirai di non sapere se io posso riceverlo. Prima ancora di aprire, ti prego di riportare di qua il vino e i due bicchieri. »

Fu bussato di nuovo. Marta aprí la porta. Era don Piccirilli.

« Buona sera » egli disse. « Disturbo? Mi hanno detto che don Angelo Girasole è in visita presso don Benedetto. Anch'io lo saluterei volentieri. »

« Lei è stata male informata » gli disse Marta. « Il curato di Fossa non è qui. »

« Non è arrivato poco fa un prete con una carrozzella da Fossa? » disse don Piccirilli.

« Qui non si è visto nessun prete e nessuna carrozzella » disse Marta. « Lei è stata male informata. »

La conversazione si svolgeva sulla soglia della porta. Marta non mostrava alcuna intenzione a lasciarlo entrare.

« Dato che sono venuto fin qui » disse don Piccirilli « vorrei almeno salutare don Benedetto. Spero di non essere importuno. »

« Non so » disse Marta. « Forse riposa. Vado a vedere. »

Nella stanza accanto ella trovò il fratello solo. Con un gesto del capo, accennando alla finestra che dava sull'orto, egli fece capire che l'altro era già partito.

« Ora dobbiamo cercare di trattenere don Piccirilli il piú a lungo possibile » disse don Benedetto sottovoce alla sorella. « Ci porterai subito da bere. »

Don Benedetto andò incontro al nuovo ospite.

« Cosa fai lí sulla soglia? » gli disse in tono di rimprovero. « Entra, vieni avanti, non fare complimenti. Mi dirai la tua opinione sul vino di una nuova botte. »

XXV

Matalena preparava la farina per il pane, nel pianterreno della locanda, e don Paolo le teneva compagnia. A Pietrasecca il pane veniva cotto ogni quindici giorni, in un forno collettivo. La panificazione era un rito con regole severe. La donna teneva avvolti i capelli con un tovagliolo, come un velo monacale, e passava la farina al setaccio, nella madia aperta. Separava cosí la farina bianca dalla crusca e il fiore dalla farina ordinaria. La crusca serviva per le galline e il maiale, la farina ordinaria per il pane, il fiore per la pasta. La donna aveva la faccia e le mani incipriate dal polverio della farina che si sollevava dal movimento ritmico del setaccio. Ginocchioni davanti al focolare, Chiarina la capraia lagrimava ad attizzare la legna verde sotto il caldaio in cui cuocevano le patate che dovevano essere aggiunte alla farina per rendere il pane piú pesante e durevole.

A un certo punto il setaccio si fermò perché era entrato nella cantina un giovanotto sconosciuto, dall'aspetto tra cafone e operaio, che chiese di don Paolo e presentò un biglietto.

Alla presenza di don Paolo il giovane rimase un po' sorpreso e impacciato. Egli fece quasi l'atto di tirarsi indietro e di scusarsi:

« Don Benedetto mi ha detto: ti mando da un uomo nel quale puoi avere piena fiducia. A dir la verità, non credevo di trovare qui un prete. »

« Venga » gli disse il prete. « Don Benedetto avrà avuto

i suoi motivi. » Il giovanotto gli presentò il biglietto di presentazione.

Su un pezzo di carta erano scritte, col carattere fine e tremante di don Benedetto, queste poche parole:

« *Ecce homo*, amico mio, ecco un pover'uomo che ha bisogno di te, e forse tu hai bisogno di lui. Ascoltalo, ti prego, fino alla fine. »

Don Paolo fece salire il giovane con lui, nella propria camera e lo fece sedere presso di sé.

« Se lei fosse venuto qui come si va da un prete » gli disse « l'avrei senz'altro pregato di rivolgersi ad altri. Da quanto tempo conosce don Benedetto? »

« Siamo dello stesso paese » disse il giovane. « Ogni famiglia, a Rocca, si conosce. Ognuno sa tutto, o quasi tutto, degli altri. Quando si vede uscire uno di casa, si sa dove va; quando si vede tornare, da dove viene. La mia famiglia ha una vigna vicino all'orto di don Benedetto, a mezza costa al di sopra del paese. Per l'insolfatura delle viti prendiado l'acqua nel suo pozzo, ed egli impresta da noi i pali per sostenere i pomidoro, i fagiolini, i piselli del suo orto. Mia madre si è sempre consigliata da lui per la mia istruzione. Forse i suoi consigli non sono stati sempre giusti, ma non le sue intenzioni. Egli mi ha voluto sempre bene, da quando ero bambino. » Dopo una pausa aggiunse: « Egli mi ha esortato a raccontarle tutto ».

Mentre parlava la figura del giovane si precisava. A prima vista, infatti, egli faceva un'impressione tra operaio e cafone, soprattutto per il modo di vestire dimesso e rattoppato, per numerose screpolature terrose sulla faccia e sulle mani, e per la capigliatura confusa e arruffata; ma, osservato da vicino, i suoi occhi apparivano straordinariamente svegli e intelligenti, e le sue maniere misurate e cortesi. Inoltre egli non si esprimeva in dialetto, ma in un italiano assai corretto e senza difficoltà. Dopo qualche esitazione, il giovane cominciò a raccontare la sua vita.

« Da ragazzo ero malaticcio e delicato, e, oltre a ciò, figlio unico » disse. « Per questo mia madre pensò che io non dovessi lavorare la terra. "I nostri antenati hanno tutti lavorato la terra, e siamo sempre allo stesso punto" diceva mia madre. "Da tante generazioni grattiamo, scaviamo, seminiamo, concimiamo la terra e restiamo sempre poveri. Questo figlio lo facciamo studiare. Egli è debole e ha bisogno di una vita meno rozza." Mio padre era contrario: "La terra" diceva "è dura, ma è sicura. L'istruzione è per i figli dei signori. Noi non abbiamo appoggi". Il nostro appoggio fu don Benedetto. "Poiché il ragazzo ha buona disposizione per lo studio, fatelo studiare" egli disse. Egli aiutò mia madre con i suoi consigli. Finché frequentai il ginnasio, la mia famiglia poteva considerarsi ancora benestante. Oltre alla vigna, mio padre possedeva due campi che coltivava a grano e a legumi, e una stalla con quattro vacche. I vaglia di mia madre per la mia pensione di studente, a dir la verità, non arrivavano mai regolarmente, ma arrivavano. Durante i tre anni del liceo la situazione della mia famiglia andò di male in peggio, a causa di due cattivi raccolti e di una malattia di mio padre. A questo bisognava aggiungere le spese gravose per i miei studi. Si dovette perciò vendere uno dei terreni per pagare i debiti. Due vacche morirono per l'epidemia, le due che restavano furono vendute alla fiera, e la stalla fu affittata. "Non fa niente" diceva mia madre, "quando nostro figlio avrà finito gli esami, egli ci aiuterà." Tre anni fa superai dunque l'esame di Stato e ad ottobre andai a Roma, dove m'iscrissi alla facoltà di lettere. In realtà mia madre non sapeva dove trovare i soldi per farmi vivere a Roma fino al conseguimento della laurea. »

« Perché s'iscrisse proprio alla facoltà di lettere? » chiese don Paolo. « Non è la piú indicata per guadagnarsi da vivere. »

« Don Benedetto trovò che avevo maggior talento per le lettere. A Roma cominciò per me una vita di duri stenti. Abitavo una cameretta senza luce. A mezzogiorno, come solo nutrimento, prendevo un caffè e latte con pane, la sera una minestra. Avevo fame in permanenza. Vestivo goffamente. Non avevo amici. All'Università, a causa del mio aspetto provinciale, le prime volte che cercai di avvicinarmi ad altri studenti, fui oggetto di risa, di stupidi scherzi. Due episodi

250

del genere bastarono per rendermi del tutto scontroso. Nella mia cameretta spesso piangevo di rabbia. Mi rassegnai a star solo. Abituato a vivere in famiglia, mi trovavo a disagio in un mondo studentesco volgare, rumoroso, cinico. La maggior parte degli studenti si occupavano di sport e di politica, perché offrivano occasione di chiasso. Un giorno assistéi dal tram a una delle solite chiassate. Una dozzina di studenti della mia facoltà bastonarono a sangue un giovane operaio in mezzo alla via. Rivedo la scena. L'operaio giaceva per terra, sul selciato, con la testa sanguinolenta appoggiata su una rotaia del tram, mentre gli studenti che l'avevano circondato, continuavano a dargli calci e colpi di bastone. "Non ha salutato la bandiera" gridavano. Arrivarono alcuni poliziotti i quali si congratularono con gli aggressori per la loro azione patriottica e arrestarono il ferito. Molta folla si era raccolta sul posto, ma tutti tacevano. Io ero rimasto solo sul tram fermo. "Che vigliaccheria" dicevo tra me. Dietro di me sentii qualcuno che aggiunse sottovoce: "Sí, è una vera vergogna". Era il bigliettaio del tram. Quel giorno ci salutammo, ma non ci dicemmo altro. Siccome però egli era spesso di servizio sulla linea che passava per la mia strada, ogni tanto ci incontravamo e prendemmo l'abitudine di salutarci, come vecchi conoscenti. »

Egli fece una lunga pausa come se avesse perduto il filo del discorso. Poi si riprese.

« Un giorno » disse « c'incontrammo per strada, essendo lui di riposo. Ci stringemmo la mano e andammo in un'osteria a bere un bicchiere di vino. Ognuno raccontò all'altro di sé e cosí facemmo amicizia. Egli m'invitò da lui e in casa sua feci conoscenza di altre persone, quasi tutte di giovane età. Quelle persone, cinque in tutto, costituivano un "gruppo" e quegli incontri erano le "riunioni del gruppo". Fatti strani e nuovi per me. Dietro presentazione del tranviere, anch'io vi fui ammesso e presi a frequentare puntualmente le riunioni che erano settimanali. Erano quelli i primi contatti personali che allacciavo con la gente di città. La mia qualità di studente mi attirò subito la simpatia degli altri del gruppo, che erano operai e artigiani. Anch'io ero con-

251

tento. Il piacere puramente umano che ne avevo, non mi fece riflettere sull'inizio all'importanza e gravità di quello che facevo. Nelle riunioni si leggevano giornaletti e opuscoli mal stampati, nei quali si parlava con odio della tirannia e veniva annunziata la rivoluzione come un avvenimento sicuro, inevitabile, non lontano, che avrebbe stabilito tra gli uomini la fraternità e la giustizia. Era una specie di sogno settimanale, segreto e proibito, nel quale noi comunicavamo, e che ci faceva dimenticare le miserie quotidiane. Era come il rito d'una religione occulta. All'infuori di quelle sedute, non c'era nessun legame tra noi. Se per caso c'incontravamo per strada, facevamo finta di non conoscerci.

« Un mattino, all'uscir di casa » egli continuò a raccontare « fui arrestato da due poliziotti, condotto nella questura centrale e rinchiuso in una sala piena di altri poliziotti. Dopo alcune formalità venni schiaffeggiato e sputacchiato durante un'ora. Forse avrei sopportato più volentieri delle violente battiture, piuttosto che quegli schiaffi e sputi. Quando la porta della sala si aprí e comparve il funzionario che doveva interrogarmi, la mia faccia e il mio petto grondavano letteralmente di sputi. Il funzionario sgridò, o finse di sgridare, i suoi subalterni, mi fece lavare e asciugare, mi condusse nel suo ufficio e mi assicurò di essersi occupato del mio caso con benevolenza e spirito di comprensione. Egli sapeva che io abitavo in una piccola camera, conosceva la latteria in cui prendevo il caffè e latte a mezzogiorno e l'osteria in cui consumavo la minestra della sera. Aveva informazioni minuziose sulla mia famiglia e sulle difficoltà che mettevano in pericolo la continuazione dei miei studi. Sull'impulso che mi aveva spinto verso i gruppi rivoluzionari, egli non poté fare che delle congetture, "e di per sé" egli disse "quell'impulso non può giudicarsi come qualche cosa di riprovevole; anzi...". La gioventú è per sua natura generosa e sognatrice. "Guai" egli disse "se cosí non fosse." La polizia ha però il ruolo, forse ingrato, ma socialmente necessario, di controllare da vicino gl'istinti generosi e sognatori della gioventú. »

« In poche parole » interruppe don Paolo « quel funzionario le propose di mettersi al servizio della polizia. Lei che cosa rispose? »

« Accettai » rispose il giovane.

Sulla porta apparve Matalena e domandò:

« La cena è pronta; devo apparecchiare per due? »

« Stasera non ho fame » rispose il prete.

Egli si alzò dalla sedia perché era stanco e si distese sul letto.

Con voce stanca il giovane continuò:

« Ricevetti cento lire per pagare la camera e in cambio scrissi un piccolo rapporto, nella forma di un componimento scolastico sul tema: "Come funziona un gruppo, che cosa vi si legge, di che cosa vi si parla". Il funzionario lesse e lodò il mio componimento. "È scritto veramente bene" mi disse. Fui orgoglioso che egli fosse contento di me. M'impegnai a rimanere in rapporto con lui, contro una gratificazione di centocinquanta lire al mese. Ebbi cosí la possibilità di mangiare una minestra anche a mezzogiorno e di andare al cinematografo ogni sabato sera. Un giorno egli mi regalò anche un pacco di sigarette; veramente non avevo mai fumato, ma imparai a fumare per gentilezza. »

« Cosa scrisse nei suoi rapporti successivi? » domandò don Paolo.

« I rapporti successivi continuarono a essere generici, e allora lui cominciò a protestare » disse il giovane. « Gli trasmettevo sempre una copia degli stampati che venivano distribuiti nel gruppo, ma lui trovava che questo non bastava, perché probabilmente riceveva già gli stessi stampati da altre persone. Infine mi consigliò di cambiare gruppo, di entrare in uno piú interessante. Non mi fu difficile. Appena espressi ai miei amici il desiderio di essere trasferito in un gruppo in cui vi fosse qualche altro intellettuale, fui accontentato. Nel nuovo gruppo feci conoscenza e amicizia con una ragazza, una modista. Ci volemmo subito molto bene. Era la prima donna che conoscevo. Fummo presto inseparabili. Accanto a lei cominciarono ad apparire in me i primi rimorsi. Accanto a lei cominciai a intravedere un modo di vivere puro, onesto e cosciente, di cui prima non avevo mai immaginato la possibilità. Di pari passo si scavava un contrasto incolmabile tra la mia vita apparente e la mia vita segreta. Certi giorni riuscivo a dimenticare il mio segreto. Lavoravo per il gruppo con fervore e sincerità, traducevo in italiano e copiavo a macchina interi capitoli di romanzi rivoluzionari ricevuti dall'estero, incollavo manifesti durante la notte; ma ingannavo in quel modo me stesso. Se i compagni del nuovo gruppo mi ammiravano per il mio coraggio e la mia attività, essi mi richiamavano alla coscienza che, in realtà, li tradivo. Allora cercavo di sfuggirli ed evitare la loro presenza. D'altronde, pensavo, anch'io ho il diritto di vivere. Da casa non ricevevo piú soldi. Quando avevo fame e dovevo pagare il nuovo mensile alla padrona di casa, perdevo ogni ritegno. Non disponevo d'altre risorse. La politica mi si rivelava una cosa assurda. Che cosa mi riguardavano tutte quelle storie? Avrei certamente preferito di vivere in pace, di mangiare due o tre volte al giorno, mandando al diavolo sia la "necessità dell'espansione imperiale", sia la "democrazia economica". Purtroppo questo non mi era possibile. Non avevo di mio neppure i soldi per mangiare e pagare la camera. Ma questo modo cinico di ragionare cadeva a pezzi appena mi trovavo accanto alla mia amica. Noi ci amavamo fortemente. Ella non rappresentava per me un certo modo di pensare, anzi ella discuteva pochissimo, taceva e ascoltava volentieri gli altri; ma un modo di esistere, un modo di vivere, un modo di darsi, in una maniera umana e pura, senza uguale. Non sapevo piú concepire la mia vita senza quella donna, perché era veramente piú di una donna, era una fiamma e una luce, era per me la prova piú concreta della possibilità di vivere su questa terra onestamente, pulitamente, disinteressatamente, ricercando con tutta l'anima l'armonia con i propri simili. A me sembrava di aver cominciato a vivere spiritualmente solo dal momento che l'avevo conosciuta. Con ciò non facevo torto ai miei genitori. Essi erano buoni e onesti, ma nella tradizione. Quella ragazza non seguiva delle regole, ma il suo cuore. Mi pareva che ella inventasse la sua vita. Ma, di fronte alla sua ingenua fiducia in me, come non ricordarmi che l'ingannavo e tradivo? Quel nostro amore era cosí avvelenato alla sua stessa sorgente. Intrattenermi con lei, benché io tanto l'amassi, era per me un tormento, una finzione insopportabile... »

« Perché, dal momento che le apparvero moralmente ignobili, lei non ruppe i rapporti con la polizia? » disse don Paolo.

« Cercai a varie riprese di far perdere le mie tracce » disse il giovane. « Una volta cambiai abitazione, ma fui facilmente reperito. Per qualche tempo cercai di acquietare la mia coscienza scrivendo alla polizia rapporti innocui, falsi, reticenti. In quel tempo cominciai a ricevere nuovamente da mia madre una piccola somma mensile. Cercai di ingannare la polizia raccontando di essere stato allontanato dal gruppo perché i miei compagni non avevano piú fiducia in me. Ma la polizia aveva altri informatori che poterono provare il contrario. Infine fui preso dall'ossessione dell'irrimediabilità. Mi sentii condannato. Non c'era nulla da fare. Il mio destino aveva voluto cosí. »

Il giovane parlava a fatica, quasi ansimava. Don Paolo evitava di guardarlo in faccia.

« No, non voglio ora farmi meno brutto di quello che fossi » egli continuò. « Non voglio rendere il mio caso piú pietoso. Quest'è una confessione nella quale voglio presentarmi in tutta la mia ripugnante nudità. Ebbene, la verità era questa: la paura di essere scoperto era in me allora piú forte del rimorso. "Che cosa dirà la mia amica se dovesse scoprire che l'inganno? Che cosa diranno i miei amici?" Ecco l'idea che mi ossessionava. Tremavo per la mia reputazione in pericolo, non per il male che facevo. Attorno a me vedevo dappertutto l'immagine della mia stessa paura. »

Egli fece una pausa. Soffriva di arsura. Sul tavolino c'era una bottiglia d'acqua con un bicchiere. Ma don Paolo non pensò d'invitarlo a servirsene.

« Sapevo di essere pedinato dalla polizia che non aveva piú fiducia in me » egli proseguí a dire. « Evitavo dunque d'incontrarmi con amici, per non essere costretto a denunziarli. La polizia mi minacciava di arresto per il caso che frequentassi elementi sospetti senza informarla. Avevo il terrore di essere di nuovo arrestato. Cercavo di vivere appartato. Ogni incontro con la mia amica era dunque un tormento. Malgrado ciò, ella era con me paziente, gentile, affettuosa come sempre. Il giorno di Natale dell'anno scorso lo festeggiammo assieme in un ristorante fuori porta. »

Don Paolo ascoltava un racconto che già conosceva e di cui ritrovava ogni particolare. Il pranzo insolitamente lieto. L'invito a casa. L'acquisto dei fiori, della frutta, dei dolci, del Marsala. L'arrivo della polizia. La fuga sul tetto. La lunga attesa sul tetto. Ma il giovane non finí il racconto. Egli si nascose la faccia con le mani e cominciò a piangere. Dopo un po' riprese a raccontare:

« Tornai a casa a Rocca dei Marsi. Dissi ai miei genitori che i medici mi avevano prescritto il ritorno nel clima nativo. Passai l'inverno a casa, senza vedere nessuno. Qualche volta visitavo don Benedetto, che mi dava libri da leggere. In primavera incominciai ad accompagnare mio padre nei lavori della terra, nei lavori per la mondatura del grano, per la potatura delle viti, per la zappatura, per la mietitura. Lavoravo finché mi reggevo in piedi, fino all'esaurimento fisico. Appena cenato, mi buttavo a letto. La mattina, all'alba, ero io che svegliavo mio padre. Egli mi guardava con ammirazione. Diceva: "Si vede che vieni da una razza di contadini; chi viene dalla terra, non può piú liberarsi dalla terra". Ma chi viene dalla terra ed è stato in città non è piú un contadino né un cittadino. Il ricordo della città, della mia amica, del gruppo, della polizia, era in me una ferita sempre aperta, una ferita che sanguinava ancora, cominciava a imputridire e minacciava di avvelenarmi il resto della mia vita. Diceva mia madre: "L'aria della città ti ha rovinato, ti ha messo la tristezza nel sangue". "Lasciami lavorare" le rispondevo "il lavoro forse mi guarirà." Ma in mezzo ai campi spesso vedevo risorgere davanti a me la bella immagine della mia amica. Come dimenticarla? Dopo aver intravisto la possibilità di quell'altra vita pulita onesta ardita, di quel franco comunicare e di quel sognare un'umanità migliore, come rassegnarmi alla vita del villaggio? D'altra parte, come distruggere l'irrimediabile? In quel mio solitario arrovellarmi, che non mi lasciava piú un momento di quiete, passai dalla paura della punizione alla paura dell'impunità. L'idea che io ricordassi il male compiuto, solo perché esisteva sempre il pericolo che fosse scoperto, cominciò a farmi paura. Dunque, cominciai a domandarmi, se una piú sicura tecnica garantisse di poter tradire i propri amici, senza correre il pericolo di essere un giorno smascherato, il male diverrebbe per questo piú sopportabile? »

Don Paolo lo guardava in faccia, negli occhi.

« Devo confessare » l'altro continuò « che la mia fede religiosa non è mai stata molto profonda. Non ho mai creduto fortemente. Sono battezzato, cresimato, comunicato come gli altri, ma la mia fede nella realtà di Dio era assai vaga e intermittente. Perciò a Roma, non opposi alcuna resistenza ad accettare le teorie cosiddette scientifiche che venivano propagate nei gruppi. Quelle teorie cominciarono a sembrarmi troppo comode. Che tutto fosse materia, che l'idea del bene fosse inseparabile dall'idea di utilità (sia pure di utilità sociale) e fosse sostenuta solo dall'idea della punizione, mi divenne insopportabile. Punizione da parte di chi? Dello Stato, del gruppo e dell'opinione pubblica? E se lo Stato, il gruppo e l'opinione pubblica sono immorali? E poi, se circostanze favorevoli o una tecnica appropriata permettono di fare il male con la certezza dell'impunità, su che cosa si appoggia la moralità? Dunque, mi dicevo, la tecnica, eliminando ogni pericolo di sanzione, potrebbe distruggere la distinzione tra bene e male? Una simile supposizione mi ispirava paura. Cominciai seriamente ad avere paura dell'assurdo. Non vorrei tediarla con queste divagazioni, che a lei possono sembrare astratte; né vorrei che lei si immagini che io cerchi ora di abbellirmi con chiacchiere moralistiche. No, queste riflessioni divennero la sostanza stessa della mia vita. Io non credevo piú in Dio, ma cominciai a desiderare con tutte le forze dell'anima mia che Dio esistesse. Per sfuggire alla paura del caos avevo un assoluto bisogno di Lui. Arrivò una notte che non ne potei piú e mi alzai per andare a bussare a un convento di cappuccini delle nostre parti. Incontrai per strada un frate che già conoscevo, un certo frate Gioacchino. Gli dissi: "Io vorrei tanto credere in Dio, e non vi riesco, perché non mi spieghi come si fa?". "Non bisogna essere orgoglioso" egli mi rispose "non bisogna pretendere di voler tutto capire, non bisogna sforzarsi, bisogna rassegnarsi, bisogna chiudere gli occhi, bisogna pregare. La fede è una grazia." Purtroppo io non potevo abbandonarmi. Volevo capire. Non potevo non sforzarmi di capire. Tutto il mio essere era in una tensione dolorosa ed estrema. Non sapevo rassegnarmi. Volevo Dio, per forza. Avevo bisogno di Lui. »

Il giovane tacque come esausto.

« Forse hai sete » gli disse don Paolo. « Bevi un po' d'acqua. »

« Infine andai da don Benedetto » il giovane riprese a raccontare. « Andai da lui non perché fosse un prete, ma perché, ai miei occhi, egli era sempre stato il simbolo dell'uomo giusto. Egli mi conosce da bambino, come ho già detto. Presentandomi a lui, gli dissi che in realtà egli non mi conosceva ancora, perché non aveva nessun sospetto di quello che si nascondesse in me. Feci uno sforzo atroce su di me stesso e gli raccontai tutto, in una confessione che durò cinque ore e alla fine della quale giacevo quasi sfinito per terra. Credetti seriamente di morire. Quella prima volta le parole erano uscite dalla mia bocca come vomiti di sangue. Alla fine non mi rimase che un vago barlume di coscienza. Mi sentivo come un sacco vuoto. Don Benedetto mandò sua sorella Marta ad avvertire mia madre che quella sera avrei dormito in casa sua e che i giorni seguenti l'avrei aiutato nei lavori dell'orto. Lavorando assieme nei giorni seguenti, egli ogni tanto s'interrompeva per parlarmi. M'insegnò che finché si vive, nulla è irreparabile. Nessuna condanna è mai definitiva. Mi spiegò anche che, senza dubbio, non bisogna amare il male, ma, purtroppo, il bene spesso nasce dal male, e che probabilmente non sarei mai diventato un uomo senza passare per quelle infamie e quegli errori per i quali ero passato. Quando infine egli mi congedò e mi permise di tornare a casa, non avevo piú paura, mi sembrava di essere rinato. Ero colpito dall'aria che veniva dalla montagna. Un'aria cosí fresca e pura, nel mio paese, non l'avevo mai respirata. Avendo cessato dall'aver paura, cessai dall'arrovellarmi con me stesso e cominciai a a riscoprire il mondo. Cominciai a rivedere gli alberi, i bambini delle strade, la povera gente che pena per i campi, gli asini che portano la soma, le vacche che tirano l'aratro. Ho continuato a rivedere don Benedetto di tanto in tanto. Ieri mi ha fatto chiamare e mi ha detto: "Vorrei risparmiarti la ripetizione di una sofferenza, ma c'è un uomo nelle vicinanze di Rocca al quale ti prego di ripetere la tua confessione. È un uomo nel quale puoi avere completa fiducia". Egli mi ha dato le indicazioni necessarie, mi ha fatto alcune raccomandazioni, e sono venuto. »

Si era fatto scuro. La voce affaticata del giovane si spense nell'ombra. Dall'ombra, dopo un po', venne l'altra voce.

« Se fossi un capo di partito o di un gruppo politico » disse don Paolo « dovrei giudicarti secondo lo statuto del partito. Ogni partito ha una sua moralità, codificata in regole. Quelle regole sono spesso molto vicine a quelle che il sentimento morale ispira a ogni uomo, talvolta sono esattamente l'opposto. Ma io non sono (o non sono piú) un capo politico. Io sono ora, qui, un uomo qualsiasi e se devo giudicare un altro uomo non posso regolarmi che secondo la mia coscienza, rispettando i limiti strettissimi nei quali un uomo ha il diritto di giudicare un altro. »

« Non sono venuto a chiedere un perdono o una assoluzione » disse il giovane.

« Luigi Murica » disse allora l'altro sottovoce « voglio dirti una cosa che ti prova fino a che punto io abbia ora fiducia in te. Io non sono un prete. Don Paolo Spada non è il mio vero nome. Il mio vero nome è Pietro Spina. »

Gli occhi di Murica si riempirono di lagrime.

Di suo arbitrio Matalena aveva intanto apparecchiato per due e pretese che i due uomini scendessero a cenare.

« Quando si è in convalescenza, non bisogna saltare i pasti » ella disse. « Se poi si ricevono visite, non si può fare a meno di invitarle. »

Sul tavolo la donna aveva messo un tovagliolo pulito e una bottiglia di vino. I due uomini cenarono in silenzio. Il vino era dell'anno precedente e il pane di quindici giorni prima. I due uomini ammollarono il pane nel vino. Finito il pasto Murica volle tornare la sera stessa a Rocca e don Paolo salí in camera per indossare un mantello e accompagnarlo per un tratto di strada. Matalena non nascose una certa gelosia per quell'improvvisa amicizia tra lo sconosciuto e il "suo" prete.

« Avete parlato tanto tempo » ella disse a Murica. « Avete ancora delle cose da dirvi? »

« Mi sono confessato » disse il giovane.

Quando i due uomini si separarono, sulla stradetta che scendeva a valle, Murica disse:

« Adesso sono pronto a tutto. »

« Bene, presto ci rivedremo » gli promise don Paolo.

Il prete tardò a tornare nella locanda. Si sedette sul ciglio erboso della strada, oppresso da molti pensieri. Voci perdute si udivano in lontananza, richiami di pecorai, latrati di cani, sommessi belati di greggi. Dalla terra umida si levava un leggero odore di timo e di rosmarino selvatico. Era l'ora in cui i cafoni rientravano gli asini nelle stalle e andavano a dormire. Dai vani delle finestre le madri chiamavano i figli ritardatari. Era un'ora propizia all'umiltà. L'uomo rientrava nell'animale, l'animale nella pianta, la pianta nella terra. Il ruscello in fondo alla valle si gremiva di stelle. Di Pietrasecca sommersa nell'ombra, non si distingueva che la cervice di vacca con le due grandi corna arcuate sulla sommità della locanda.

XXVI

Don Paolo aveva incontrato Cristina in una visita al cimitero. Ella rimase commossa che anche lui avesse voluto portare dei fiori sulla tomba del padre. All'uscita egli la riaccompagnò fino al cancello della sua casa. La ragazza aveva il viso emaciato e sofferente e portava un abito nero, lungo e semplice come un camice, appena stretto alla vita da una cintura di stoffa.

« Mi deve perdonare per le parole dell'ultima volta che ci siamo visti » disse don Paolo. « Ne ho sofferto assai. Fui rozzo e presuntuoso. »

« No, fu solo colpa mia » disse Cristina.

I due si separarono con la promessa di presto rivedersi.

Cessata l'eccitazione provocata dall'annunzio della guerra, Pietrasecca aveva ripreso la sua esistenza abituale. Sulla soglia dei tuguri le donne e i vecchi mangiavano la minestra in silenzio, senza guardarsi intorno e dando risposte stanche e annoiate. Qualche madre riceveva un piccolo sussidio per il figlio soldato e pregava che durasse. I ragazzi della scuola facevano a sassate davanti alla locanda, divisi in africani e italiani. Con orrore e indignazione della maestra, talvolta accadeva che gli africani battessero i nostri.

Sul resto non c'era neppure da preoccuparsi, perché quel che doveva accadere, sarebbe accaduto. Doveva venire la guerra ed era arrivata. Se veramente doveva scoppiare la peste, non c'era mezzo di evitarla.

La moglie di Magascià aveva saputo da Matalena, in grande confidenza, che don Paolo aveva confessato un giovanotto venuto dal piano. Dunque, gli era arrivato il permesso. La donna venne perciò a implorarlo perché confessasse suo marito, che da venticinque anni non si era riconciliato con Dio.

« Nei preti di queste parti egli non ha fiducia » disse la donna. « Se voi non gli fate questa grazia, egli morirà nel peccato e andrà all'inferno. »

Il prete era ricaduto in uno stato di estrema debolezza. Il giorno prima aveva preso un forte raffreddore e mal di testa. La notte non aveva dormito. Rispose perciò alla donna con un no distratto. Non ci pensava piú, quando gli arrivò in camera il vecchio Magascià. Alto, barbuto, massiccio, col cappello in mano, egli occupò quasi l'intero vano della porta. La manica sinistra della giacca gli pendeva sulla spalla mozza, infilata in una tasca. Don Paolo stava su una sedia vicino al suo letto, avrebbe voluto parlargli; ma il vecchio s'inginocchiò ai suoi piedi, si fece il segno della croce, baciò il pavimento e tenendo la faccia a terra si batté il petto tre volte:

« Mea culpa, mea culpa, mea culpa » egli mormorò.

Senza levare la testa, abbassando ancora di piú la voce, egli continuò a borbottare per alcuni minuti parole incomprensibili, di cui si percepiva solo un sommesso sibilare accompagnato da brevi sospiri. Quando anch'esso tacque, l'uomo continuò a restare prostrato a terra, occupando con la grande corporatura la metà della camera. L'ossatura gigantesca gli dava l'apparenza di un elemento geologico, come un animale fossile, antidiluviano; la barba e i capelli ricordavano la vegetazione selvatica; solo la paura che esprimeva il suo atteggiamento lo rivelava uomo.

Egli restò prostrato e silenzioso per qualche tempo, poi levò la testa e domandò con voce normale:

« Mi avete dato la benedizione? Posso andarmene? »

« Puoi andare » disse il prete.

Magascià si alzò e baciò la mano.

« A proposito » egli disse sottovoce prima d'andarsene « avrei bisogno di un consiglio che non oso chiedere ad altri. Per un omicidio, dopo venticinque anni, non c'è perdono? Se uno è scoperto, deve andare ugualmente alla corte d'assise? »

« Quale omicidio? »

Magascià non capí perché il prete facesse ora l'ignorante, ma siccome l'informazione gli premeva, gli ripeté all'orecchio: « L'omicidio di don Giulio, il notaio di Lama. »

« Ah » fece il prete « capisco, è vero; l'avevo già dimenticato. Ma io non sono avvocato, non saprei che cosa risponderti. »

La voce che don Paolo aveva ricevuto il permesso di confessare si sparse in un baleno. « Capisce tutto e perdona tutto » si era limitato a dire Magascià. « Matalena ha ragione, è un santo. »

« È un santo che legge nel cuore dei peccatori » disse Matalena.

La gente accorreva a informarsi. La camera di don Paolo era ormai di tutti. La gente entrava e usciva. Qualcuno voleva fissare il giorno della propria confessione. I bambini salivano le scale e restavano all'uscio, senza osare di avvicinarsi al prete che non poteva piú nascondersi e difendersi. Egli si alzò, corse alla finestra, alla porta, si dibatteva nella sua camera come un animale preso al laccio.

Benché febbricitante don Paolo era in procinto di andarsene, di prendere la fuga, ma venne fermato sulla porta. Arrivò Mastrangelo, sorretto sotto le ascelle dalla moglie Lidovina e dalla cognata Marietta, perché aveva una gamba fasciata e camminava a stento. Siccome non poteva inginocchiarsi, le due donne lo fecero sedere su una sedia accanto al confessore. Baciarono la mano al prete e se ne andarono. Mastrangelo cominciò a parlare avvicinando la bocca all'orecchio del prete, perché nessun altro potesse udire. Il suo alito era fetido, sentiva il vino di molte annate e dava a don Paolo quasi il capogiro.

« Mia moglie ha fatto diciotto figli, ma sedici Dio li ha già presi » disse Mastrangelo. « Restano due. C'è della carne che, quando nasce, è già castigata. Non c'è nulla da fare. La sorella di mia moglie, Marietta, è stata castigata in un'altra maniera. Era povera, ma in buona salute. Prima di sposarsi era già tutto preparato, si erano già fatte le pubblicazioni, Nicola il suo uomo, venne da me, a solo a solo, e mi disse: "Devo farti sapere una cosa segreta, la guerra mi ha castigato". Mi mostrò la sua disgrazia. Non era piú uomo. Per salvargli la vita, nell'ospedale militare gli avevano tagliato la radice. Quel disgraziato era dunque solo, non aveva piú madre né sorella, non aveva nessuno piú che gli lavasse la camicia, gli rifacesse il letto, gli cucinasse la minestra; era naturale che volesse sposarsi. Aveva anche una vigna e una medaglia. Se Magascià fosse morto, sarebbe spettata a lui la rivendita del sale e tabacchi, a causa della medaglia. Magascià era allora già vecchio e c'era da aspettarsi che morisse presto; non è colpa di mio cognato se vive ancora. Dunque, Nicola e Marietta si sposarono. Solo dopo la festa Marietta s'accorse della disgrazia. Le disse Nicola: "Tuo cognato Mastrangelo sapeva tutto". Marietta mi fece subito chiamare e cominciò a piangere: "Tu sei la mia rovina" ripeteva "adesso piuttosto mi ammazzo per la vergogna". Nicola ci lasciò soli. Prima di andare via ci disse: "Poiché Dio ha voluto castigarmi, non ho il diritto di essere geloso; ma alla condizione che l'onore sia salvo e nessuno lo sappia". Marietta ha avuto sei figli, quattro di essi sono vivi. Nel fare i figli forse voi non lo sapete, è come col bere. Uno giura: "Questo bicchiere sarà l'ultimo" poi viene ancora sete e si beve ancora un altro bicchiere. "Questo ancora e poi basta" si dice; ma chi può comandare alla sete? Una volta è la donna che ha sete, una volta è l'uomo, delle volte tutti e due. Nei primi tempi i rapporti fra le due sorelle furono molto difficili. Col tempo le cose si sono accomodate. Abbiamo accettato tutto con rassegnazione, come Dio ce l'ha mandato. L'onore è stato salvato; non c'è stato scandalo; niente si è risaputo. Ma un giorno Nicola è andato a confessarsi da don Cipriano e quello gli ha cambiato l'anima. Gli ha detto che i castighi già ricevuti da Dio sono nulla in confronto di quelli che abbiamo meritato e che dobbiamo ancora ricevere. Quello che noi non sconteremo, gli ha detto, lo sconteranno i nostri figli, che sono figli del peccato; e quello che non sconteranno i figli, lo sconteranno i figli dei figli, fino alla settima generazione. Ma se Dio sa la verità, come può castigarci ancora? Non abbiamo già sofferto abbastanza? »

Il penitente tacque e guardava il confessore con le pupille

fisse e maculate di sangue, in attesa di una risposta. Dalle scale arrivavano le voci alterate di alcuni bevitori che giocavano alla morra, al pianterreno. Sul vetro della finestra il confessore vide due mosche polverose appiccicate l'una all'altra, immobili, sorprese dalla morte nell'atto dell'unione. Fuori pioveva. Don Paolo rabbrividí. Mastrangelo l'afferrò per un braccio, lo scosse, volle una risposta.

« Ha detto giusto don Cipriano? » chiese. « I figli di Marietta, i figli dei figli sono già maledetti? »

« Maledetti da chi? » disse don Paolo.

« Non sono stati maledetti da Dio? »

« Dio non può maledire » disse don Paolo. « Non ha mai maledetto anima viva. »

« Non saranno disgraziati? »

« Forse lo saranno » disse don Paolo. « Ma come gli altri, né piú, né meno. »

Lidovina e Marietta, chiamate da Mastrangelo, risalirono le scale, aiutarono il loro uomo a lasciar la camera sorreggendolo sotto le ascelle e intanto lo interrogavano con gli occhi per indovinare il risultato della confessione.

Nelle scale altri penitenti, uomini e donne, seduti sui gradini, aspettavano il loro turno, per confessarsi. Un fetore acuto e pungente aleggiava per le scale, come se quella gente avesse l'abitudine di farsela nelle brache e non si lavasse mai. E, in piú, c'era nell'aria un odore nuovo, insolito in una cantina: un odore d'incenso. Matalena era corsa a farsi dare le chiavi della chiesetta da Cristina e aveva prelevato un po' d'incenso dalla riserva della sacrestia. Don Paolo indossò il mantello e fuggí per strada. Dalla porta della locanda i penitenti l'osservarono umiliati e delusi.

« Aspettate, aspettate » raccomandava Matalena. « Vuole solo prendere un po' d'aria fresca. Con questa pioggia non può andare lontano. »

Dopo circa un'ora lo si vide riapparire, ma, invece di rientrare nella locanda, egli si diresse verso la casa Colamartini.

Gli aprí Cristina. La ragazza appariva ancor piú smagrita e sofferente.

« Parlavamo di lei » ella disse al prete.

Nella grande stanza in cui fu accompagnato, si trovava già riunita l'intera famiglia, la nonna, la zia, la madre.

« Ma lei è fradicio di pioggia » esclamò Cristina appena lo vide nella luce della stanza. « E batte i denti per il freddo. »

Si fece dare il mantello per metterlo ad asciugare e insisté perché si sedesse vicino al camino acceso.

« Allunghi i piedi verso il fuoco » gli raccomandò.

Nella stanza aleggiava il solito sentore di chiuso, addolcito da un odore di conserve e vino aromatico. Le tre vecchie tacevano. Don Paolo cercava di evitare il loro sguardo. Attraverso i vetri di una grande finestra egli vedeva il giardino irrorato dalla pioggia. I fiori erano diventati semi; i semi erano caduti per terra. La zia e la madre di Cristina si alzarono e si ritirarono nella stanza accanto. Cristina mormorò qualcosa in un orecchio della nonna e le seguì.

« Foste voi l'ultima persona con la quale parlò mio figlio prima di ripartire da Fossa? » domandò la vecchia al prete. « Che cosa vi disse? »

« Mi disse: è la fine. Non volle essere accompagnato. Era infatti la fine. Non mi disse altro » rispose il prete.

La vecchia vestita di nero era seduta su una poltrona ricoperta di vecchio velluto rosso, vicino ad una finestra che dava sul giardino. Era piccola, raggrinzita e rattrappita; guardava il prete con occhi vitrei, inscrutabili, astratti, e quando parlava scopriva le gengive vuote. La pioggia picchierellava sui vetri appannati.

« Ci hanno lasciati soli » disse la vecchia « perché vorrebbero che mi confessassi. Ma io non voglio confessarmi. Devo dirle la verità? Per confessarmi mi manca il pentimento. Perché dovrei pentirmi? »

Ella teneva le mani incrociate sul petto e le mani sembravano vecchi utensili usati da un lungo e penoso lavoro. Le braccia stecchite parevano due rami secchi in attesa di essere staccati e gettati nel fuoco.

« Perché dovrei pentirmi? » domandò la vecchia. « Durante ottant'anni non ho voluto che una cosa sola, una cosa giusta, la sola cosa giusta, il decoro della mia famiglia. Non ho pensato ad altro. Non ho voluto altro. Non ho fatto altro. Durante ottant'anni. Adesso dovrei pentirmi? »

Apparve in fondo ai suoi occhi, improvvisamente dilatati, un'angoscia senza speranza, una paura lungamente repressa, e uno sgomento cosí fisso e irreparabile, un'espressione di disperazione cosí primitiva che don Paolo ne rimase colpito.

« È la fine? » ella domandò. « È veramente la fine di tutti o solo dei Colamartini? »

« Di tutti i proprietari, io credo » disse don Paolo.

Quando la vecchia s'avvide che il prete la guardava negli occhi, li chiuse. La sua testa, interamente spolpata e quasi priva di capelli, ricordava, per la forma, quella di un passero. Un oggetto talmente fragile, eppure cosí resistente, cosí ostinato, cosí tenace, cosí spietato, cosí duro, per la durata di ottant'anni. Cristina aveva detto alla nonna che, se non si pentiva e non si confessava, sarebbe andata all'inferno e lei aveva risposto alla nipote: "Andrò dunque all'inferno". Ma, poiché aveva l'occasione di consultare un prete, le premeva di informarsi su un particolare che le stava a cuore.

« Quelli che non si pentono e vanno all'inferno quanto tempo restano davanti a Dio Giudice? Hanno almeno il tempo di potergli dire in faccia la verità? »

Don Paolo fu costretto ad ammettere che, di scienza propria, egli non poteva dir nulla, ma il semplice buon senso lo induceva a dare una risposta affermativa. « Cosí si usa in ogni tribunale decente » egli disse. Questo bastò alla vecchia.

Cristina tornò a tempo per accompagnare don Paolo alla porta, ma prima gli volle mostrare una stanzetta attigua alla cucina in cui c'era un telaio al quale lavorava nei rari momenti liberi del giorno e di sera, fino a tardi.

« Non sappiamo come andare avanti » disse la ragazza. « Lei sa che nel fallimento della banca abbiamo perduto tutti i risparmi? La terra che ci resta non ci rende. I fittavoli non pagano. »

Cristina aveva pensato di guadagnare qualche cosa col lavoro del telaio, ma si era già ricreduta.

« La lana costa cara » ella disse. « Nessuno compra piú tessuti fatti a mano; è un lusso. Le poche ordinazioni ricevute finora, sono di alcune mie amiche, che l'han fatto, io credo, per un riguardo personale. »

« Non pensa piú al convento? » domandò don Paolo.

« Come lo potrei, ora? » ella rispose. « In questa casa sono padrona e domestica, con tre ospiti a carico. La piú energica delle tre, la nonna, ha perfino bisogno di essere vestita. »

« Sono mortificato di non poterla aiutare » disse don Paolo. « Lei non immagina fino a che punto la sua sorte mi stia a cuore. »

« La ringrazio » disse Cristina con un leggero sorriso velato di tristezza. « Mi sarà di aiuto se non mi terrà piú il broncio. Me lo promette? D'altronde, mi creda, le difficoltà materiali sono il nostro male minore. Assai piú penose le angustie spirituali. Alcuni fatti di famiglia, di cui prima non avevo mai udito parlare, adesso sono oggetto di continui alterchi e discussioni. »

« E Alberto? » disse don Paolo.

« Si è ingaggiato nella milizia » disse Cristina. « Egli non era certo tagliato per la vita militare, ma non gli si offriva altro. Se gli riesce di far carriera, potrà almeno provvedere per sé. »

Cristina mostrò al prete un lavoro di tessitura finito il giorno prima, un piccolo tappeto bianco e rosso con disegni geometrici assai graziosi, copiati da una coperta antica.

« Sa che mio fratello Alberto ha una forte ammirazione per lei? » disse Cristina. « Mi ha anche accennato al loro complotto per la seconda rivoluzione. Non è pericoloso? Non è condannato dalla Chiesa? »

« Nel nostro tempo sono molti i modi di servire Dio » disse don Paolo con un gesto evasivo.

« È anche l'opinione di don Benedetto » disse Cristina. « Sa che egli è stato qui con la signorina Marta per i funerali? Alberto ed io avemmo una lunga conversazione con lui. Gli chiedemmo consiglio su certe questioni di famiglia e infine, non ricordo come, la conversazione cadde sull'obbedienza alle autorità civili e su Pietro Spina. "Non ne dovete pensare male" egli ci disse. "Io lo conosco, egli è stato mio allievo. Il socialismo è il suo modo di servire Dio." »

« Disse proprio queste parole? »

« Lo ricordo con precisione. Egli disse anche, parlando dello Spina: "È un uomo che da ragazzo fu toccato da Dio e da Dio stesso lanciato nelle tenebre, alla sua ricerca. Sono certo che egli ubbidisce ancora alla Sua voce". Insomma don Benedetto ce ne parlò come se lo conoscesse molto bene. Dopo quelle parole avevo la testa assai confusa. »

« Lo credo bene » disse don Paolo. « Ma forse erano parole da non prendere alla lettera. »

Al momento in cui il prete prese congedo, Cristina gli espresse il desiderio di confessarsi, quando e dove a lui facesse comodo.

« Oh, no » rispose don Paolo colto alla sprovvista. Poi aggiunse impacciato: « La prego di non aversela a male, ma mi manca, oltre tutto, il distacco raccomandabile tra penitente e confessore. »

Cristina arrossí.

« Ha ragione » disse. « Anche per me sarebbe stato difficile. »

« Mi piace assai intrattenermi con lei » aggiunse don Paolo. « Ma come un uomo comune. Anch'io attraverso un periodo difficile e vedere lei piú di sovente mi gioverebbe. »

« Durante il giorno » disse Cristina « non ho un momento di respiro. »

« Verrò stasera, dopo cena » disse don Paolo. « Le terrò compagnia mentre lavorerà al telaio. »

« Va bene » disse Cristina con voce un po' esitante.

Quella sera il prete consumò la sua cena con allegria e buon appetito. Anche Matalena era raggiante a causa delle confessioni del pomeriggio. La sua locanda stava diventando un luogo sacro. Davanti all'immagine della Madonna del Rosario erano accese due lampade.

« Piú tardi verrà il falegname per le misure » ella disse al prete. « Naturalmente il lavoro sarà a spese mie. »

« Quali misure? » domandò don Paolo toccando ferro.

« Le misure per il confessionale. Diocleziano è un buon falegname, ma non ha mai costruito confessionali. Metterò il confessionale nella vostra camera, dove adesso è il tavolino. Cosa ne pensate? »

« Penso che voi cominciate a impazzire. »

« Voi siete contro l'uso del confessionale? Peccato, ma sarà rispettata la vostra volontà. Vi dirò, piú che altro era per le ragazze. Le avevo avvertite di aspettare finché fosse pronto il confessionale. Ma se voi preferite far senza... »

Matalena gli portò sul tavolo una mela e una manciata di noci.

« Quelli che hanno fatto la fila il pomeriggio torneranno piú tardi » ella disse. « Tanto per avvertirvi. »

« Cosa vogliono? »

« Già lo sapete, confessarsi. Ormai avete cominciato. »

« Non ho nessuna voglia di confessarli. »

« Devo dire alla gente di tornare domani? C'è che i piú durante il giorno lavorano. »

« Direte semplicemente che non si facciano piú vedere. »

« Impossibile. Essi protesterebbero contro di me. »

« Voi non siete la mia padrona. »

« Essi diranno: perché altri sí e noi no? Diranno: è colpa di Matalena. Non me lo perdoneranno. »

« Dicano quel che vogliono. Non li confesserò, quest'è certo. »

« Se è cosí, quando essi verranno, parlerete voi con loro. Cosí si persuaderanno che non è colpa mia. »

« Quando essi verranno, non sarò in casa. »

« Li farò aspettare finché non tornerete. »

« Matalena, ascoltatemi » disse il prete alzando la voce. « Non rimetterò piú piede in questa casa finché essi non se ne saranno allontanati. »

La locandiera s'intimorí.

« Se voi non volete » disse « nessuno potrà costringervi. Dirò che stasera siete stanco e che forse domani cambierete opinione. »

Il prete non rispose. Ma quando la locandiera vide che, preso il cappello, egli si apprestava sul serio a uscire di casa, fu colta dai rimorsi.

« Fuori piove » ella disse. « Vi fa male alla salute di uscire con questo tempo. Restate qui, penserò io a difendervi. Nessuno vi molesterà. Tutt'al piú ne riparleremo domani. Dove volete andare con questo tempo? »

« Dove mi pare » disse il prete.

Ma quando Matalena osservò che egli si dirigeva verso la casa Colamartini, le passò ogni inquietudine e sorrise di soddisfazione. Evidentemente la fattura era efficace.

Don Paolo trovò la porta socchiusa e Cristina già all'opera nella stanza del telaio, intenta a districare i licci che si erano incantati.

« Mi permette d'aiutarla? » disse don Paolo.

« Ne capisce qualcosa? »

« Mi metta alla prova. »

Come per giuoco la ragazza gli cedette il posto sulla panchetta.

« L'intoppo è nel registro » disse il prete con sicurezza appena provato il passo dei licci.

Cristina rimase a bocca aperta.

« Conosce la tessitura? » domandò.

« Da ragazzo aiutavo mia madre » egli rispose ridendo.

« Era una tessitrice provetta. Lavorava al telaio piú per gusto che per guadagno. Anche per me, benché fossi attentissimo al lavoro, quello era un passatempo. »

« Era un telaio come questo? »

« Negli ultimi tempi mia madre ne acquistò uno identico a questo, ma prima ne aveva un altro di tipo piú antico, massiccio e complicato. Ne ha mai visti? »

« Ne abbiamo uno in soffitta. »

« Saprà dunque che col vecchio telaio chi tesseva, aveva bisogno dell'aiuto di un'altra persona, alla quale accennare l'ordine e il tempo dei tiramenti, secondo le mutazioni del disegno che aveva davanti. L'aiutante, per mia madre, ero io. Non ammettevo di essere sostituito. Mentre lavoravamo, mia madre mi raccontava, alla maniera delle favole, le parabole del Vangelo. A ripensarci, se sono rimasto, piú o meno, un cristiano, forse il merito è di quelle favole. »

« Cosa dice? » l'interruppe Cristina divertita e scandalizzata.

« Per una volta tanto, mi è sfuggita la verità » disse don Paolo in tono serio.

« E lei fu assiduo anche al nuovo telaio, benché non richiedesse piú il suo aiuto? »

« Sul nuovo telaio mia madre diede lezioni di tessitura a una ragazza amica di famiglia. La ragazza mi era simpatica e per tenerle compagnia prendevo le lezioni anch'io. »

« Insomma, se oso dire, lei mi sembra recidivo » esclamò Cristina ridendo.

Anche don Paolo rise di cuore. Qualcosa nel suo volto e nel suo sguardo si era schiarito, come se si fosse tolto una maschera. Un ricordo tirò l'altro ed egli continuò a parlare della sua fanciullezza. Mentre Cristina mandava avanti il lavoro, egli raccontava le scoperte e le sorprese delle prime letture, delle prime amicizie, dei primi viaggi. Pareva che la sua memoria non conoscesse intoppi. Cosí trascorsero una serata in un'affettuosa serenità che l'uno e l'altra non avevano piú provato da molto tempo.

« Adesso è ora che me ne vada » disse a un certo momento don Paolo. « Lei ha faticato tutto il giorno e avrà bisogno di andare a riposare. »

« Sí, vada » disse Cristina. « Matalena potrebbe essere invidiosa. »

Sulla soglia di casa gli strinse la mano e aggiunse: « A presto, spero. »

272

XXVII

« Dopo tutto quello che abbiamo sofferto » disse don Paolo a Murica « noi non possiamo piú parlare di politica come gli altri. A rifletterci bene, essa è diventata per noi tutt'altra cosa. »

« Non lo è sempre stato? » disse Murica. « Uno di noi poteva aderire per fini e calcoli politici a un movimento clandestino che non ha alcuna possibilità immediata di successo? »

Murica camminava avanti al prete per fargli strada fra i rovi del sentiero sdrucciolevole che scendeva verso il fondovalle.

« Devo raccontarti un fatto che ti riguarda » disse a un certo punto Murica fermandosi. « In un tuo breve scritto di circa due anni fa, tu parlavi dell'uomo che arriva penosamente alla coscienza della propria umanità. Ricevetti una copia di quello scritto da Romeo. Esso mi fece, già allora, molto pensare, ma forse solo ora mi sento in grado di capire quello che intendevi. »

« Questo può capitare anche a chi scrive » disse don Paolo. « La coscienza ha infinite gradazioni, come la luce. »

Il sentiero raggiunse presto il letto pietroso del torrente. Tra i macigni e i sassi serpeggiava un rigagnolo d'acqua limpida. I due camminavano l'un dietro l'altro e ogni tanto dovevano sostare perché il sentiero era interrotto da buche. In un fosso biancheggiava lo scheletro di una ganascia d'asino ancora armata dei molari.

« A ripensarci ora » disse Murica « mi è chiaro che nel movimento io mi trovavo, fin dall'inizio, nella situazione falsa del giocatore che scommette una somma assai superiore a quella di cui dispone. Ma forse questo è un caso piú frequente di quello che io sappia. »

« Se ti sentivi impreparato ad affrontare i rischi » disse don Paolo « perché non te ne allontanasti dopo le prime riunioni? »

« In realtà » disse Murica « questo è un ragionamento al quale allora non ero affatto in grado di arrivare. Adesso invece rifletto molto su queste cose e vorrei spiegarti quello che penso, perché tu mi dica se sei d'accordo. Ecco, mi pare che ci si può ribellare all'ordine esistente per due opposte ragioni: se uno è molto forte, oppure molto debole. Per uomo forte intendo quello che, superiore all'ordine borghese, lo rifiuta, lo disprezza, lo combatte, vuole al suo posto altri valori, una società piú giusta. Non era questo il mio caso. Io mi sentivo schiacciato dalla società borghese, ero ai suoi margini, ero uno studente provinciale, povero timido goffo, solitario in una grande città; mi sentivo incapace di affrontare le mille meschine difficoltà dell'esistenza, le umiliazioni quotidiane. »

« In simili casi » disse don Paolo « il contatto con un movimento rivoluzionario può essere una sorgente di forza. »

« No » disse Murica. « Poiché il movimento è clandestino, esso offre l'ingannevole vantaggio del segreto. L'uomo umiliato e offeso vi soddisfa i suoi risentimenti, ma di nascosto. Il suo comportamento esterno resta immutato. La sua negazione della legge rimane intima, come nel sogno, e appunto perciò assume forme estreme audaci temerarie. Egli cospira contro lo Stato allo stesso modo come, in sogno, gli capita magari di strangolare il proprio padre, verso il quale, durante il giorno, continua a essere ubbidiente e rispettoso. »

« Finché un incidente non rivelerà la sua doppia vita » disse don Paolo. « Allora è il panico, il terrore. »

Dopo alcuni minuti di silenzio don Paolo gli chiese:

« Dopo l'arresto fosti battuto? »

« Ricevetti qualche schiaffo e degli sputi in faccia » disse

Murica. « Ma fin dal primo istante, caddi preda del terrore Pensa che nel deporre le mie generalità non riuscivo a ricordarmi la data della mia nascita, né il nome di ragazza di mia madre. La sfida che avevo lanciato alla legge, insomma, era sproporzionata alla mie forze. Avevo scommesso piú di quello che possedevo. »

I due proseguirono ancora un po' in silenzio per il sentiero che costeggiava il torrente e arrivarono dove la valle si allargava e la strada carrozzabile si avvicinava al sentiero.

« Fermiamoci qui » disse Murica. « Piú avanti possono vederci dalla strada e riconoscerci. »

« Hai l'impressione » chiese don Paolo « di essere ancora sorvegliato? »

« Non so » disse Murica. « Per me non m'importa, ora mi sento forte. Dicevo per te. »

« Non preoccuparti di me » disse don Paolo. « Del resto hai ragione, dopo tutto quello che ci è capitato, noi non abbiamo piú alcun motivo di aver paura. È la polizia che deve aver paura di noi. »

Tra la strada rotabile e il torrente, c'era un prato con uno stazzo di pecore. Quella era la stagione in cui le greggi scendevano dalle montagne e andavano verso il piano per passarvi l'inverno.

« Quando arriva Annina? » disse don Paolo.

« Forse domani » disse Murica. « Mi scrive ogni giorno.»

« È una ragazza meravigliosa » disse don Paolo. « Sicuramente, te la invidio. »

« Mio padre è stato subito per il matrimonio » disse Murica.

Accanto al gregge un vecchio pecoraio stava accendendo un fuoco di sterpi, un giovane soffiava sul fuoco, un ragazzo cercava intorno rami secchi. Il vecchio si chiamava Bonifazio e disse a don Paolo di aver sognato San Francesco.

« Aveva l'aria sorridente » disse « e voleva regalarmi una lira. »

« Te l'ha data? »

« No, ha cercato nelle tasche, ma non l'aveva. »

Don Paolo rise e gli diede una lira.

« Conoscete la vecchia storia del lago di Fucino? » disse Bonifazio. « Non è una storia scritta nei libri. »

Egli pensò di ringraziare cosí per la moneta ricevuta, dato che don Paolo non conosceva quella storia.

« Gesú andava in cerca di lavoro come falegname » disse Bonifazio. « Di paese in paese arrivò anche da queste parti. "Avete del lavoro per un povero falegname?" egli domandava dappertutto. "Come ti chiami? Hai una raccomandazione?" gli rispondevano i padroni. Allora, a tutti i disoccupati senza raccomandazione che incontrava per strada, egli disse: "Venite dietro di me". E tutti gli andavano dietro. "Non vi voltate indietro" egli raccomandava. Nessuno si voltava. Quando furono tutti sulla montagna, Gesú disse: "Potete voltarvi". Al posto della terra e dei paesi c'era un lago. Adesso è stato prosciugato » aggiunse Bonifazio « ma, se la cattiveria dei padroni persiste, la terra si sprofonderà un'altra volta. »

« La tua storia vale bene una lira » disse don Paolo ridendo.

« Al prossimo incontro ve ne racconterò un'altra » disse Bonifazio.

Don Paolo salutò Murica e si affrettò a tornare verso Pietrasecca. A metà strada egli incontrò una donna che faceva lo *strascino,* che camminava cioè in ginocchio a un lato della strada. Sembrava un sacco di cenci e di polvere, un sacco barcollante. Da principio don Paolo pensò che fosse una pazza. Invece, come la povera donna spiegò, era una madre che aveva il figlio in guerra e in un momento di fervore religioso, per allontanare un oscuro presentimento, aveva fatto voto di scendere in ginocchi da Pietrasecca a Lama per ottenere dalla Vergine che il figlio tornasse sano. La misera donna era in istrada dal mattino, la sua voce era rauca, il viso irriconoscibile, gli occhi malati allucinati fangosi per la polvere e le lagrime. Sembrava che da un momento all'altro dovesse stramazzare per terra. Non essendo convinto dell'ineluttabilità del voto, don Paolo cercava di persuaderla ad alzarsi, a camminare in piedi, e fece anche l'atto di prenderla sotto le ascelle, di sollevarla da terra con la forza. Invano. La donna si difese con le unghie e i morsi. Poiché il voto era stato pronunziato, ora doveva adempierlo. Se avesse mancato il voto, il figlio certamente sarebbe morto. La donna si stupí che un prete non capisse una cosa talmente semplice e risaputa.

« Che razza di prete siete? » gli gridò.

Don Paolo lasciò la donna al suo destino e riprese la strada. L'aria era diventata piú fredda. La sommità della montagna dietro Pietrasecca appariva già bianca di neve. Il villaggio era invaso dalle ombre che salivano dalla valle. Solo la casa dei Colamartini, situata un po' in alto, era ancora illuminata dal sole. Cristina si affacciò a una finestra sull'ultimo piano e il suo volto era come un cristallo sul quale batteva il sole al tramonto. Di tutto il villaggio don Paolo non vedeva che quel viso incandescente.

Appena il sole sparí interamente, l'aria gelò. Matalena aspettava il ritorno del suo prete nel vano della porta di casa e torceva il fuso e filava.

« La neve è vicina » disse la donna guardando in aria.

La neve arrivò due giorni dopo. Al mattino don Paolo si svegliò e trovò il paesaggio trasformato. La neve era caduta tutta la notte e continuava a fioccare regolarmente, come una cosa attesa e inevitabile, silenziosa e fitta.

Per festeggiare la prima giornata di neve, la sera venne un po' di gente nella locanda di Matalena. Con un po' di ritardo arrivò anche Cristina; i suoi occhi apparivano ingranditi dalla sofferenza. Ma la sua bellezza non ne aveva sofferto. Guardarla era un incanto.

Don Paolo stava seduto vicino al camino. Tutt'intorno, in un gran cerchio, vi erano alcuni cafoni, delle donne e dei ragazzi. Vicino al fuoco, per terra, da una parte c'era un cane, dall'altra il bambino di Teresa, quello che doveva nascere cieco e fu salvato in tempo. Il bambino era posato per terra in un cesto di vimini come un cavolfiore e la sua faccia arrossata dal riverbero del fuoco era come una mela. La gente domandò a don Paolo che raccontasse delle storie. Cristina specificò: storie sacre. Infine egli non poté rifiutare, aprí il breviario e cercò l'*Index Festorum*. Egli cominciò a raccontare a modo suo la storia dei martiri di cui il breviario gli forniva i dati.

Quella dei martiri era una storia sempre diversa e sempre uguale. Un'èra di triboli e persecuzioni. Una dittatura con un capo deificato. Una vecchia chiesa ammuffita vivente di mance. Un esercito di mercenari per garantire ai ricchi una pacifica digestione. Una popolazione di schiavi. Una preparazione incessante di nuove guerre di rapina per il prestigio della dittatura. Intanto viaggiatori misteriosi arrivano dall'estero. Essi parlano sottovoce di prodigi accaduti in Oriente, annunciano la Buona Novella: la Liberazione è prossima. I piú audaci, i poveri, gli affamati si riuniscono in sotterranei per udirne parlare. La voce si sparge. Certuni abbandonano i vecchi templi, abbracciano la nuova fede. Dei nobili lasciano i loro palazzi. Dei centurioni disertano. La polizia sorprende le riunioni clandestine, fa degli arresti. I prigionieri vengono torturati, deferiti a un tribunale speciale. Ve ne sono che rifiutano di bruciare l'incenso davanti ai feticci dello Stato. Non riconoscono altro Dio che quello della loro anima. Essi affrontano i supplizi col sorriso sulle labbra. I giovani vengono gettati alle belve. I sopravviventi restano fedeli ai morti e tributano a essi un culto segreto. Cambiano i tempi, muta il modo di vestirsi, di nutrirsi, di lavorare, cambiano le lingue; ma, in fondo, è sempre la stessa storia che continua.

Il caldo del camino conciliava il sonno. Quelli che non dormivano, ascoltavano e guardavano nel fuoco. Disse Cristina:

« In ogni tempo e in qualunque società l'atto supremo dell'anima è di darsi, di perdersi per trovarsi. Si ha solo quello che si dona. »

Il fuoco si spense, gli ospiti diedero la buona notte e don Paolo salí nella sua camera. Egli riprese in mano il quaderno dei *Colloqui con Cristina*, cominciato nei primi tempi del suo soggiorno a Pietrasecca, rilesse le prime pagine, piene di tenero affetto per la ragazza, rilesse e strappò le pagine successive dettate dalla disillusione e dal dispetto. Erano passati vari mesi e non invano, sia per lui che per Cristina. Prima di mettersi a letto egli aggiunse alcune righe ai *Colloqui*.

"Cristina" egli scrisse "è vero che si ha quello che si dà; ma a chi dare e come dare?

"Il nostro amore, la nostra disposizione al sacrifizio e all'abnegazione di noi stessi fruttificano solo se portati nei rapporti con i nostri simili. La moralità non può vivere e fiorire che nella vita pratica. Noi siamo responsabili anche per gli altri.

"Se applichiamo il nostro sentimento al male che regna attorno a noi, non potremo rimanere inattivi e consolarci con l'attesa di un mondo ultraterreno. Il male da combattere non è quella triste astrazione che si chiama il Diavolo; il male è tutto ciò che impedisce a milioni di uomini di umanizzarsi. Anche noi ne siamo direttamente responsabili...

"Non credo che ci sia, oggi, un'altra maniera di salvarsi l'anima. Si salva l'uomo che supera il proprio egoismo d'individuo, di famiglia, di casta, e che libera la propria anima dall'idea di rassegnazione alla malvagità esistente.

"Cara Cristina, non bisogna essere ossessionati dall'idea di sicurezza, neppure della sicurezza delle proprie virtú. Vita spirituale e vita sicura, non stanno assieme. Per salvarsi bisogna rischiare."

Durante quella notte continuò a fioccare ininterrottamente. Al mattino il prete dormiva ancora quando fu chiamato da Matalena. Davanti alla locanda c'era un gruppo di cafoni e di ragazzi attorno a Garibaldi, l'asino di Sciatàp. Sulla groppa dell'asino era allungato il corpo d'un lupo ucciso nella mattinata sulla montagna dietro Pietrasecca. Il pelo del lupo era bigio, irsuto, sporco di sangue e di fango; i suoi denti erano bianchi, fortissimi; sulla spalla e sul fianco mostrava due chiazze sanguinose, segni dei colpi di fucile. Secondo l'usanza il lupo morto era mostrato di casa in casa per l'elemosina a quelli che l'avevano ucciso.

Luigi Banduccia aveva ancora il fucile sulle spalle e dava le spiegazioni. Era il quarto lupo da lui ucciso. Egli mostrò sulla collottola della bestia il segno dell'amore, il morso profondo di una femmina. L'amore dei lupi è serio. Banduccia sapeva riconoscere da lontano gli urli dei lupi: l'urlo del pericolo, che il lupo lancia quando è attaccato con le armi; l'urlo della carnaccia, che vuol dire che ha trovato qualche bestia da sbranare e chiama i compagni, perché alle bestie non piace mangiare da sole; l'urlo dell'amore, che vuol dire che avrebbe bisogno di una femmnia e non si vergogna di farlo sapere.

La nonna di Cristina non volle dare nulla per il lupo ucciso; ma Cristina, che dall'infanzia aveva un rispetto speciale per i lupi, insistette presso la nonna.

« Lupo mortò non morde piú » disse la vecchia.

Quello stesso giorno Magascià recò a don Paolo un biglietto urgente che disse di aver ricevuto dal vecchio Murica di Rocca dei Marsi. Il biglietto era firmato da Annina, che era appena arrivata in casa di Murica, e annunziava l'arresto di Luigi. Don Paolo volle partire subito, ma Magascià tergiversò, disse di essere stanco, anche l'asina non era piú giovane.

« Partirò a piedi » disse il prete. « Un po' d'aria fresca mi farà bene. »

« È un caso talmente urgente? » disse Matalena.

« Un caso di coscienza » disse il prete.

« È qualcuno della vostra diocesi? »

« Della mia diocesi e della mia parrocchia. »

Matalena non l'aveva mai visto cosí agitato. Egli partí con la sveltezza d'un ragazzo. Forse lo stesso don Paolo era sorpreso della propria energia. Per fortuna si trattava di fare la valle in discesa.

XXVIII

La corona di montagne attorno alla conca del Fucino gli apparve tutta bianca di neve. In alcuni punti la neve era scesa fin sulle colline che facevano da primo scalino alle montagne. Don Paolo portava un mantello nero che gli arrivava fino ai piedi e teneva attorno al collo una sciarpa di lana anche nera. Gli sarebbe bastato di sbottonare il mantello e di togliersi la sciarpa per togliere al suo abbigliamento il carattere ecclesiastico. L'espediente piú ingegnoso era quello del cappello, un comune feltro riportato da Roma che doveva fungere tanto da copricapo ecclesiastico che civile, secondo il modo di posarlo sulla testa e di sformarlo.

La strada scendeva lentamente, servendo da limite tra una collina sassosa piantata a vigne e una distesa di campi arati da poco. Dove finiva la neve si camminava piú speditamente. A una svolta don Paolo incontrò una biga ferma a un lato della strada.

« Don Paolo? » gli domandò l'uomo che sedeva sulla biga. « Salite, mi manda Annina. »

Il prete salí sulla biga e l'uomo mise il cavallo al trotto.

« Ero stato avvertito » egli disse semplicemente. « Vi aspettavo da un paio d'ore. »

« Sono venuto a piedi » disse don Paolo.

L'uomo aveva la barba di alcuni giorni, la camicia e il vestito sporchi e trascurati e l'espressione abbattuta come se fosse malato.

« Si hanno notizie di Luigi Murica? » domandò don Paolo. « È ancora in carcere? »

« È morto ieri. »

« *Consummatum est* » disse don Paolo.

« Sembra che la notizia non vi sorprenda. »

« Sí, in un modo o nell'altro la temevo. »

Nell'aria c'era una grande calma, la calma della campagna all'approssimarsi dell'inverno.

« Eravate amici? » chiese don Paolo.

« Stavamo assieme » rispose l'uomo. « Con lui si stava volentieri assieme. Era un uomo buono e faceva venir voglia di diventar buoni. Egli ci parlava anche della rivoluzione. Stare assieme senza aver paura, quest'è l'inizio, egli ci spiegava. »

« Dobbiamo restare assieme » disse don Paolo. « Non dobbiamo lasciarci spartire. »

« Luigi aveva scritto su un pezzo di carta: "La verità e la fraternità regneranno tra gli uomini al posto della menzogna e dell'odio; il lavoro regnerà al posto del denaro". Quando l'hanno arrestato gli hanno trovato quel biglietto che egli non ha rinnegato. Nel cortile della caserma della milizia di Fossa gli hanno perciò messo in testa un vaso da notte in luogo di corona. "Quest'è la verità" gli hanno detto. Gli hanno messo una scopa nella mano destra in luogo di scettro. "Quest'è la fraternità" gli hanno detto. Gli hanno poi avvolto il corpo in un tappeto rosso raccolto da terra, l'hanno bendato e i militi se lo sono spinto a pugni e a calci tra loro. "Quest'è il regno del lavoro" gli hanno detto. Quando è caduto per terra gli hanno camminato di sopra, pestando coi talloni ferrati. Dopo questo inizio d'istruttoria, egli è vissuto ancora un giorno. »

« Se noi vivremo come lui » disse don Paolo « sarà come se lui non fosse morto. Dovremo stare assieme e non aver paura. »

L'uomo fece cenno di sí con la testa.

Egli indicò, all'entrata di Rocca, in mezzo ai campi, la casa della famiglia Murica. Don Paolo vi si diresse a piedi per un viottolo erboso. In quel breve tratto egli adattò il suo abbigliamento all'uso laico. La casa dei Murica era a un solo piano, larga e tozza, metà abitazione, metà stalla. Le finestre della casa erano chiuse, anche con le imposte, mentre la grande porta era spalancata, secondo l'usanza del lutto. Della gente andava e veniva dalla casa per la visita d'obbligo. Pietro entrò esitante. Nessuno gli fece caso. Appena varcata la soglia della porta, egli si trovò in una grande stanza pavimentata con ciottoli, che ordinariamente doveva servire da cucina e da rimessa per gli strumenti agricoli, che era piena di gente. Alcune donne ammantate di nero e di giallo sedevano per terra accanto al camino. Alcuni uomini discorrevano di terre e di raccolti, in piedi, attorno al tavolo. Pietro scoprí Annina in fondo alla stanza, seduta su uno sgabello, sola, pallida, stordita, tremante di freddo e di paura fra tutta quella gente sconosciuta. Ella neppure piangeva, perché per piangere avrebbe dovuto essere sola, o tra conoscenti. Appena riconobbe Pietro non seppe piú trattenersi e cominciò a singhiozzare. Da una stanza vicina entrarono il padre e la madre del morto, vestiti di nero. La madre andò verso Annina, le asciugò le lagrime, l'avvolse in un grande panno nero e la fece sedere presso di sé, vicino al camino su uno stesso sgabello.

« Chi è quella? » domandavano le altre donne tra loro.

« È la sposa » rispose qualcuno « la sposa della città. »

Il padre si sedette a capo al tavolo, assieme agli altri uomini. Arrivarono delle parenti di un paese vicino. Arrivarono dei ragazzi. La madre, come d'uso, faceva l'elogio del figlio morto. Ella raccontò che aveva voluto salvarlo, l'aveva mandato lontano, per farlo studiare, per sottrarlo al destino che la sua debolezza, la sua delicatezza, la sua sensibilità facevano prevedere. Non l'aveva salvato. L'aria della città non era fatta per lui. La terra l'aveva richiamato. Si era messo a lavorare la terra, aiutando il padre. Si poteva credere che egli si sarebbe presto stancato e disgustato, perché lavorare ogni giorno la terra è un vero castigo di Dio. Egli svegliava il padre al mattino; egli metteva i finimenti al cavallo: egli sceglieva le sementi; egli riempiva i barili; egli si occupava dell'orto.

Ogni tanto la madre faceva una pausa nell'elogio per attizzare il fuoco che ardeva nel camino, aggiungendovi un ramo secco. Arrivò Marta, la sorella di don Benedetto. Arrivarono i cafoni del vicinato. Altri lasciarono il posto e partirono. Il vecchio Murica in piedi, a capo del tavolo, dava da bere e da mangiare agli uomini attorniati.

« È lui » egli disse « che mi ha aiutato a seminare, a sarchiare, a mietere, a trebbiare, a macinare il grano di cui è fatto questo pane. Prendete e mangiate, quest'è il suo pane. »

Altri arrivarono. Il padre versò da bere e disse:

« È lui che mi ha aiutato a potare, insolfare, sarchiare, vendemmiare la vigna dalla quale viene questo vino. Bevete, quest'è il suo vino. »

Gli uomini mangiavano e bevevano, e c'era chi bagnava il pane nel vino.

Arrivarono dei mendicanti.

« Lasciateli entrare » disse la madre.

« Può darsi che siano stati mandati per spiare » mormorò qualcuno.

« Lasciateli entrare. È un rischio da accettare. Dando da mangiare e da bere ai mendicanti, molti han nutrito Gesú senza saperlo. »

« Mangiate e bevete » diceva il padre.

Trovandosi di fronte a Pietro il padre l'osservò e gli chiese:

« Da dove vieni? »

« Da Orta » egli disse.

« Come ti chiami? »

Annina si avvicinò al vecchio e gli bisbigliò un nome all'orecchio. Egli guardò il giovane con compiacimento e l'abbracciò.

« Da giovane ho conosciuto tuo padre » egli disse a Pietro. « A una fiera egli comprò una mia cavalla. Ho sentito parlare di te da quel figlio che mi è stato tolto. Siediti qui, tra sua madre e la sua sposa; mangia e bevi anche tu. »

Gli uomini attorno al tavolo mangiavano e bevevano.

« Il pane è fatto da molti chicchi di grano » disse Pietro. « Perciò esso significa unità. Il vino è fatto da molti acini d'uva, e anch'esso significa unità. Unità di cose simili, uguali,

284

utili. Quindi anche verità e fraternità sono cose che stanno bene assieme. »

« Il pane e il vino della comunione » disse un vecchio. « Il grano e l'uva calpestati. Il corpo e il sangue. »

« Per fare il pane ci vogliono nove mesi » disse il vecchio Murica.

« Nove mesi? » domandò la madre.

« A novembre il grano è seminato, a luglio mietuto e trebbiato. » Il vecchio contò i mesi: « Novembre, dicembre, gennaio, febbraio, marzo, aprile, maggio, giugno, luglio. Fanno giusto nove mesi, da marzo a novembre ». Egli contò i mesi: « Marzo, aprile, maggio, giugno, luglio, agosto, settembre, ottobre e novembre. Anch'essi fanno nove mesi ».

« Nove mesi? » domandò la madre. Essa non vi aveva mai riflettuto. Lo stesso tempo ci vuole per fare un uomo. Luigi nacque nel mese di aprile. Sottovoce ella contò i mesi all'inverso: « Aprile, marzo, febbraio, gennaio, dicembre, novembre, ottobre, settembre, agosto. Da agosto ad aprile ci vollero nove mesi ».

Vi erano conoscenti che arrivavano altri che partivano per fare il posto. Disse Marta alla madre:

« Ricordi quando Luigi era bambino e tu eri ancora giovane e lo portavi in braccio a spasso sulla collina? Don Benedetto diceva allora che tu sembravi una vite e lui il grappolo, tu sembravi uno stelo di paglia e lui la spiga. »

Bianchina apparve nel vano della porta e Pietro andò verso di lei. La ragazza appariva sconvolta, quasi non riusciva a parlare.

« Pietro » disse.

« Perché mi chiami cosí? »

« Non sei tu Pietro Spina? »

« Sí, sono io. »

« Devi sparire al piú presto, sei scoperto. »

« Come fai a saperlo? »

« M'ha avvertito Alberto Colamartini. Egli è ora della milizia. Verranno a prenderti a Pietrasecca stanotte o domani mattina. Non hai un minuto da perdere. »

285

Pietro consultò Annina e dietro suo consiglio chiese al vecchio Murica di prestargli per qualche ora un cavallo. Il vecchio andò nella stalla e condusse nel prato un bel puledro, appena domato.

« Gli farà bene prendere un po' di vento » disse e lo consegnò a Pietro.

« Che posso fare io? » domandò Bianchina.

« Fa' quello che ti dirà Annina » disse Pietro. « Io andrò a Pietrasecca, dove ho lasciato delle carte che preferisco bruciare. Se farò a tempo ridiscenderò e andrò nella direzione di Pescasseroli, ad Alfedena o a Castel di Sangro. Non stare in pensiero. Non ho paura. Perdonami per l'inganno. Appena potrò, ti farò avere mie notizie. »

« Non era un inganno » disse Bianchina con gli occhi pieni di lagrime. « Era solo un segreto. »

XXIX

Il puledro ยon aveva né sella né morso, ma una semplice capezza di canapa attorno alla testa. Appena sentí su di sé il peso dell'uomo, nitrí e si lanciò in un galoppo sfrenato attraverso i campi. Pietro fu colto alla sprovvista. Da molti anni non era abituato a cavalcare. Per non essere sbalzato a terra, fu perciò costretto ad aggrapparsi alla criniera e al collo del cavallo. Dopo la prima sfuriata esso divenne piú ragionevole e si lasciò guidare verso la valle di Pietrasecca, trottando per un viottolo parallelo alla strada carrozzabile. Il primo tratto della valle, benché in forte pendío, fu percorso dal puledro senza riprendere fiato. Esso rallentò appena trovò la strada ricoperta di neve.

Pietro si voltava ogni tanto indietro, ma non scorgeva indizi d'inseguimento. Quanto piú egli s'inoltrava nella valle, tanto piú essa gli appariva sotto un aspetto nuovo. Molta neve era già caduta, altra ne annunziava il cielo grigio compatto. Il cavallino soffiava, vaporava, schiumava, ma manteneva un'andatura svelta e regolare. Pietro guardava le pareti bianche della serra. Non erano mai apparse cosí alte e impervie.

In vista di Pietrasecca, egli si aggiustò il feltro in testa e abbottonò il mantello. Il suo sguardo era fisso alla montagna a ridosso del villaggio con le sue due cuspidi ineguali, come la schiena d'un dromedario. Tra le due gobbe vi era una profonda avvallatura chiamata la Sella delle Capre. Era l'unico valico esistente per passare nell'altro versante. D'estate ci volevano da quattro a cinque ore per raggiungere il primo gruppo di case dall'altra parte. Ma d'inverno? Rinunziando a quella via, esistevano altre possibilità di fuga? Rinunziando alla fuga, esisteva qualche possibilità di nascondersi?

Arrivato a Pietrasecca egli legò il puledro per la capezza a una maniglia infissa nel muro della locanda e stava per entrare, ma si voltò indietro, udendo qualcuno sopraggiungere di corsa. Era Cristina. Ella aveva un'espressione cosí desolata da incutergli paura.

« Mi ha avvisato Alberto » la ragazza riuscí a balbettare. « Sta forse poco bene? »

« Per favore, mi dica la verità, è lei Pietro Spina? »

« Sí » egli rispose. « Sono io. Le chiedo scusa. »

Matalena uscí dalla locanda e intese a modo suo l'insolita emozione da cui i due apparivano visibilmente turbati.

« Aspetti qui un momento » disse Pietro alla ragazza. « Ho qualcosa per lei. »

Egli salí in fretta nella sua camera e cercò nel tiretto del tavolo il quaderno del diario. Sulla copertina egli scrisse queste parole:

"Cara Cristina, qui lei troverà la mia giustificazione, e qualcosa di piú, che riguarda lei personalmente: al di là delle obbligatorie finzioni, la verità nascosta, la verità del cuore. PIETRO SPINA."

Egli ridiscese in cucina e consegnò il quaderno a Cristina, rimasta fuori della porta, livida e come paralizzata. La ragazza andò via, quasi correndo, senza dire una parola. Davanti alla locanda Pietro vide in quel momento passare Sciatàp. Lo chiamò e gli propose di riportare subito il puledro al vecchio Murica, a Rocca dei Marsi. In compenso gli avrebbe pagato in anticipo una giornata di lavoro.

« Grazie » disse Sciatàp.

D'inverno era un guadagno inaspettato. Matalena assisté alla scena e vide l'uomo, che per lei era ancora don Paolo, risalire nella sua camera. Nulla era accaduto che potesse insospettire la locandiera. L'atteggiamento appassionato di Cristina era quello che la Cassarola aveva previsto. Matalena uscí sorridendo dalla cantina per andare a comprare del sale. Indugiò un po' a conversare con la moglie di Magascià e altre donne, poiché era di buon umore e non aveva fretta.

« Come sta don Paolo? »

« Benissimo. Ormai sono certa che rimarrà qui tutto l'inverno. »

« Quando riprende a confessare? »

« Tra poco. Aspetta la risposta definitiva del papa. »

Appena tornata nella locanda, sempre ignara di tutto, essa preparò la cena. Quanto tempo trascorse in tutto, dal momento che aveva visto il suo prete salire in camera? Forse un'ora e mezzo, forse due ore. Pronta la cena, salí le scale per chiamare il prete a tavola. La camera era buia e vuota. Matalena accese la luce. Sul tavolino vi erano alcune monete e due parole di scuse e ringraziamento. Era da non credere ai propri occhi. Che scherzo era quello? Il suo prete era impazzito? Col cuore in tumulto la donna scese nell'orto. Sulla neve riconobbe le orme dell'uomo. Le seguí e arrivò fino al ruscello. Da quel punto le orme non piegavano verso valle, ma verso la montagna. Matalena incontrò il muto e coi segni gli domandò se avesse visto il prete. Con altri segni quello rispose di averlo visto correre verso la montagna. Sopraggiunse Magascià e confermò l'incredibile racconto. Il prete correva come un pazzo. Doveva essere già lontano.

« È impazzito » gridò Matalena. « Perché non l'avete trattenuto? »

Senza aspettare risposta, di corsa essa tornò indietro e si diresse alla casa Colamartini. Varie volte bussò alla porta, ma nessuno si fece vivo. Fece allora il giro della casa ed entrò per una porticina posteriore che trovò aperta.

« Donna Cristina » gridò varie volte per le scale. Ma nessuno le rispose.

Cristina era nella sua camera, sola, in preda a un totale sgomento. I fogli del quaderno di Pietro Spina le tremavano tra le mani.

« Il nostro prete è impazzito » gridò Matalena irrompendo nella sua camera.

« Impazzito? » domandò Cristina.

« È partito all'improvviso, ha preso la via della montagna » ella aggiunse. « Per caso non siete stata voi a ridurlo in quelle condizioni? »

Cristina accorse alla finestra e guardò nella direzione della montagna. Sulla parete bianca che conduceva alla Sella delle Capre non si scorgeva ombra d'uomo. Egli doveva aver preso la via piú facile e piú lunga, la mulattiera che dapprima costeggiava il ruscello e poi, per ampi zig-zag, saliva fino al valico.

« Avesse almeno cenato » disse Matalena piagnucolando. « Avesse almeno preso dei panni piú pesanti. Li ha invece lasciati nell'armadio della camera. »

Il corso del ruscello nel fondovalle era talmente nascosto dai macigni e dagli arbusti da rendere impossibile a Cristina di scorgere a che punto il fuggitivo fosse già arrivato. Inoltre l'aria non era chiara.

« Sarà presto notte » piagnucolò ancora Matalena. « Anche se arriva alla Sella, vi sarà sorpreso da una bufera di neve. »

Cristina era rimasta alla finestra, con gli occhi fissi nella direzione dell'uomo in fuga. Era un'avventura che poteva costargli la vita. Cosí debole di salute, cosí inesperto dei luoghi, senza indumenti speciali, né cibi. Bruscamente Cristina parve decidersi.

« Andate » ordinò a Matalena.

Appena sola, ella nascose il diario sotto il cuscino del letto. Cercò in un armadio del corridoio alcuni indumenti pesanti, un maglione sportivo, due sciarpe, un paio di calzettoni, un paio di guanti e li avvolse in un fagotto. Scese in cucina, prese un filone di pane, una pezza di formaggio e una bottiglia di vino e li introdusse nel fagotto. Per non essere vista né udita, uscí con quel grosso involto dalla porticina posteriore, dove era già passata Matalena. Fece un piccolo giro, passò dietro la chiesa e il cimitero e si lasciò sdrucciolare per una ripida scarpata di una decina di metri, fino al sentiero che costeggiava il ruscello e risaliva a fianco di esso nella direzione della sorgente. Quando Cristina si sentí sicura che nessuno del villaggio l'aveva seguita od osservata, si mise a correre. Non aveva tempo da perdere se voleva raggiungere il fuggitivo. Sulla neve del sentiero vi erano varie tracce di passi ed ella cercava correndo, di indovinare quelle di lui. Le orme si facevano sempre piú rare, ma non si allontanavano dal fianco del ruscello. Era un segno sicuro che per salire alla Sella delle Capre egli aveva preso la via piú lunga, quella della mulattiera, invece della ripida accorciatoia che si inerpicava su una scarpata alta un centinaio di metri.

Salire di lí, anche in estate era un'impresa riservata ai ragazzi temerari e alle capre; d'inverno era una fatica quasi impossibile. Cristina saltò il ruscello senza esitare e cominciò l'ascensione dell'accorciatoia. Ella s'arrampicava aiutandosi con le mani e i piedi, aggrappandosi agli sterpi, ai cespugli, ai macigni sporgenti fuori della neve. Alcune volte incespicò in malo modo, cadde con la faccia sulla neve e scivolò indietro. Per fortuna, dove la pendenza era piú ripida c'era anche meno neve, a causa del vento che la spazzava. Invece tra le rocce ella sprofondava nella neve ancora molle e doveva arrancare con tutta la persona per uscirne fuori. Le gonne e il fagotto la ostacolavano, ma erano due cose di cui, per ragioni diverse, non poteva disfarsi. Dove una grande rupe sporgeva formava una specie di grotta asciutta, si gettò per terra estenuata e quasi senza respiro. Dalla valle saliva la nebbia. Matasse di ovatta grigia riempivano i burroni, nascondevano le case, ricoprivano i campi le siepi i muricciuoli. La terra aveva un aspetto informe e vuoto, come se fosse disabitata. Cristina si alzò e proseguí la sua ascensione. Lassú la neve era piú dura. Si camminava meglio, ma si scivolava anche piú facilmente. La ragazza grondava sudore e le mani le sanguinavano, dilaniate dagli spini ai quali due o tre volte aveva dovuto aggrapparsi per non precipitare nel vuoto. Il cuore le martellava cosí forte che doveva premersi il petto per tenerlo. Quando arrivò sull'orlo della scarpata Cristina si trovò in un ampio spiazzo, quasi rettangolare, chiamato il Prato delle Streghe. Al di là dello spiazzo, la montagna continuava con un leggero pendio. Tutt'intorno la neve era intatta. Nessuno era passato di là. Continuare verso la sommità della montagna, oltre che estremamente faticoso, non aveva senso. Era piú indicato aggirarla di fianco, in modo da intersecare l'itinerario di Spina. Ella prese la nuova direzione. Presto perdé di vista

completamente la valle di Pietrasecca. Davanti e attorno ⟨
sé non aveva che le groppe e le cime bianche d'altre montagne. Tirava un vento gelido che tagliava la faccia. Si avvici
nava anche una bufera. Cristina arrivò dove cominciava l'av
vallamento che spacca la montagna in due gobbe e forma la
Sella delle Capre. Sulla neve nessuna traccia d'uomo. Il suo
lo era molto accidentato da macigni e da scoscendimenti sca-
vati dalle alluvioni, e con la neve fino alla cintura Cristina
non poteva vedere lontano. Cristina riprese a salire verso la
Sella. Forse pensava che arrivando lassú le sarebbe stato possibile guardare nei due versanti, vedere piú facilmente Pietro
o almeno farsi scorgere da lui. Ma ad un certo momento non
ne poté piú e si lasciò cadere nella neve.

Per evitare che lui passasse e non si accorgesse di lei, ogni
tanto lo chiamava per nome, con tutta la forza dei polmoni
Lo chiamava col suo nome nuovo, col suo vero nome:

« Pietro, Pietro. »

Se lui fosse passato, certamente l'avrebbe udita. Ella si ri
mise in ordine i capelli, si spolverò dalla neve la faccia e le
ciglia gli orecchi il collo. E ogni tanto continuava a chiamarlo:

« Pietro, Pietro. »

A un certo momento una voce rispose da lontano, ma non
era una voce umana. Pareva il guaito d'un cane, ma piú
acuto e prolungato. Probabilmente Cristina lo riconobbe. Era
l'urlo del lupo. L'urlo della carnaccia. Il richiamo agli altri
lupi sparsi sulla montagna. L'invito al banchetto comune
Attraverso il nevischio e l'oscurità della notte incipiente, Cri
stina vide accorrere una belva verso di lei, apparendo e spa
rendo velocemente, attraverso i fossati di neve. Da lontano
ne vide apparire altre. Allora s'inginocchiò, chiuse gli occhi
e si fece il segno della croce.

Indice

OSCAR CLASSICI MODERNI

Woolf, Orlando

Hemingway, Per chi suona la campana

Sereni, Diario d'Algeria

Styron, La scelta di Sophie

Koestler, Buio a mezzogiorno

Pratolini, Cronache di poveri amanti

Leavitt, Ballo di famiglia

Fromm, Avere o essere?

Bonaviri, Il sarto della stradalunga

Wilder, Il ponte di San Luis Rey

Miller, Tropico del Cancro

Ginsberg, La caduta dell'America

Apollinaire, Alcool - Calligrammi

Joyce, Dedalus

Bassani, Gli occhiali d'oro

Doctorow, Ragtime

Bacchelli, Il mulino del Po

Hesse, Il lupo della steppa

Mann, Doctor Faustus

Vittorini, Il garofano rosso

Caldwell, Il bastardo

Maugham, Schiavo d'amore

Lawrence, Figli e amanti

Pratolini, Le ragazze di Sanfrediano

Palazzeschi, Il Codice di Perelà

Styron, Le confessioni di Nat Turner

Forster, Camera con vista

Mann H., Il professor Unrat (L'angelo azzurro)

Pound, Cantos scelti

Lewis C.S., Le lettere di Berlicche

Monod, Il caso e la necessità

Gandhi, Antiche come le montagne

Bontempelli, La vita intensa - La vita operosa

Hesse, Il giuoco delle perle di vetro

Gozzano, I colloqui

La Capria, Ferito a morte

Bevilacqua, La califfa

Miller, Tropico del Capricorno

Hammett, Spari nella notte

Bradbury, Cronache marziane

Roth, Lamento di Portnoy

Saroyan, Che ve ne sembra dell'America

Nizan, Aden Arabia

AA.VV., Racconti fantastici argentini

Yourcenar, Care memorie

Pavese, La bella estate

Amado, Gabriella, garofano e cannella

Byatt, Possessione

AA.VV., I poeti crepuscolari

Bonelli - Galleppini, Il passato di Tex

AA.VV., Racconti fantastici del Sudamerica

Gaddis, Le perizie

Joyce, Ulisse

AA.VV., Cieli australi

Romano, L'ospite

De Maria (a cura di), Filippo Tommaso Marinetti e il futurismo

Brodkey, Storie in modo quasi classico

Brancati, Il bell'Antonio

Dazai - Kawabata - Ōe - Endō e altri, Cent'anni di racconti dal Giappone

OSCAR CLASSICI

Gogol', Racconti di Pietroburgo

Foscolo, Ultime lettere di Jacopo Ortis

Chaucer, I racconti di Canterbury

Shakespeare, Coriolano

Hoffmann, L'uomo di sabbia e altri racconti

Wilde, Il fantasma di Canterville

Molière, Il tartufo - Il malato immaginario

Alfieri, Vita

Dostoevskij, L'adolescente

Dostoevskij, I demoni

Leopardi, Canti

Dostoevskij, Memorie dal sottosuolo

Manzoni, Tragedie

Foscolo, Sepolcri - Odi - Sonetti

Hugo, I miserabili

Balzac, La Commedia umana

Dostoevskij, Umiliati e offesi

Tolstòj, I Cosacchi

Conrad, Tifone - Gioventù

Voltaire, Candido

Leopardi, Operette morali

Alfieri, Tragedie

Polibio, Storie

Shakespeare, Amleto

Verga, Il marito di Elena

Capuana, Giacinta

Turgenev, Padri e figli

Tarchetti, Fosca

Erodoto, Storie

AA.VV., I romanzi della Tavola Rotonda

Dumas A. (figlio), La signora delle camelie

AA.VV., Racconti neri della Scapigliatura

Goethe, I dolori del giovane Werther

Boccaccio, Decameron

Shakespeare, Riccardo III

Stendhal, La Certosa di Parma

Laclos, Le amicizie pericolose

Tucidide, La guerra del Peloponneso

Verga, Tutto il teatro

Tolstòj, Anna Karenina

Shakespeare, Re Lear

James H., Giro di vite

Dostoevskij, L'eterno marito

Manzoni, I promessi sposi

Flaubert, Tre racconti

Shakespeare, Misura per misura

Boccaccio, Caccia di Diana - Filostrato

Wilde, L'importanza di essere onesto

Alighieri, De vulgari eloquentia

Stendhal, Il Rosso e il Nero

Shakespeare, Enrico V

Polo, Il Milione

Swift, I viaggi di Gulliver

Stendhal, L'amore

Dickens, Racconti di Natale

Medici, Canzoniere

Racine, Fedra

AA.VV., Poeti del Dolce Stil Novo

Stendhal, Cronache italiane

Shakespeare, La tempesta

De Sanctis, Storia della letteratura italiana

Gaskell, Mary Barton
Boccaccio, Ninfale fiesolano
Gogol', Le anime morte
Vélez de Guevara, Il diavolo zoppo
Rodenbach, Bruges la morta
Dostoevskij, Saggi
Brentano, Fiabe
AA.VV., Haiku
AA.VV., La saga di Egill
Schopenhauer, Aforismi sulla saggezza del vivere
Góngora, Sonetti
AA.VV., La saga di Njàll
Conrad, Lord Jim
Pascoli, Poesie vol. II
Shelley M., L'ultimo uomo
Brontë E., Poesie
Kleist, Michael Kohlhaas
Tolstòj, Polikuška
De Maistre, Viaggio intorno alla mia camera
Stevenson, Poesie
Pascoli, Poesie vol. III
AA.VV., Lirici della Scapigliatura
Manzoni, Osservazioni sulla morale cattolica
Tolstòj, I quattro libri russi di lettura
Balzac, I segreti della principessa di Cadignan
Balzac, La falsa amante
Conrad, Vittoria
Radcliffe, I misteri di Udolpho
Laforgue, Poesie e prose
Spaziani (a cura di), Pierre de Ronsard fra gli astri della Pléiade
Rétif de la Bretonne, Le notti rivoluzionarie

Tolstòj, Racconti popolari
Pindemonte, Odissea di Omero
Conrad, La linea d'ombra
Leopardi, Canzoni
Hugo, L'uomo che ride
AA.VV., Upaniṣad
Pascoli, Poesie vol. IV
Melville, Benito Cereno - Daniel Orme - Billy Budd
Michelangelo, Rime
Conrad, Il negro del "Narciso"
Shakespeare, Sogno di una notte di mezza estate
Chuang-Tzu, Il vero libro di Nan-hua
Conrad, Con gli occhi dell'Occidente
Boccaccio, Filocolo
Jean Paul, Sogni e visioni
Hugo, L'ultimo giorno di un condannato a morte
Tolstòj, La morte di Ivan Il'ič
Leskov, L'angelo sigillato - L'ebreo in Russia
Potocki, Nelle steppe di Astrakan e del Caucaso
AA.VV., Lazarillo de Tormes
Shakespeare, Le allegre comari di Windsor
Defoe, Memorie di un Cavaliere
Boccaccio, Rime
AA.VV., Il Libro della Scala di Maometto
Beethoven, Autobiografia di un genio
Wordsworth - Coleridge, Ballate liriche

linguaggi: 1. Religioso (supustizioni, latino,
                                        Proverbi)
- sciatápó   2. dei emigrati (p 75)
                    3 segni del paese Cp. 76,
"cenno di sí, con la testa" (osato
                                    spesso)

─────────────────────────────────────

- la chieca vs. la famiglia
        (p. 97, 110, 116) chiesa
                    123   L D US. società/
                         la chiesa vs governo
                                    191, 236

p. 121 "la povera gente è sempre
                    in paura"
129 - "non si puo vivere pene e rimanere
                                    onesti"

Tema * / l'invidia ?
        (paese come trappola (p. 72)
        O il malochio (come causa della
        - Terramoto e i floods)
            ° p. 105

        * "Pietrasecca" *
- il significato del nome
= la locanda - Matalena
- Casa lolo martini (Cristina!)] Don
                                    Pasquale
- la pcategobzza
- la natura - terramoto - floods
- "primitiva"

D. Paolo = Celebrity) Playboy in convales
among the poor /
decrepit

«Vino e pane»
di Ignazio Silone
Oscar classici moderni
Arnoldo Mondadori Editore

Questo volume è stato stampato
presso Mondadori Printing S.p.A.
Stabilimento NSM - Cles (TN)
Stampato in Italia - Printed in Italy

* Usanza di "pane e vino" → don
paolo contento
p. 123-4